ペダゴジカル英語

Pedagogical English

It's called
ペダゴジカル英語

教職のスペシャリストを目指して

小向 敦子 著

信山社

はじめに

　学校・大学をはじめとする教育現場や，教育学に関する研究分野では，数多くの英語表現が日常的に用いられています．それらが，いわゆる「ペダゴジカル (pedagogical，教育学) 英語」です．

　いま，日本の教育界においては，国際派教員の育成が重要課題のひとつとなっています．そのために例えば，現職の先生が本務校を離れ，一定期間他国の教育機関で教育活動を行うことを促す，教員のフルブライト計画（国際教育交流計画）が奨励されています．「留学生」ならぬ，「交換留学先生」が派遣されるようになれば，ひとりの先生が異国で多くの生徒に触れ，そして帰国後は国際交流の経験を活かし教育に携わることができるのです．また，帰国子女・外国人留学生・在日外国人の子供たちの増加にともない，多様な言語・文化的背景を持つ生徒・学生を指導する立場にある教員にとって，彼らを理解するための「交流ツールとしての英語力」を身につけることが必要条件となってきているのが現状のようです．

　このような時代において，種々の"ビジネス"英語が定着しているように，"ペダゴジカル"英語の地位も確立されなければなりません．ペダゴジカル英語の解説書こそは，教職を目指す皆さんや現職の先生達の間でその刊行が待たれていながらも，類書がほとんど見受けられませんでした．本書は，"教育について学びながら英語も習得できる"という一石二鳥式のインターディシプリナリー (inter-disciplinary，科目の縦割りにこだわらないことで科目に柔軟性・流動性を促す，学際的な)，かつコンテンツを重視したオーセンティック・インストラクション (authentic instruction，現実味のない学習ではなく，実社会の問題や具体的な素材を学習者の関心に結びつける教授法) という特色を有する解説書として編集してあります．

　教職のスペシャリストを目指す貴方に，さらなる可能性という新たなページを開いてくれる，それが「ペダゴジカル英語」と呼ばれる学問領域です．
It's called *Pedagogical English!*

2002年7月

小向敦子

目次

はじめに

Chapter 1 教育制度（educational system）

- **Lesson 1** 就学前・初等・中等教育 (preschool, elementary, and secondary education) *10*
  - ◇ミニ知識：英国・米国事情 (things in England and America) *13*
- **Lesson 2** 高等教育 (higher education, tertiary education) *13*
  - ◇ミニ知識：英国・米国の大学 (university in England and the U.S.) *15*
- **Lesson 3** 生涯学習 (life-long learning, life-long study, life-long integrated education) *19*
  - ◇ミニ知識：日本における生涯学習 (life-long learning in Japan) *22*
- **Lesson 4** 教職員 (school staff and faculty) *24*
  - ◇ミニ知識：教職員組合 (teachers' union) *26*

Chapter 2 教育分野・科目（offered course and class）

- **Lesson 5** 小学校 (at elementary school) *31*
- **Lesson 6** 中学・高校 (at junior high and high school) *35*
- **Lesson 7** 大学 (at college and university) *38*
  - ◇ミニ知識：大学院教育学部 (graduate school of education) *41*

Chapter 3 教育行政財（educational administration and finance）

- **Lesson 8** 教育の歩み (historical review of education) *46*
  - ◇ミニ知識：アメリカの戦後教育改革(60・70年代) (educational reform in America during the 60th and 70th) *48*
- **Lesson 9** 行政 (administration) *50*
  - ◇ミニ知識：顕在・潜在カリキュラム (manifest and hidden curriculum) *52*
- **Lesson 10** 教育費 (education(al) expenditure, education(al) expenses, cost of education) *53*
  - ◇ミニ知識：大学生生活 (lives of university students) *58*

目次

Chapter 4　学校と先生と生徒（school, teacher, and student）

Lesson 11　学校行事（school event）　*62*
　　◇ミニ知識：生徒会とクラブ活動(school government and club activity)　*64*

Lesson 12　学級運営（classroom management）　*67*
　　◇ミニ知識：学校評議会（councils for school administration, school council）　*68*

Lesson 13　教職（teaching profession）　*70*
　　◇ミニ知識：良い先生と悪い先生(a good teacher and a bad teacher)　*71*

Chapter 5　教育方針と方法（educational policy and method）

Lesson 14　学習：刺激・強化から意欲・動機付けへ
　　（learning: from "reinforcement" to "motivation"）　*75*

Lesson 15　学級編成（classroom as a group, pupil arrangement in a class, class organization）　*77*
　　◇ミニ知識：学校教育への期待(expectation for school education)　*79*

Lesson 16　教育方針（principle of education, educational policy）　*80*
　　◇ミニ知識：学習環境（learning environment, milieu）　*82*

Chapter 6　評価とテスト（evaluation and testing）

Lesson 17　21世紀が目指す評価（evaluation in the 21st century）　*85*
Lesson 18　能力（ability）　*88*
Lesson 19　入試（entrance exam）　*91*
　　◇ミニ知識：英米の大学入学手続き（admission procedure to enter universities in England and the U.S.）　*95*
Lesson 20　各種のテスト（variety of tests）　*96*

Chapter 7　人間の発達と教育（human development and education）

Lesson 21　発達段階（developmental stage）　*102*
Lesson 22　自己と対人（self and relation with others）　*106*
　　◇ミニ知識：フロイドによる人格構造理論(theory of personality by Sigmund. Freud)　*108*
Lesson 23　遺伝と環境（heredity vs. environment）　*109*

目次

◇ミニ知識：行動主義 (behaviorism)　*111*

Chapter 8　障害を乗り越える教育 (education to overcome handicap)

- Lesson 24　障害 vs. 身体的不全 (handicapped vs. disabled)　*114*
- Lesson 25　身体障害 (physically handicapped, physical disability)　*116*
- Lesson 26　精神障害 (mentally handicapped, mental disorder)　*119*
  - ◇ミニ知識：精神疾患の診断・統計手引き (diagnostic and statistical manual of mental disorders)　*124*
- Lesson 27　精神病治療法 (therapy and remedy)　*125*
  - ◇ミニ知識：失敗学 (study of failure)　*127*

Chapter 9　教育の病理現象 (educational pathology)

- Lesson 28　家庭が抱える問題 (problems at home)　*131*
  - ◇ミニ知識：教育パパ (father overly concerned with education)　*135*
- Lesson 29　学校をめぐる問題 (problems at school)　*136*
  - ◇ミニ知識：摂食障害 (eating disorder)　*138*
- Lesson 30　防衛規制とカウンセリング (defense mechanism and counseling)　*140*
- Lesson 31　アメリカ事情 (things American)　*145*
  - ◇ミニ知識：少数派民族と貧困 (minority and poverty)　*149*

Chapter 10　青少年と犯罪 (youngster and crime)

- Lesson 32　世界の青少年 (boys and girls in the world)　*154*
  - ◇ミニ知識：識字教育 (literacy education)　*156*
- Lesson 33　少年非行と犯罪 (juvenile delinquency)　*162*
  - ◇ミニ知識：薬物乱用 (drug abuse)　*165*
- Lesson 34　校則と体罰 (inner school law and punishment)　*167*

Chapter 11　家庭・地域・職場と教育の関わり (out of school education)

- Lesson 35　学校教育の終焉 (the end of school education)　*174*
  - ◇ミニ知識：不登校と引きこもり (school refusal and withdrawal)　*175*
- Lesson 36　親主導による教育 (home based education)　*178*
  - ◇ミニ知識：教育のアカウンタビリティ (educational accountability)　*179*

目 次

Lesson 37　地域の教育(community education)　*181*
Lesson 38　職場教育(on the job training)　*187*
　　　◇ミニ知識：英国の現職教育(on the job training in England)　*190*

Chapter 12　新しい教育の動き(new development in education)

Lesson 39　教育の新分野(new field of education)　*199*
　　　◇ミニ知識：ジェンダー・フリー教育(gender-free education)　*201*
Lesson 40　死の教育 (death education)　*205*
Lesson 41　マルチメディア教育(multi-media education)　*207*
Lesson 42　外国人教育(education for foreign students)　*211*
　　　◇ミニ知識：留学生・帰国子女(Japanese students who study abroad, and who return home from abroad)　*213*

主要参考文献　*222*

和英索引　*225*

英和索引　*285*

あとがき　*343*

It's called
ペダゴジカル英語

Chapter 1 教育制度
educational system

Lesson 1 就学前・初等・中等教育
preschool, elementary, and secondary education

---

* キーワード *

胎教　prenatal education
保育所　nursery school
０歳児保育　day care for children under twelve months
保育園　day nursery
延長保育　extended day care
夜間保育　overnight nursery
終日保育　full day care
幼稚園　kindergarten
ヘッドスタート・プログラム　head start program
就学前教育　preschool education
早期教育　early education
義務教育　compulsory education, public education
小学校　elementary school, grade school
中学校　lower secondary school, junior-high school
習い事　taking lessons, take lessons
塾　cram school
中高一貫教育　consistency in education from middle school through high school
６年生中等学校　integrated six-year secondary school
高校　upper secondary school, senior high school, high school
普通校　mainstream school

全日制　full-time course
定時制高校　part-time high school
夜間学部　night school, evening course
普通教育・一般教育　general education
職業教育　career education, vocational education
商業学校　commercial school
工業学校　industrial school
看護学校　school of nursing
職業学校　trade school
予備校　preparatory school, prep school

　私たちは生まれてから死ぬまでの生涯を通じて，実に教育と無縁ではない．時系列順に私たちが関与する教育についてそのシステムを追ってみることにする．

　まず**胎児**（fetus）に対して行われる**胎教**（prenatal education）に始まり，生後6カ月を過ぎると**保育所**（nursery school）[1]へ入所できるようになる．その中でも特に1歳未満児を対象とする場合は**0歳児保育**（day care for children under twelve months）と呼ばれる．その後，子どもたちは**保育園**（day nursery）・**幼稚園**（kindergarten）[2]へ進級するが，こちらでは多彩な**ヘッドスタート・プログラム**（head start program）を取りそろえ，少子化にともない減少している園児確保に対処している．**義務教育**（compulsory education, public education）は**小学校**（elementary school, grade school）[3]からであるので，これらは**就学前教育**（preschool education，主に2～5歳）・**早期教育**（early education）に属する．

　小学校・**中学校**（lower secondary school, junior-high school）へ上がると子どもたちは**習い事**（taking lessons, take lessons）をしたり，**塾**（cram school）通いをするのが一般的である．現状では中学校を卒業した者の約95%が**高校**（upper secondary school, senior high school, high school）へ進学している[4]．

　高校では**全日制**（full-time course）の**普通校**（mainstream school）や**定時制高校**（part-time high school），**夜間学部**（night school, evening course）などがある．また，**普通教育・一般教育**（general education）よりも**職業教育**（career education, vocational education）に重点を置く，**商**

Chapter 1 教育制度

図1-1 学習人口の現状

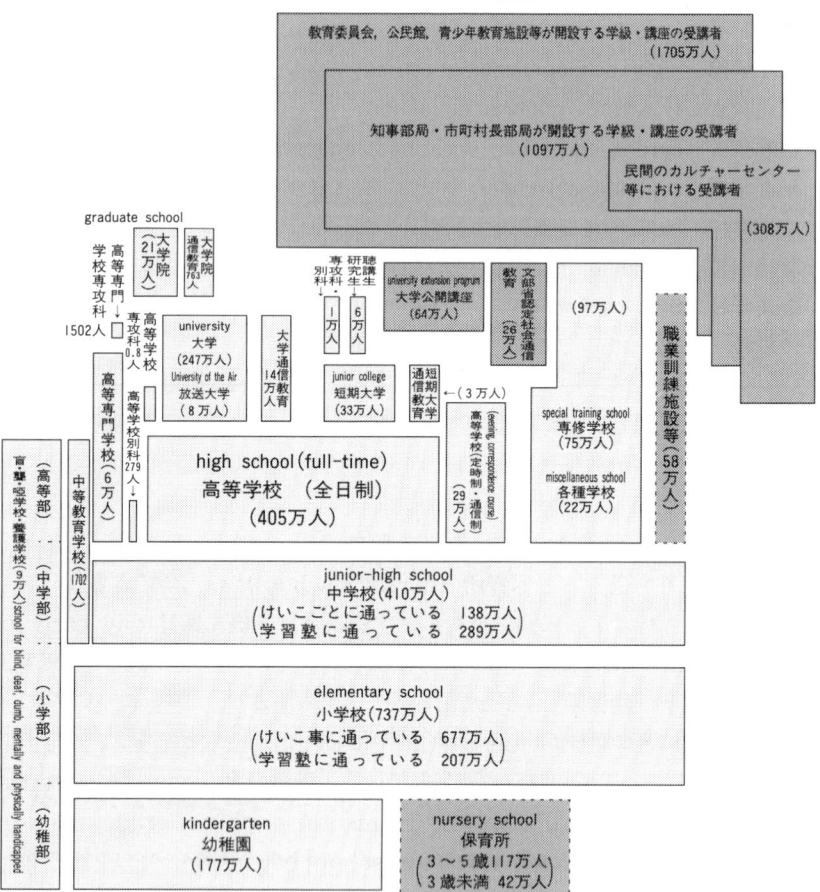

(資料) 文部省「平成12年度学校基本調査速報」2000年. 文部省『平成12年度我が国の文教施策』2000年, p.341.

業学校 (commercial school)・工業学校 (industrial school)・看護学校 (school of nursing) などの職業学校 (trade school) がある.

大学へ進学を希望する者の多くが予備校 (preparatory school, prep school)[5] へ通い, 希望通りの大学へ入学できなかった者は浪人生 (repeater) として翌年のチャンスに備えることになる[6].

ミニ知識：英国・米国事情（things in England and America）

　英国では義務教育は5歳から始まるが，4歳児を対象とするレセプション・クラス（reception class，通常小学校に設置されている）に通う子が多いため，実質的には義務教育は4歳にスタートする．5歳になると公立初等学校（first school か primary school）[7]へ入学．その後は中等学校（middle school）へ進学する[8]．一部の金持ちや貴族の子弟はこの例外で，個人教授による教育を5・6歳から受け始め，その後，私立の小学校（prep school，8～13歳）からパブリック・スクール（public school，8～13歳）[9]へと進級する．

　中等学校後は，5年制で多様な講座メニューを持つ統合制学校（comprehensive school）[10]・モダン・スクール（modern school）・実業学校（technical school），あるいは一定以上の成績を修める生徒のみ入学できるグラマー・スクール（grammar school）へ進学するなどの選択肢がある．

　一方，アメリカでは初等・中等教育は各州によって6・6制，6・3・3制，8・4制など異なった形態になっている．義務教育の就学年数も州ごとに違いがあるが，通常6・7歳から17・18歳までである[11]．学年は小学1年から高校まで通算されるため，例えば中学3年生は9年生（ninth grader），高校3年生は12年生（twelfth grader）となる．また高校は通常，一定の必修科目（constants）の他に自分の希望に沿って多くの選択科目を選べる，単位制（credit system）になっている．

Lesson 2　高等教育　higher education, tertiary education[12]

＊ キーワード ＊

中等後教育　post-secondary education
各種学校　miscellaneous school
専門学校　special training school, special training college
短期大学　junior college, two-year college
4年制大学　university
大学課程　four-year undergraduate program
大学院　graduate school, graduate college
学部　department
専攻　major
副専攻　minor
準学士　Associate Bachelors, A.B.

Chapter 1　教育制度

学士　bachelor, baccalaureate
修士　master
大学院研究科修士課程　master's program
博士　Doctor of Philosophy, Ph.D.
大学院研究科博士課程　doctoral program
正規の学生　degree student
定時制の学生　part-time student
科目等履修生　special, non-degree student
聴講生　auditor
18歳人口　population group of 18 year of age
大学公開講座　university extension program
放校制　kick-out system
クレデット・ユニット・システム　credit unit system
単位互換制度　credit transfer system

　高等教育は主に**各種学校**（miscellaneous school）・**専門学校**（special training school, special training college）・**短期大学**（junior college, two-year college）・**4年制大学**（university）・**大学院**（graduate school, graduate college）に分けられる[13]．短大や大学（院）は**学部**（department）に分類されているので，自分の**専攻**（major）や**副専攻**（minor）を選択する[14]．
　短大を卒業すると**準学士**（Associate Bachelors, A.B.），**4年制大学の課程**（four-year undergraduate program）を修了すると**学士**（bachelor, baccalaureate）の<u>学位</u>（degree, diploma）を取得できる[15]．さらに進んで，**大学院研究科修士課程**（master's program）を修了すると**修士**（master）[16]，**博士課程**（doctoral program）を修了すると**博士**（Doctor of Philosophy, Ph.D.）の<u>学位修得者</u>（recipient）となる[17]．
　日本で大学生というと，圧倒的に**全日制**（full-time course）で**正規の学生**（degree student）が多いが，海外の大学では働きながらの**定時制の学生**（part-time student）が少なくない．また，卒業を目的としない，**科目のみ受講する科目等履修生**（special, non-degree student）や**聴講生**（auditor）が混在している．
　日本の大学は少子化にともない，程なく忍び寄る"厳冬期"という現実的問題に直面している．また長引く不景気の影響で，大学という教育機関にも，社

会の需要や変化に敏感に呼応することが，いまだかつてないほど強く求められるようになった．大学が社会の動向にいたずらに追随するのではなく，それらを先取りできる教育の在り方を推考するとき，入学試験で厳しくふるいにかける (screening) のではなく，より正当な評価とは学期末の単位取得試験によって与えられるべきであり，このことは大学での教育の不在・空洞化を防ぐことにもつながる[18]．

さらに大学が門戸を開放し，**18歳人口** (population group of 18 year of age) を吸収するだけでなく，地域とともに発展していける足がかりとして，**大学公開講座** (university extension program) を開催したり，社会人学生 (adult student) を受け入れることも必要である．

創立以来，学生を選んできた大学は，一部の名門を除き，学生に選ばれる立場になった．大学が淘汰される時代は，本当に良い大学だけが生き残る．すなわちそれは大学にとって，存続をかけた，生まれ変わるチャンスとチャレンジの時代の到来でもあることを意味している[19]．

ミニ知識：英国・米国の大学 (university in England and the U.S.)

英国で college といえば，専門教育に集中する単科大学のことであるが，米国では教養科目も重視するリベラルアート大学 (liberal arts college) のことを意味し，中には大学院博士課程を持つ非常にレベルの高い大学もある．university とは英国でも米国でも同意に用いられており，複数の colleges と大学院・各種の大学付属研究所・図書館などの総称である．

英国の大学ではシングル・サブジェクト学位 (single subject degree) であるので3・4年間，ある一つの専門領域だけを履修する．これに対し，米国では1・2年時は各種の学問領域を一般教育 (general education)[20] として履修し，3・4年では専攻[21]と呼ばれる特定の学問領域を履修する．大学側は入学の際，学部による入学定員制限を設けないので，学生は3年に進級するまでに自分の専攻を決めておけばよい．また，クレデット・ユニット・システム (credit unit system) により学生が大学間の移動（単位による転学）が容易にできるようになっている[22]．

** 関連ワード **

アドバンスド・プレイスメント (advanced placement)：学業に秀でた高校生が，高いレベルの教科で一定の成績を収めた場合，その教科を大学入学後，大学の単位として加算する．

優等プログラム (honors program)：少数の優秀な学生だけを集め，高度の内

Chapter 1　教育制度

容を扱うプログラム．卒業時，プログラム修了者に対しては通常の学位とは異なる優等学位 (honors degree) が付与される．

新構想大学 (university based on a new concept)

夏季（補習）学校 (additional summer schools)：夏学期は summer session という．

夏休み (summer vacation)

冬休み (Christmas holiday, クリスマス休暇)

春休み (Easter holiday, イースター・ホリデー)

先輩(senior, upper-class student)・後輩(junior, lower-class student)：高校の1年生から3年生は，freshman, junior, senior. 大学の1年生から4年生は，それぞれfreshman (frosh ともいう), sophomore, junior, senior.

単位 (credit, credit unit)

単位にならない科目 (non-credit, pre-requisite course)：例えばESL (English as a Second Language)のコースや高校の補習レベルのコースなどは履修しても単位として加算することができない．

単位修得 (acquisition of credit)

秋季入学 (autumn entrance)：留学生・帰国子女を受け入れやすく，外資系企業の通年採用にも対応できる．また定員割れをしている大学にとっては年に2度（春期と秋期），学生を刈り入れることができる．

2学期制 (semester system)：秋学期 (fall semester) と春学期 (spring semester) から成る．3学期制 (quarter system) は秋・冬・春学期 (fall, winter, spring quarter) から成る．

ABD (all but dissertation)：博士課程単位取得者で，卒論を書き終えれば博士号 (doctor's degree) を取得できる状態．博論を dissertation, 修論を thesis として区別する場合がある．

クラス(同窓)会 (class reunion, homecoming, alumni)

田舎のさえない大学 (Podunk university)：名門・有名大学 (prestigious university) の逆．

Fランク大学 (free pass, free admission university)：受験した者全てが入学できる，受ければ受かる大学がにわかに増えている．

地域社会大学 (community college)：地域住民のために技術教育や一般教養を施す公立大学で，日本の成人学校に相当する．卒業しても一般大学の単位

Lesson 2 高等教育学校

図2-1 短期・4年制大学の規模等の推移

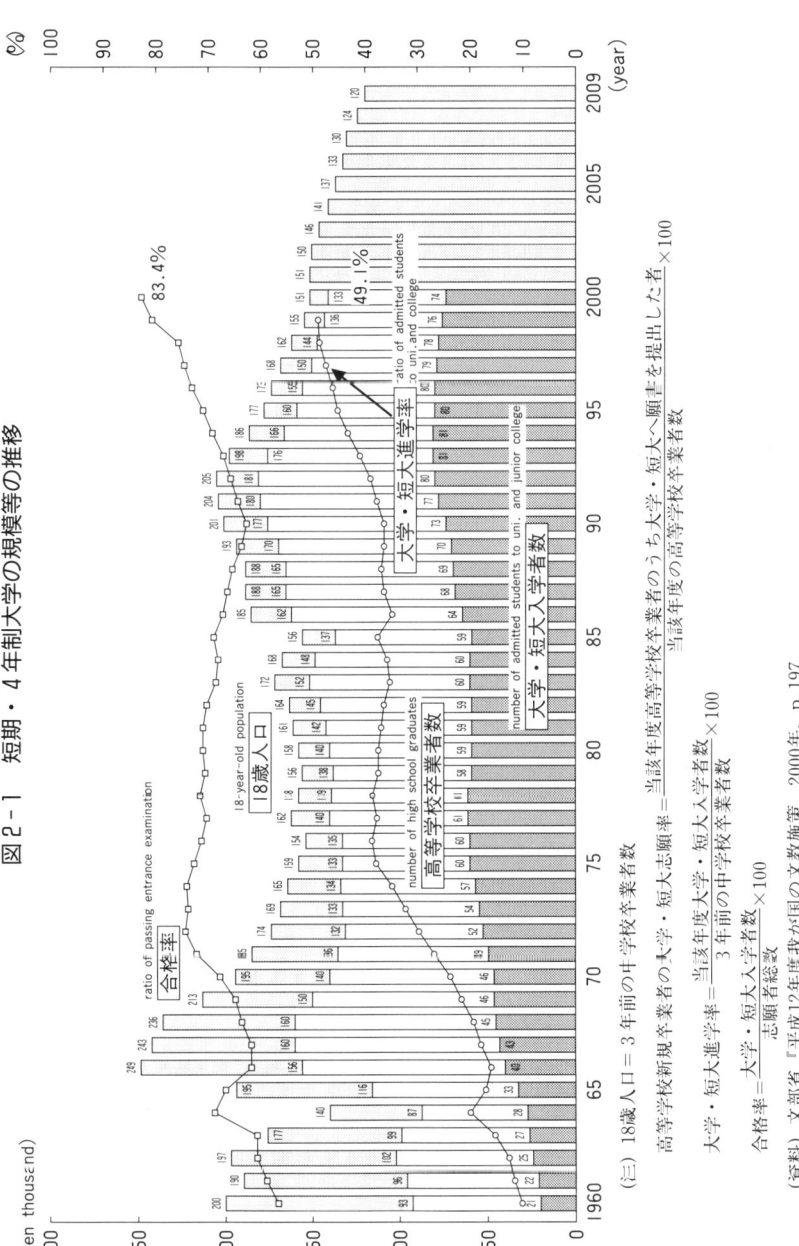

Chapter 1　教育制度

図2-2　出生数および合計特殊出生率の推移

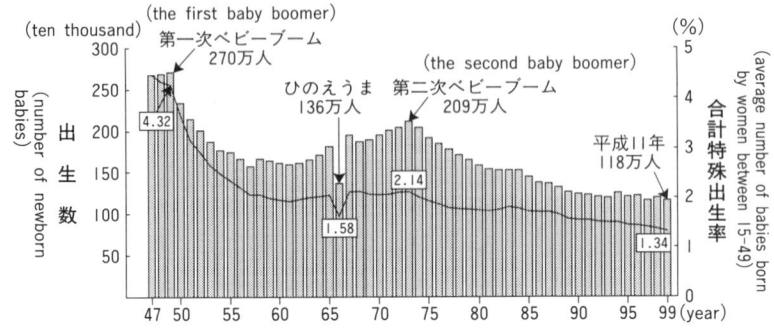

（注）合計特殊出生率＝15〜49歳までの女子の年齢別出生率を合計したもの．
（資料）厚生省『人口動態統計』2000年．

図2-3　主要先進国の合計特殊出生率

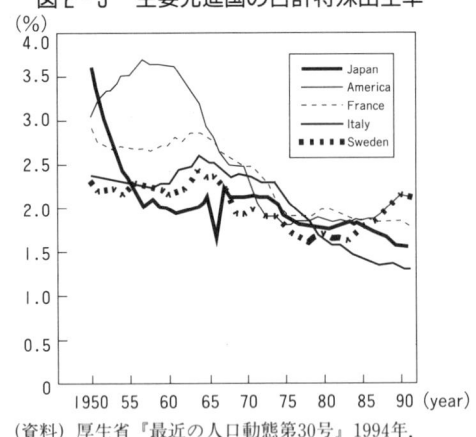

（資料）厚生省『最近の人口動態第30号』1994年．

図2-4　主要先進国の高齢化率の推移

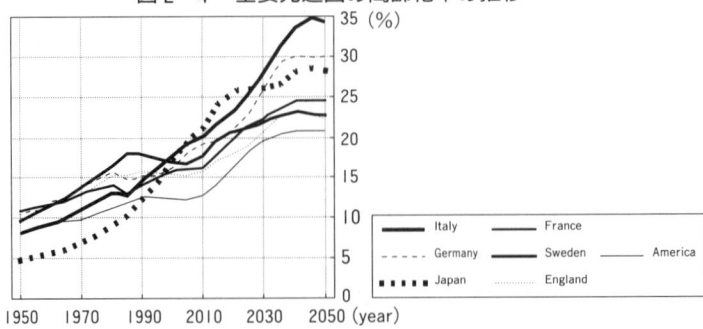

（資料）厚生省人口問題研究所『日本の将来推計人口』（1992年9月推計）．

として認められない場合が多い[23]．
大学院生 (grad, grad student, graduate student)[24]
専門大学院 (professional school)：高度専門職業人を養成するために実践的専門教育 (practical professional education) を行う大学院．

Lesson 3 生涯学習　life-long learning, life-long study, life-long integrated education

* キーワード *

卒業証書　certificate of graduation, diploma, sheepskin
中央教育審議会　Central Council for Education
臨時教育審議会　Adhock Council on Education, National Council on Educational Reform
永続教育　education permanennte
学習社会　learning society
社会人学生　adult student
社会人特別枠　adult admission through special selection procedure
社会人特別選抜　special selection procedure for adult student

　高等教育からの**卒業証書** (certificate of graduation, diploma, sheepskin)が一生の最終学歴となって付きまとうという考えは徐々に，"人生はその最期までが一つの大きなレッスン"とみなす生涯学習へと変わりつつある．この背景には1971(昭和46)年，**中央教育審議会** (Central Council for Education)[25]答申が，これまで家庭（しつけ）・学校（学習）・社会（仕事）と，ややもすれば年齢層により区分されてきた教育対象の固定観念を取り除き，より統合的に再編を進める意向を示したことがある[26]．

　実際問題として社会変化が急速な現在，その社会の住人である私たちは，実社会で自分なりの深い思考をもち，かつ多様な知識を活用できる能動的な存在として求められており，そのことなしに成人として社会から期待される役割(role expectation, **役割期待**) を遂行していくことは困難となってきている．

　また，**終身雇用制度** (lifetime employment system) が崩壊し(海外での状況のように)一生に4・5回の転職が当たり前となった場合，教育は幼少期，

Chapter 1 教育制度

成人後は就職という教育縦割りの考え，教育を人生の一時期に限定してきた時代は終り，現職教育 (vocational training, on the job training, OJT) を含め，成人が生涯を通じて学習できる生涯学習型社会へと世界的規模で進行しつつある．

学問を尊びかねてからの知徳を個人の富とする文化，そして国民の多くが高い水準の基礎学力を有し，勤勉であるというわが国の国民性は，他国に類をみないものであった[27]．また，今でも大学やその他の高等専門・各種学校，加えて多目的ホール (multipurpose hall) 公民館 (citizen's public hall, community center)・図書館 (library) など，公立・私立の公共施設が数多く，生涯学習に恵まれた環境が整っている．

日本がこれだけ生涯学習社会に適した環境にありながら，欧米先進諸国に比べ出遅れ気味の感がする理由の一つは，学校と社会における閉鎖性と硬直性(非柔軟性) にあった．学校での一時的な学力や，一度の失敗がその後の人生を支配し続け，個人の可能性を制限してしまう現行の制度を，進路変更や出直しが，誰もが人生のどの時点でもできるような教育システム[28]へ変換することが目下の課題である．そして企業の側には，生涯学習の効果をすすんで導入・活用していける適応性 (adaptability) を持つことが求められる．

ロングラン (Lengrand P.)[29]やハッチンス (Hatchins R.)[30]に言われるまでもなく，"一生勉強" "60の手習い" など，日本には，従来言われてきた言葉にもみられるように生涯学習社会を作りだす素地は十分である．そして生涯学習社会の実現化へ向けてのさらなる一歩は，"こだわりを捨てる"という私たち一人ひとりの身近な意識改革から始まる．

このことは例えば，クロス入学や社会人入学は正規の大学入試に比べて容易であるとして彼らを二流とみなしたり[31]，障害者・女性[32]・高齢者を社会に参加させてあげるという考えは，日本特有(世界的に見れば時代遅れの感)のものである．教育の機会は学習意欲のある者全てに常時開かれ，そして老若男女にかかわらず誰もが参画可能な社会観をつくりだすことが必要である．恵まれた学習環境と日本人の旺盛な学習意欲を糸口とし，私たち個人レベルの意識改革の中にこそ生涯学習の可能性が秘められている．

Lesson 3 生涯学習

図3-1 生涯学習活動の有無と学習内容（1年間に行ったものすべて）

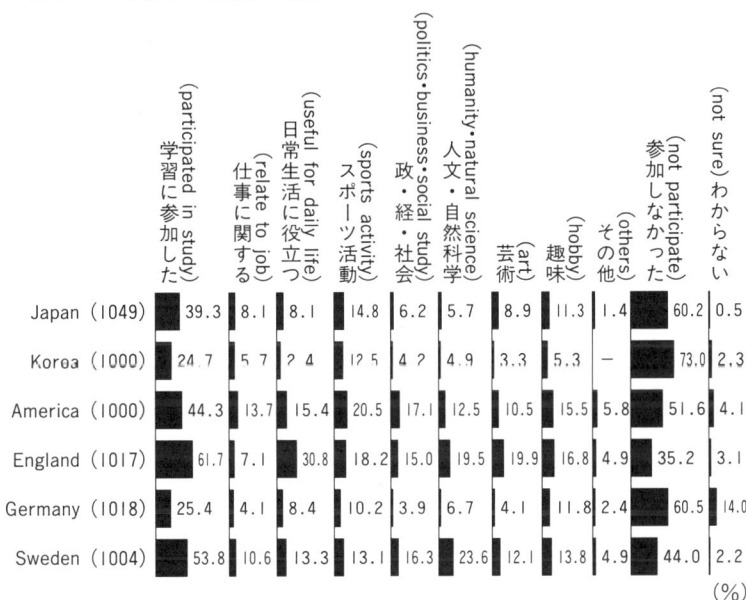

(注) 調査対象は全国60歳以上の男女で複数回答．国名後のカッコ内は回答者の数を示す．
(資料) 国立教育会館社会教育研究所『高齢者の学習・社会参加活動の国際比較』1997年．

図3-2 社会人の大学院入学者数

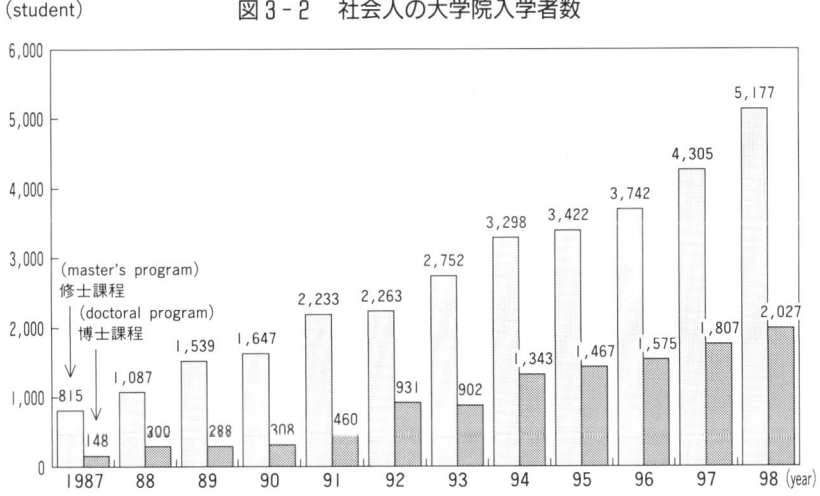

(注) 各年度は5月1日現在．
(資料) 経済企画庁『国民生活白書』1999年，p.49．

Chapter 1　教育制度

図3-3　社会人特別選抜の実施状況

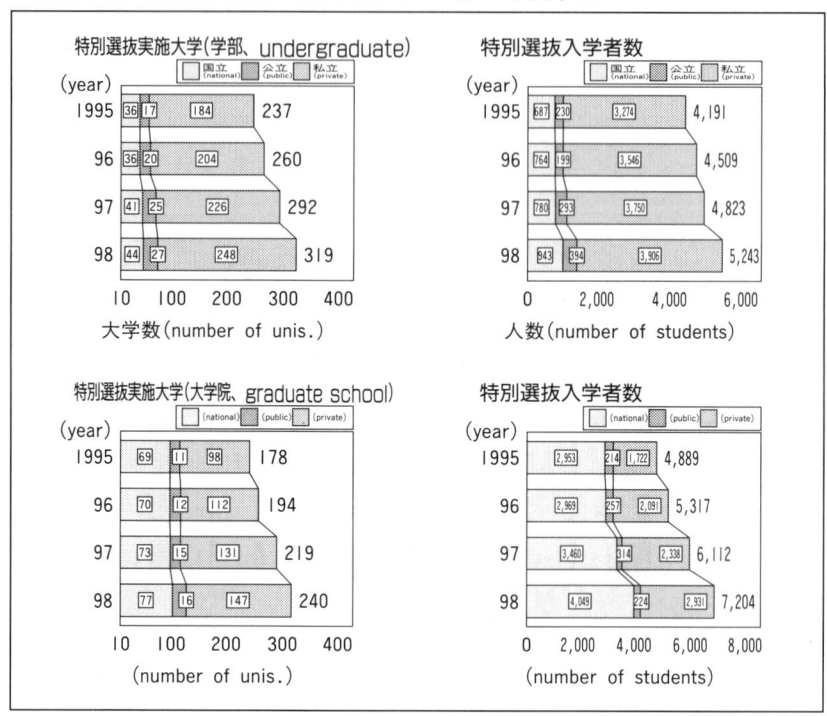

(資料) 文部省『平成11年度我が国の文教施策』1999年, p.66.

ミニ知識：日本における生涯学習 (life-long learning in Japan)

　日本の生涯学習は二つのタイプに大別できる.
TYPE 1：心の豊かさ・生きがい・自己改新のための学習. 主に主婦・高齢者などが, 大学の公開講座 (university extension program) や公民館などの公共施設を利用して学習する.
TYPE 2：昇進・転職のために学位・資格取得を目的とする学習. 主に若者・中高年社会人などが, 大学をはじめとする高等教育機関や大学院に入学・転学する.
　タイプ1と2ではそれぞれ異なる学習者層が, 異なる学習目的を持ち, 異なる学習の場に集まっている. 共通して言えることは学習者に学習意欲があること. タイプ1は2に比べ, かかる費用が安く, 近場で参加できる (手ごろで便利) かわりに, 社会的評価が低い. 往々にして自己満足 (self-satisfaction) にとどまり, 学習者が学習成果を社会へ還元するという意志も, またその機会もない (非生産的・非効率的) ことが残念である.

Lesson 3 生涯学習

図3-4 主要国の平均寿命

names of countries / year	世界平均 world average	Asia									
		Japan	India	Indonesia	Korea	Saudi Arabia	Singapore	Thailand	China	Philippines	Malaysia
1970〜75	58.0	73.3	50.3	49.3	62.9	53.9	69.5	59.6	63.2	57.8	63.0
80〜85	61.3	76.9	54.9	56.2	65.9	62.6	71.8	64.9	66.6	61.9	68.0
90〜95	64.1	79.5	60.3	62.6	70.9	69.6	75.6	68.8	68.4	66.3	70.7
2000〜05	66.5	80.3	64.2	67.3	73.5	72.9	78.1	69.4	71.2	69.8	73.2
10〜15	69.2	81.1	67.3	70.5	75.4	75.2	79.7	72.8	73.5	72.3	75.2
20〜25	71.9	81.9	70.4	72.9	77.1	77.1	80.9	75.3	75.5	74.4	76.9

names of countries / year	North America		Europe										Oceania
	America	Canada	England	Italy	Holland	Greece	Spain	Denmark	Germany	France	Portugal	Russia	Australia
1970〜75	71.3	73.2	72.0	72.1	74.0	72.3	72.9	73.6	71.0	72.4	68.0	68.2	71.7
80〜85	74.5	75.9	74.0	74.5	76.0	75.2	75.8	74.6	73.8	74.7	72.2	67.6	75.2
90〜95	75.7	78.5	76.2	77.2	77.3	77.1	77.0	75.0	76.0	77.1	74.2	66.5	77.6
2000〜05	77.4	79.5	78.0	78.8	78.4	78.6	78.7	76.1	77.8	78.8	76.2	67.1	78.7
10〜15	78.7	80.4	78.9	79.8	79.3	79.6	79.6	77.1	78.9	79.7	77.7	70.3	79.7
20〜25	79.7	81.2	79.9	80.7	80.3	80.5	80.5	78.1	79.8	80.6	78.9	72.7	80.7

(注) 平均寿命は男女の平均．2000年以降は予測値．アフリカ諸国は測定不可能．
(資料) United Nations, *Demographic Yearbook*, 1997. International Monetary Fund, *International Financial Statistics*, 1999.

＊＊ 関連ワード ＊＊

成人教育(andragogy, adult education)：子どもの特徴に基づき体系化する教育(pedagogy)に対し，成人の特徴に基づいて体系化する教育．語源はギリシャ語のpaidagogos(童僕)とandros(大人)に由来する．

校外・学外成人教育活動 (extra-mural adult education)

継続教育(continuing education)：10代にドロップアウトした(dropped out)生徒や，親になった生徒たちが再び勉強を続ける (continue) ための教育．

継承教育(further education)：義務教育の年齢を超えた人を対象とする，中等後のさらなる (further) 教育．

回帰教育 (recurrent education)：教育・仕事・余暇が組み合わせられることなしに固定した学習形態(front end model)に対し，働きながら学校へ戻るなど，教育・仕事・余暇活動の組み合わせができる学習形態 (recurrent model)[33]に基づく．recurrentは繰り返し・循環の意味で，大学教員などにとっては研究（有給）休暇 (sabbatical leave) が回帰教育にあたる．

Chapter 1　教育制度

フォール報告書(Faure Report)：ユネスコの教育開発国際委員会が1972年作成．"学習の目的は存在 (being，生きて働くこと) であり，生存 (survive) と進化 (evolve) でなければならない" とし，生涯学習を推進する姿勢を示している．

グランピイ(grampy)：退職してお金と自由時間があり健康に恵まれた grandpa と grandma (retired person with money, free time, and excellent health)のこと[34]．

成人社会化 (adult socialization)・再社会化 (resocialization)：いったん内面化された観念を常により新しい状況に適応させ，形成し直すこと[35]．

Lesson 4　教職員　school staff and faculty

＊ キーワード ＊

　保母・保父さん　day nurse, nursery governess
　幼稚園の保母・保父さん　kindergarten teacher, kindergartener
　小学校の先生　grade teacher
　助教員　teacher assistant
　代替(代用)教師　sub, substitute teacher
　教科主任　head teacher
　学年主任　head teacher of a grade, senior year master
　校長　principal, head master
　教頭　vice principals, assistant principals, deputy headmaster, deputy principal
　女性教頭・女性校長　deputy headmistress, head mistress
　図書館司書　librarian
　校医　school doctor, school physician
　養護教諭　school nurse, nurse teacher
　事務長　head of the school office
　学校事務職員　school clerical staff
　栄養士　dietitian
　用務員　janitor, custodian
　警備員　guard

Lesson 4 教職員

研究助手　research assistant, RA
編集助手　editorial assistant, EA
指導助手　teaching assistant, TA
非常勤講師　part-time lecturer, adjunct lecturer
講師　instructor, lecturer
専任講師　assistant professor
研究員　researcher, research fellow
助教授　assistant professor
準教授　associate professor
客員教授　visiting professor
教授　professor, full professor
名誉教授　emeritus professor, professor emeritus
学科長　chairman
教務部長　dean of instruction
副学部長　deputy head master
学部長　dean, department head, dept. head
研究科長　dean of the graduate school
副学長　vice president
学長　president
理事長，総長　chancellor

　保育園の**保母・保父さん**は day nurse, nursery governess, **幼稚園の保母・保父さん**は kindergarten teacher, kindergartener[36]と呼び区別する. **小学校の先生**は grade teacher で[37], その中でも**教科主任**を head teacher, **学年主任**を head teacher of a grade, senior year master という[38]. **教頭**は vice principals, assistant principals, deputy headmaster, deputy principal, **校長**は principal, head master であるが, **女性教頭・女性校長**の場合は男性とは別に, それぞれ deputy headmistress, head mistress と呼ぶ.

　授業以外で先生方の大切な任務の一つとしては, 生活指導(life guidance)・生徒指導 (student guidance)・就職指導 (counseling for getting job)・進路指導 (career guidance)・職業指導 (vocational guidance)・余暇をどう過ごすかについての余暇指導 (leisure guidance) があげられる.

また直接授業は担当しないものの，学校運営に携わる職員として，学校図書館(school library)で働く図書館司書(librarian)や，保健室(health room, infirmary)で待機する校医(school doctor, school physician)・養護教諭(school nurse, nurse teacher)などがいる．事務室(school office)のある管理棟(administration building)には事務長(head of the school office)をはじめとする学校事務職員(school clerical staff)．その他，給食を担当する栄養士(dietitian)，学校を管理し安全を守るためには用務員(janitor, custodian)・警備員(guard)がいる．

大学だと教職員の呼称が少し違ってくる．まず"大学人"になる登竜門として一般的なのは研究助手(research assistant, RA)・編集助手(editorial assistant, EA)・指導助手(teaching assistant, TA)である．彼らは昇進すると講師(instructor, lecturer)[39]や研究員(researcher, research fellow)となる．講師は主に大学での講義に従事するが，研究員は大学付属の研究所などで研究に従事する．

その後順調にいけば，助教授(assistant professor)・準教授(associate professor)，教授(professor, full professor)[40]，名誉教授(emeritus professor, professor emeritus)へと駒を進めることになる．そしてさらなる上には，3役(綿密には4役)と呼ばれる学長(president)[41]・副学長(vice president)・研究科長(dean of the graduate school)・学部長(dean, department head, dept. head)[42]が深くその座に腰掛けている．

> ミニ知識：教職員組合 (teachers' union)
>
> 1947（昭和22）年，教育民主主義運動を受けて結成された日教組 (Japan Teachers' Union) が国内最大の組織である．職能団体 (vocational association, professional organization) として位置付けられているが，実際は労働組合 (labor union) 的色合が強い．
>
> イギリスでは労組の性質を持つ全国教員組合 (National Union of Teachers) が最も大きな組織であり，アメリカでは全米教育協会 (National Education Association, NEA) とアメリカ教員連盟 (American Federation of Teachers, AFT) が職能団体として勢力を二分している．また，世界的な規模では（日教組も加盟している）世界教職員団体総連合 (World Confederation of Organization of the Teaching Profession, WCOTP) がある．

Lesson 4 教職員

** 関連ワード **

管理行政の長 (the chief administrative officer)
主任制 (chief of chairman of department system)
就職斡旋サービス (placement service)
校長権限の拡大 (extending principals' authority)
終身在職権 (tenure)：近年では教育・研究の活性化を図るため，教員を新規に採用する際に任期制 (year based contract) を採る大学が増えている．任期制では任期満了時にその教員の業績や貢献度など，さまざまな角度から評価・審査し，雇用を更新するかしないか審議する．
助手制度 (assistantship)：優秀な大学院生が助手 (assistant) として学部の授業を担当するかわりに奨学金をもらう．
研究休暇 (sabbatical year)：研究のため (休養のためでもよい) 4～7年間に1年，教職を離れても，通常の半分程度の給料が支給される有給教育休暇 (paid educational leave) 制度．休暇が1年に満たない場合は sabbatical leave という．
客員教授 (visiting professors)
一流の学者 (blue-chip scholar)[43]
業績づくりに躍起になる (publish or perish)：publish とは著書を出版したり，査読 (レフリー) 付きの学術雑誌 (scholarly journal, scientific journal) や大学紀要 (bulletin) に文章を掲載すること．perish は滅びる，消滅するの意．publish or perish の意味をダイレクトに解すれば「研究業績を成長させよ，さもなくば辞職せよ」となる[44]．
執務時間 (office hours)：質問のある学生などが尋ねて来られるように研究室 (office) に在室している時間のこと．
教材研究 (preparation)
大学教員身分証明書 (faculty card)：通常の身分証明書は identification card, id. card という．faculty は教授陣のこと．
大学職員身分証明書 (staff card)
大学評価 (accreditation)：自分の欠点を見過ごしたり客観性にかけるので，教育内容から管理運営方法まで大学全体を大学基準協会などの外部の専門公的機関に評価してもらう．
教師の勤務評定 (teacher appraisal, teacher efficiency rating system)：米国の大学では学生が学期最後の授業時に教授の教え方，授業の内容などに

Chapter 1　教育制度

ついて評価を行うのが一般的である．この評価の結果は教授の翌年度の契約などに影響することがある．

教員開発（faculty development, FD）
教授会（faculty council, board of faculty, faculty meeting）
学会（academic association, academic society）
女性教員の権利（rights of female teachers）
世界教員憲法（Teachers' Charter）

---

1) 児童福祉法第39条によれば保育所とは「日日保護者の委託を受けて，保育に欠けるその乳児（満1歳にみたない者）又は幼児を保育することを目的とする施設」．延長保育（extended day care）・夜間保育（overnight nursery）・終日保育（full day care）などもある．
2) 学校教育法第77条によれば幼稚園とは「幼児（満3歳～小学校就学に達するまで）を保育し，適当な環境を与えて，その心身の発達を助長することを目的とする」．幼稚園児は kidergartener, kindergarden pupil という．苅谷剛彦・他著『教育の社会学』有斐閣アルマ，2000年，93頁．
3) 英国では小学校を primary school という．ただし，米国で primary school は小学校の低学年（1・2年）を指す場合があるので注意が必要．
4) Out of those graduating from lower secondary schools, about 95% advance to upper secondary schools. Education at Glance - OECD Indicators. CERI. 1996, p.295. 進学率は advance rate, admission rate.
5) アメリカで prep school といえば一流大学へ進学を目指す者のための，全寮制中等・高等学校（college preparatory school）のこと．そこへ通う者の多くは特権階級の子弟であり，彼らのスタイルを追う者は preppie と呼ばれている．藤井基精・熊沢佐夫編『アメリカ社会常識語辞典』日本英語教育協会，1984年．
6) 現役の者は applicant fresh from high school. 入試の難を緩和するために，付属校（attached school）の存在がある．
7) primary school は infant school（5歳～7歳）と junior school（5歳～8・9・10歳まで）の2種類ある．
8) 清水一彦・他編『教育データブック2000-2001』時事通信社，2000年，233頁．中等学校は8歳～12歳，9歳～13歳，7歳～11歳までと，地域によって就学年齢に違いがある．
9) 上流階級子弟のための私立学校で，全体の約6％が在学している．英国の public school は，米国では private school と呼ばれる．代表的なものとしては，Eaton, Harrow, Rugby など．東洋・他編『学校教育辞典』教育出版，1998年，9頁．
10) 1970年代に生徒を能力により差別せず，また進路に関係なく受け入れるために，広範囲のコースを持つ中高一貫教育（consistency in education from middle school through high school）へ向け改革が始まり，現在ではほとんどこの"統合学校"で教育が行われている．わが国の6年生中等学校（integrated six-year secondary school）や総合学科

Lesson 4 教職員

高校の原案となった学校である．
11) 米国教育省 (Department of Education) は主に教育統計やリサーチなどを行う中央官庁 (central government office, agency) である．教育予算は地元の学校群が持っているため，基本的に地方自治の色彩が濃い．
12) 高等教育を中等後教育 (post-secondary education) と表現すると，中等教育以降の (高等教育・生涯教育などを含む) より幅広い包括的概念をともなう．英国では中学院は postgraduate school．
13) 英国で大学院は postgraduate school．
14) "専攻する"は major in, "副専攻とする"は minor in．通常，必修科目 (required subject) と選択教科 (elective courses) 合わせて短大では60単位，4年制大学では120単位程度．大学院修士課程では30単位，博士課程では60単位程度を取得する必要がある (履修単位数は大学により異なる)．大学院を graduate (school) と呼ぶのに対し，大学 (学部) を undergraduate と呼ぶ．
15) 国・公・私立高等教育機関の中で私立大学(4年制)へ在学する者の割合は全体の約70%，私立短大へは約90%である．"The percentage of enrolments in private educational institutions is about 70% for universities, and about 90% for junior colleges." 前掲3) p.295．
16) 文学修士は Master of Arts, M.A., 理学修士は Master of Science, M.S..中でも企業経営や企業戦略を専攻する経営学修士は Master of Business Administration, MBA という．
17) 医学博士は Medical Doctor, M.D..
18) 欧米の大学では入学は比較的容易 (easy to enter) であるが，卒業するのが難しい (difficult to graduate from) 放校制 (kick-out system) を敷いている．授業が厳しく，一定の成績を収めなければ単位を取得することはできない．卒業できる学生は，入学時の3分の1とも4分の1ともいわれている．
19) 佐藤学「子供たちはなぜ学びから逃走するのか」，「世界」2000年5月号，77-86貝．
20) 配分必修 (distribution requirement) や幅広い必修 (breadth requirement) と呼ばれる．S.ロスブラット (Sheldon Rothblatt.), 吉田文・杉谷祐美子訳『教養教育の系譜』(The battles for liberal education in the United States history) 玉川大学出版部，1999年，232-236頁．
21) 主題を絞り込み (concentration) より狭い範囲と系列 (narrower scope and sequence) で深い探求を試みる専攻科目をインデプス・スタディ (in-depth study) という．前掲18)，232-236頁．
22) 単位互換制度 (credit transfer system) は互換協定を結んだ大学内で単位の移動 (transfer credit) ができる，いわば国内留学を可能にする制度．
23) 藤井基精・熊沢佐夫編『アメリカ社会常識語辞典』日本英語教育協会，1984年．
24) graduating student だと卒業生の意味になるので要注意．
25) 俗に中教審．文部大臣の諮問機関 (advisory panel to the Education Minister) で文教政策の方向付けをする．文相が任命する(20名以内の)学識者より成る．臨時教育審議会 (臨教審) は Adhock Council on Education, National Council on Educational Reform

Chapter 1　教育制度

という．
26) 井上敏博「日本における生涯教育の理念と政策」，『城西国際大学紀要』1994年，83-95頁．
27) 世界第一の長寿国である日本では，退職後20年もの平均余生をほぼ確実とし，自由な時間・金銭・健康の三つを兼ね備えていることを強味とし，学ぶことへの衰えることを知らない意欲を示す高齢者が，全人口の10%に上るといわれている．
28) 改心したり，更生した者がやり直しできるように学校と社会の往復(学校への再入学・社会への再進出)が潤滑なシステム．
29) 1965年，当時ユネスコ成人教育推進国際委員であったロングランが**永続教育**(education permanennte) を「人間にとっての学習の場は限定された時期だけでなく，生まれてから死ぬまでの全ての期間へと解放されるべきである」と紹介した．
30) 1968年，当時シカゴ大学総長であったハッチンスは**学習社会** (learning society) という「全成員が自己の能力を最高限度まで発達させることを目指し，その目的の実現を志向するために成員が価値観の転換に成功した理想的社会像」を提案した．
31) **社会人学生**(adult student)・**社会人特別選抜**(special selection procedure for adult student)・**社会人特別枠**（adult admission through special selection procedure）．
32) 日本の将来を真摯に考えるとき，全人口の50%を占める女性の力量を軽視すべきではない．
33) 江川攻成・他編『最新教育キーワード137(第8版)』時事通信社，1999年，277頁．
34) 宮本倫好『変貌するメデイア英語』三修社，1999年，37頁．
35) 新井郁男『教育社会学Ⅰ』放送大学教育振興会，1992年，55頁．
36) kindergartener には幼稚園児という意味もある．
37) **助教員**は teacher assistant, **代替(代用)教師**は sub (substitute) teacher.
38) これらの先生方が一斉に会し行われるのが**職員会議** (staff meeting, teachers' meeting). 毎週行われるのは weekly meeting, **月例会**は monthly meeting, 職員会議の協議事項は agenda, また**職員室**は teachers' room, stuff room.
39) **専任講師**は assistant professor とも呼ばれる．他大学と兼任している者に関しては**非常勤講師** (part-time lecturer, adjunct lecturer) と呼ぶ．
40) **客員教授**は visiting professor.
41) **総長，理事長**を chancellor ということから，学長を vice-chancellor と呼ぶこともある．
42) **副学部長**は deputy head master. **教務部長**は dean of instruction, **学科長**は chairman.
43) ポーカーで青色のチップが1番得点が高いことからこう呼ばれる．
44) 川成洋『大学崩壊』宝島社新書，2000年，124頁．

Chapter 2　教育分野・科目
offered course and class

Lesson 5　小学校　at elementary school

* キーワード *

国語　Japanese language
算数　basic math
生活科　life study, life environment studies
体験学習　study through experience
生きる力（生きることへの強い欲求）　zest for living
総合的な学習　comprehensive learning, integrated learning, synthetic learning
徳目教育　ethics education, moral education, education of patriotism, loyalty, and filial piety
技術　industrial arts
家庭科　homemaking
保健体育　health & physical education
図画工作　drawing & handicrafts
美術　fine arts
音楽　music
新しい学力観　new view of academic achievement
論理的・創造的思考　logical and creative thinking
問題設定（発問）・問題解決能力　inquiry and problem solving skill
対人交渉（コミュニケーション）能力　interpersonal communication skill
情報処理能力　information processing ability
自己教育力　self educability

31

Chapter 2 　教育分野・科目

推論する力　higher-order thinking, reasoning skill
応用する力　applied skill
実践する力　practical skill

　小学校1・2年時の主要科目は**国語**（Japanese language）・**算数**（basic math）・**生活科**（life study, life environment studies）である．生活科は1989（平成元）年の学習指導要領改訂により**体験学習**（study through experience）を通じ自分の生活について考え**生きる力**（生きることへの強い欲求, zest for living）[1]を身に付けるために従来の社会と理科に変わり新設された科目である．つまり同科目は，知育・徳育[2]・体育をバランスよく学びながら<u>自立共生</u>（conviviality）の修得を目指す教科（academic discipline, subject matter）である．

　小学3年以降(高3まで)には**総合的な学習**（comprehensive learning, integrated learning, synthetic learning）の時間が設定されている．国際理解・環境・福祉・健康の4分野が例示されてはいるが，内容は各学校の創意工夫に任せられている(教科書は不必要)．評価は従来の点数による方法をとらず，学びのための<u>調査・企画</u>（planning），授業中の<u>発表・討論</u>（presentation・debate）[3]などを通じて<u>参加・貢献</u>（participation・contribution）の度合いを基にする[4]．

　高学年になると，**技術**（industrial arts）と**家庭科**（homemaking）[5]の時間が増える．主要科目の他には，**保健体育**（health & physical education）・**図画工作**（drawing & handicrafts）・**美術**（fine arts）・**音楽**（music）などがある．

　日本で俗にいう"読み書き算盤"は，英語では"3 R's"となり，<u>読み書き算術</u>（Reading, wRiting, aRithmetic）を意味する．読み書きを literacy, 基礎計算を numeracy ともいうことから literacy & numeric としてもよい[6]．

　情報社会時代となった今日では，算盤のかわりにコンピュータによるリテラシー(詳細は Lesson 41)が求められるようになり，また学力そのものに対する考えも見直されてきている．かつて学力というと，知識量の多さを連想させるものであったが，**新しい学力観**（new view of academic achievement）は**論理的・創造的思考**（logical and creative thinking）ができ，**問題設定（発問）・問題解決能力**（inquiry and problem solving skill）[7]・**対人交渉（コミュニケーション）能力**（interpersonal communication skill）・**情報処理**

(理解ではなく)**能力** (information processing ability) などを持ち合わせているか否かを高く評価する[8].

　知識は与えられるものばかりではなく, 自らが主体的・能動的に自発的学習者となり獲得するものでもある[9]. そのためには, **自己教育力** (self educability) を育成することが重要であり, 従来通りの先生 (主体) が受身的客体 (passive receiver) である生徒に一方的に教えるという関係[10]を, 生徒が考え, 答えを探す積極的主体 (active participant) となるように脱構築 (deconstructure) していかねばならない[11].

　生徒たちの学んだことは学期末にテストの点数という結果になって現れるものもあるが, 彼らが生きていくうちに次第に力を発揮していくものもある. つまり黒板の上や教科書の中からの学習より, 知識的枠組を超えた, (より高次の) **推論する力** (higher‐order thinking, reasoning skill)・**応用する力** (applied skill)・**実践する力** (practical skill) などを自分独自の能力として修得することが, 未来を切り開く次世代にとって真に役立つ力なのである.

** 関連ワード **

ホリスティック教育 (holistic education)：ホロス (holos, 全体) とはアトム (atom, 原子) に対立する概念. 人間を部分的な諸能力の集合体としてみなす見方に対して, 人間の全体性を強調し, 全体としての成長を遂げるための教育を目的とする[12].

ブレイン・ストーミング (brain storming)：生産的・創造的な発想を生み出すために, スタイルにとらわれず自由にアイディアを出し, 話し合う集団思考 (group thinking)・集団学習 (group learning).

バズ・セッション (buzz session)：少人数に分かれて話し合い (その時の話し声が蜂の飛ぶ音に似ていることからbuzzという), その結果を全体で討議する. 全員の参加意識を高める討議法 (debate, discussion method).

講義法 (lecture method)

講義式授業 (lecture-type lesson)：一斉授業 (lecture-style, uniformed teaching) としてもほぼ同意.

学習のための方向性のある対話 (structured conversation)

役割演技法 (role-playing method)：ゲーム等を利用して, 実際の場面で「自分ならどうするか」を考えたり, 自分をさまざまな立場に置きかえてみたり, または, 相手の考えや立場を受けとめ理解しようと試みることで, 対処法や

思考力を訓練する．
演劇教育 (education through drama)：演劇(鑑賞)することを通じて学ぶ．
教育に新聞を (newspaper in education, NIE)
野外教育 (outdoor education)
集中力 (ability of concentration)
洞察力 (ability of observation)
自己表現力 (ability of self-expression)
創造性・創造力を育てる (nurture creativity)：綿密には無から有をつくることが創造性・力 (creativity) で，自分らしさをクリエイトすることが，独創性・独創力 (originality)[13]．独創性皆無は zero on originality で，俗に ZOO といわれる．
個性の発達に力を入れる教育 (education stressing individual development)：没個性の教育からの反転．
画一性から個性へ (from uniformity to individuality)：画一(的)教育は uniform education という．
個別指導 (individual teaching)：individualized teaching だと個別化指導．
科目横断的学習・異分野提携の学習 (interdisciplinary learning)
問題解決による学習 (learning by problem-solving)：Dewey が提唱した学習で，問題の感受・問題の設定・問題解決の仮説・推理・仮説の検証の5段階から成る．
批判的思考 (critical thinking)
教授形態 (teaching style)
オーセンティック・インストラクション (authentic instruction)：試験のための学習や現実味のない (unrealistic) 学習ではなく，実社会の問題 ("real-world" problem)・具体的素材 (authentic material) を基に学習する．
構成的グループエンカウンター (structural group encounter)：生徒(group)に出会い(encounter)の場面を意図的に設け，お互いが肯定的に受け入れ認め合う雰囲気をつくり出す．クラスメート(classmate)との距離感，違和感を埋めるために，身体的接触 (physical contact) をともなうレクリエーション的活動を行う[14]．
ソシオメトリック・テスト (sociometric test)：学級集団を把握するために，例えばクラスの中で一緒の班になりたい人の名前，なりたくない人の名前を

書かせることで人間関係を把握するテスト．表（ソシオマトリックス，sociomatrix）や図（ソシオグラム，sociogram）で人気者や孤立児が一目瞭然となる．集団擬集性（group cohesiveness）も予測できる[15]．

Lesson 6 中学・高校 at junior high and high school

* キーワード *

現代国語　contemporary Japanese
古典　classics
漢文　Chinese classics, classical literature
数学　mathematics, math
代数　algebra
幾何学　geometry
三角法学　trigonometry
日本史　Japanese history
世界史　world history
現代社会　contemporary society
公民　civics
政治・経済　politics & economics
倫理　ethics
地理　geography
地学　earth science
物理　physics
化学　chemistry
生物　biology
芸術　art
美術　fine arts
工芸　craft production
書道　calligraphy
外国語　foreign language
ヒアリング　listening

Chapter 2 教育分野・科目

書き取り　dictation
発音　pronunciation
スピーキング　speaking
会話　oral communication
作文　writing, composition
弁別・口頭発音練習　audio-lingual practice, oral practice
文法訳読式教授法・文法翻訳法　grammar-translation method
JETプログラム　the Japan Exchange and Teaching Programme
英語教師招待制度　Japanese Government English Teaching Recruitment Program
外国語指導助手　assistant foreign language teacher, ALT

中学・高校になると教科の内容が幅広く、そして深くなる。小学校で授業を理解できる生徒の割合が7割、中学校では5割、高校になると3割に減ることから、授業を理解できる生徒の数（落ちこぼれの数）は"7・5・3"と揶揄されている。

国語は**現代国語**（contemporary Japanese）・**古典**（classics）・**漢文**（Chinese classics, classical literature）に枝分かれし、算数は**数学**（mathematics，口語ではmath）となり、**代数**（algebra）・**幾何学**（geometry）・**三角法学**（trigonometry）などが登場する。社会は**日本史**（Japanese history）・**世界史**（world history）・**現代社会**（contemporary society）・**公民**（civics）・**政治・経済**（politics & economics），**倫理**（ethics）などに、そして理科は**地理**（geography）・**地学**（earth science）・**物理**（physics）・**化学**（chemistry）・**生物**（biology）などに細分化する。また、**芸術**（art）は**美術**（fine arts）・**工芸**（craft production）・**書道**（calligraphy）・**音楽**（music）の中から生徒が自分の好きなものを選べる選択科目である。

外国語（foreign language）として英語を学習するが、英語は受験の主要科目であることから**会話**（oral communication）のための、音体系による**弁別・口頭発音練習**（audio-lingual practice, oral practice）[16]には力が注がれず、**文法訳読式教授法・文法翻訳法**（grammar-translation method）により、**語彙**（vocabulary）や**語句**（words & phrases）を暗記したり、**作文**（writing, composition）に重点が置かれている。筆記試験のためだけでない実用的英語の習得を目指し、英語教授法の見直しを求める声が高まっている。

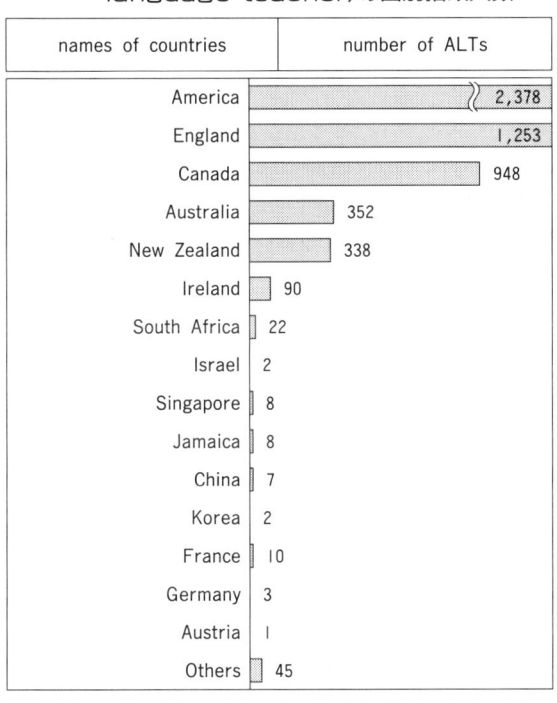

図6-1 外国語指導助手(assistant foreign language teacher)の国別招致人数

names of countries	number of ALTs
America	2,378
England	1,253
Canada	948
Australia	352
New Zealand	338
Ireland	90
South Africa	22
Israel	2
Singapore	8
Jamaica	8
China	7
Korea	2
France	10
Germany	3
Austria	1
Others	45

(注) Others(その他)は2000年7月の時点で国籍が未定である招致者のこと．2000年度の招致人数は合計で5,467人．
(資料) 文部省『平成12年度我が国の文教施策』2000年，p.291．

　その代表格ともいえる，**JETプログラム** (the Japan Exchange and Teaching Programme)では文部省の**英語教師招待制度**(Japanese Government English Teaching Recruitment Program)により，英語を母国語とする (native English speakers) 先生方や**外国語指導助手** (assistant foreign language teacher, ALT)[17]が中学・高校で会話を中心とする英語のクラス(English conversation classes)を行っている．今後，同プログラムでは少なくとも2週間に1回 (at least once every two weeks) 程度，全国の小学校へも英語の授業を導入する (introduce English education in primary school) 計画が進められている．

Chapter 2 教育分野・科目

＊＊ 関連ワード ＊＊

ベルリッツ・メソッド（Berlitz method）：native speakerの教師とともに1クラス2〜10名という少人数クラス編成か個人教授で，日常の話し言葉（spoken language）を中心に学習する．授業中は原則として母国語の使用を禁止．世界中に支校のあるベルリッツ外国語学校（Berlitz School of Language）は，「外国語も母国語と同じように聞く・話す・読む・書くの順序で習得すべき」と主張した言語学者（米国）マクシミリアン・ベルリッツ（Maximilian Berlitz, 1852-1921）から命名された．

読書中心主義教授法（reading method）：多読（extensive reading）・会読／輪読（group reading）・黙読（read silently, read to oneself）・速読（read rapidly）・素読（plain reading）・すくい読み（skim reading）・精読（read carefully, read with care）・乱読（read at random）などを用いる．発音は重視されない．クラスが大人数編成であったり，授業時数が少ない割に，比較的高いレベルの外国語文献に早く精通することができるようになる[18]．

模倣（mimicry）

記憶（memorization, rote learning）

朗読・暗誦（recitation）

コミュニカティブ・アプローチ（communicative approach）

エスペラント語（Esperanto）：それぞれに母国語を持つ世界の人々が，言語の問題を克服するためにつくられた国際共通語・人工語（artificial language）．

Lesson 7 大学　at college and university

大学の学部構成は大きく，文科系（humanities course[19], liberal arts course）と理科系（science course）に分けることができ，それぞれで学生が多種多様な科目を選択できる．一大学の例を，以下紹介する．

学部（department）　　　　　　専攻（major）[20]
　●修得できる学位（degree）

Lesson 7 大学

建築学 (Architecture)
　●建築学士 (Bachelor of Architecture)
　　　　　建築科学 (Building Science), デザイン (Design), 設計芸術 (Structure Arts)
　●芸術学士 (Bachelor of Arts)
　　　　　芸術史 (Art History), 音楽 (Music), 演劇 (Theater), 芸術教育 (Art Education)

健康学 (Health Professions)
　●理学士 (Bachelor of Science)
　　　　　健康情報管理 (Health Information Management), 栄養 (Human Nutrition & Dietetics), 筋運動学 (Kinesiology)[21], 作業療法 (Occupational Therapy), 物理治療 (Physical Therapy)

経営学 (Business Administration)
　●理学士 (Bachelor of Science)
　　　　　会計 (Accounting), 経営 (Business Administration), 経済 (Economics), 財政 (Finance), 経営情報 (Information & Decision Sciences), 経営管理 (Management)・マーケティング／商取引 (Marketing)

教育学 (Education)
　●文学士 (Bachelor of Arts)
　　　　　初等教育 (Elementary Education)

工学 (Engineering)
　●理学士 (Bachelor of Science)
　　　　　生医工学 (Bioengineering), 化学工学 (Chemical Engineering), 土木工学 (Civil Engineering), コンピュータ工学 (Computer Engineering), コンピュータ科学 (Computer Science), 電気工学 (Electrical Engineering), 工学管理 (Engineering

Chapter 2 教育分野・科目

Management), 工学物理 (Engineering Physics), 工業工学 (Industrial Engineering), 機械工学 (Mechanical Engineering)

美術学 (Fine Arts)
- 美術(学)士 (Bachelor of Fine Arts)

グラフィック・デザイン (Graphic Design), 工業デザイン (Industrial Design), 写真／映像 (Photography/Film), スタジオ・アート (Studio Arts) 教養学 (Liberal Arts & Sciences)

- 文学士 (Bachelor of Arts)

アフリカ系アメリカ研究 (African American Studies[22]), 人類学 (Anthropology), 化学 (Chemistry)・古代文民 (Classical Civilization), 情報通信 (Communication), 刑事犯罪 (Criminal Justice), 言語学 (Linguistics[23]), 地理 (Geography), 歴史 (History), 哲学 (Philosophy), 政治学 (Political Science)・心理学 (Psychology), 社会学 (Sociology), 英語教授 (Teaching of English)[24], 歴史教授 (Teaching of History)

- 理学士 (Bachelor of Science)

生物科学 (Biological Sciences), 地質科学 (Geological Sciences), 数学 (Mathematics), 生化学 (Biochemistry), 化学 (Chemistry), 物理 (Physics), 統計／調査研究 (Statistics & Operations Research), 数学教授 (Teaching of Mathematics)

歯学 (Dentistry)
- 理学士 (Bachelor of Science)

歯科 (Dentistry), 歯科手術 (Dental Surgery)

40

Lesson 7 大学

看護学 (Nursing)
- 理学士 (Bachelor of Science)
  看護 (Nursing), 医学 (Medicine), 薬学 (Pharmacy), 衛生／保健 (Public Health)
- 社会事業(学)士 (Bachelor of Social Work)
  社会事業 (Social Work)

出典 (Source)：1998年度イリノイ大学学位授与式小冊子 (The University of Illinois, Commencement Brochure, 1998) より抽出.

ミニ知識：大学院教育学部 (Graduate School of Education)

大学院研究科では実に多彩なコースが受講できる. すべての研究科を紹介するには紙面が不十分であるため, ここでは教育学部 (Graduate College of Education) に限り, 幾つかあげてみる[25].

教育社会学 (sociology of education)[26]
教育心理学 (educational psychology)
教育社会心理学 (social psychology of education)
教育人類学 (educational anthropology)
教育経済学 (economics of education)

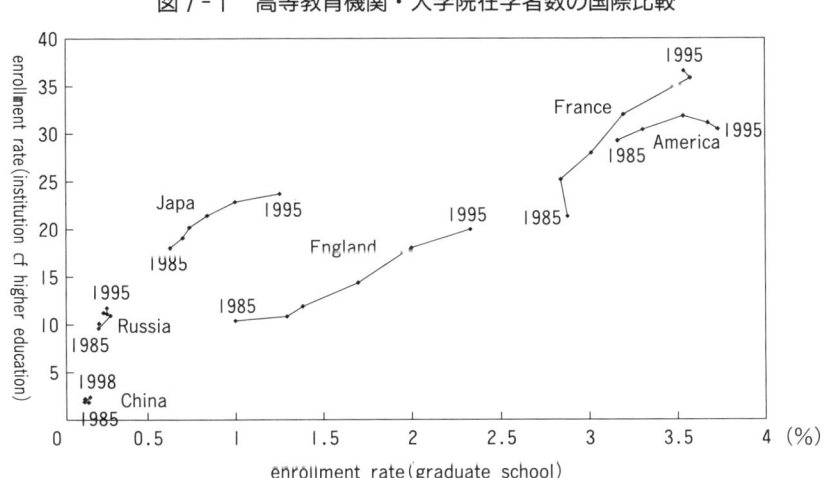

図7-1　高等教育機関・大学院在学者数の国際比較

(注) 高等教育機関とは主に大学・専修・各種学校などのこと. 大学院とは修士および博士課程に在学する者のこと.
(資料) 文部省『平成11年度我が国の文教施策』1999年, p.510.

Chapter 2 教育分野・科目

図7-2 学位専攻分野の国際比較

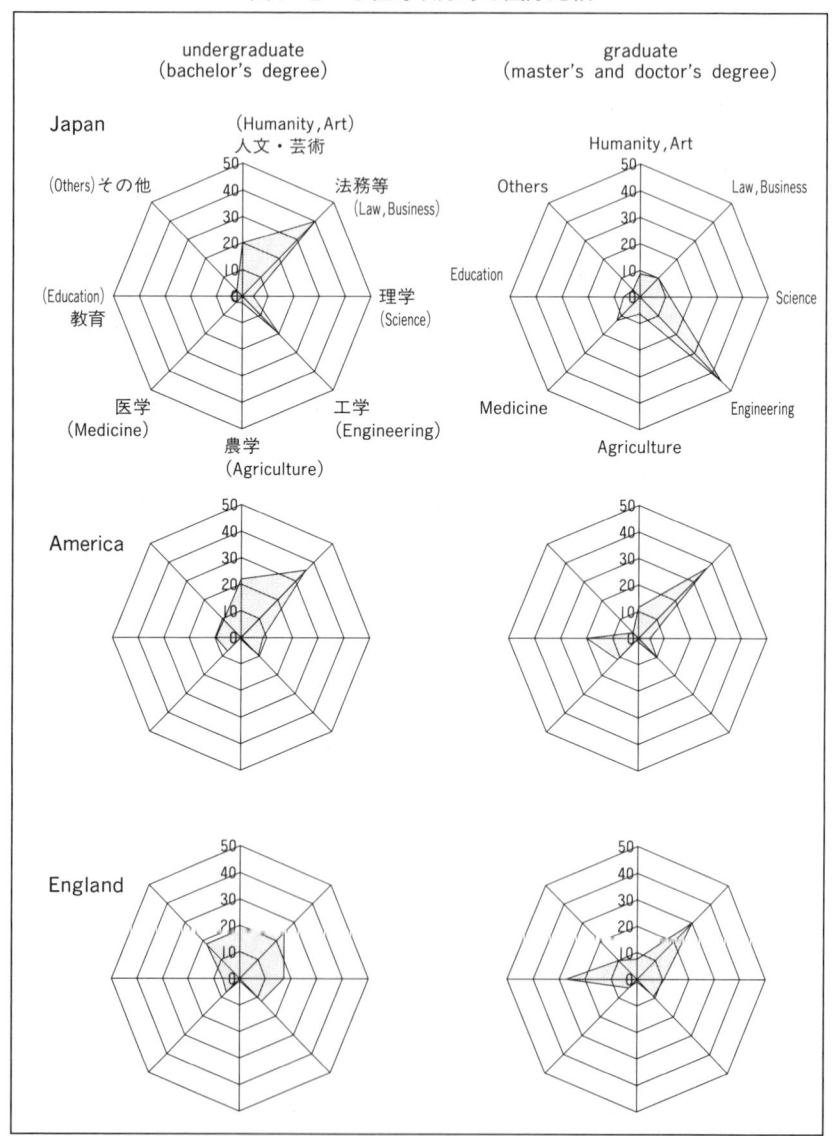

Lesson 7 大学

undergraduate
(bachelor's degree)

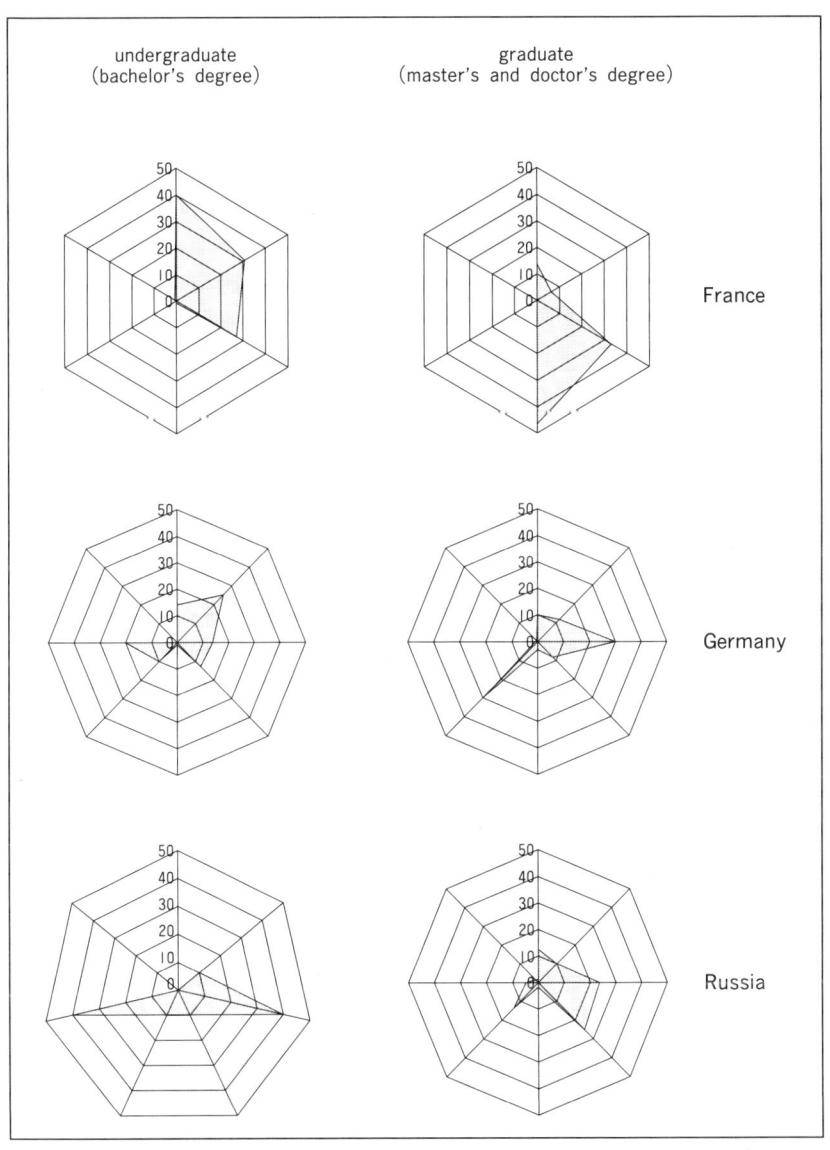

graduate
(master's and doctor's degree)

France

Germany

Russia

(注) 医学には歯学・薬学・保健学が含まれる．
(資料) 文部省『教育指標の国際比較』1999年．文部省『平成11年度我が国の文教施策』1999年，p.511．

Chapter 2 教育分野・科目

教授学 (theory of teaching, theory of instruction)
ティーソル・ティーソル (Teaching of English to Speakers of Other Languages, TESOL)[27]
テッフル・テッソル (Teaching English of Foreign / Second Languages, TEFL / TESL)[28]
発達教育学 (developmental education)
比較教育学 (comparative education)
教育行政学 (educational administration)
教育経営学 (educational administration & management)
教育財政学 (educational finance)
教育統計学 (educational statistics)
教育哲学 (philosophy of education)
教育科学 (science of education)
教育工学 (educational engineering, educational technology)[29]
特殊教育 (special education)[30]
成人教育 (adult education)
教育史 (history of education)
教育理論 (theory of education)
教育原理 (principle of education)[31]
教育方法 (method of teaching, teaching method)

---

1) 生き延びる能力と考えると survival skills になる．
2) 徳目教育 (ethics education, moral education, education of patriotism, loyalty, and filial piety) では，思いやり・勇気・正義感といった能力や，社会性 (social skill)・協調性 (cooperative skill) に通じる能力を養成する．
3) 討論とは『イミダスによれば，一つの論題に対し賛否両論 (the pros and cons) を引き出し説得性を競う言葉のスポーツ．スポーツである以上，勝つか負けるか (victory or defeat) により決着をつけることが前提となる．「高知新聞」(朝刊)，2000年6月25日．
4) 日本の総合的学習では「生徒が持つ疑問に対し，自分なりに説明できるようになることで，より深く学ぶ」と主張したスイスの児童心理学者ピアジェ (Jean Piaget, 1896-1980)，および「生徒に知識の構築方法をマスターさせる」ことの重要性を説いた英国のホワイトヘッド (Alfred Whitehead, 1861-1947) のアイデアを再評価している．
5) 家庭科は生きていくのに一番役に立つ教科との評判が高い．home economics, domestic science とすると家政学の意．
6) 3R's が知識の注入を想起させるのに対して，子どもを中心に据えた教育理念として，3A's があり，これは年齢・能力・適性 (age, ability, aptitude) を示す．また3R's に宗教 (religion) を加えたものを4R's という．

Lesson 7 大学

7) 問題を分析したり統合する能力 (skill of analysis and synthesis) を含む．
8) 江川玟成・他編『最新教育キーワード137(第8版)』時事通信社，1999年，110頁．
9) 学習は"させられている"限りにおいては発生しない．なぜ身に付けたいのかという学ぶ意欲や目的があるときにこそ，自分なりの考えや価値観として定着する．
10) 先生(主体)が，教科(媒体)を通じて，生徒(客体)に教える関係．
11) 生徒(主体)が，先生(媒体)を通じて，教科(客体)を学ぶ関係．ここでは先生は学習を促進・援助する人 (facilitator, helper) として機能する．教員の役割は，教科(内容)を教えることを超えたところにある．
12) 前掲8)118頁．
13) 「ヴィジュアル時代の発想法」手塚眞．集英社新書．2000年，163頁．
14) 「高知新聞」(朝刊)，2000年，6月25日．
15) 岸本弘・柴田義松編『教育心理学』学文社，1988年，123頁．
16) **ヒアリング** (listening)・**書き取り** (dictation)・**発音** (pronunciation)・**スピーキング** (speaking) など．ちなみに，ヒアリングテストは listening comprehension test であり，hearing test だと聴力検査の意味になる．
17) 正規の教員ではないが，日本人教師と共同で授業に当たる外国人教師 (foreign teacher)．
18) 奥田夏子『英語教師入門』大修館書店，1988年，110頁．
19) 人間らしさを付与する (humanize)，人間らしさを探求する (humanness) という語から．
20) 学部・専攻はアルファベット順 (alphabetical order) に記述．
21) Physical Education (短縮形で PE) としてもほぼ同意．
22) その他にラテン系アメリカ研究 (Latin American Studies)・アジア研究 (Asian studies)・女性学 (Women's Studies) などがある．
23) Chinese・English・French・German・Italian・Polish・Russian・Spanish などの言語の中から幾つか専攻できる．
24) その他にスペイン語教授 (Teaching of Spanish)・フランス語教授 (Teaching of French)・中国語教授 (Teaching of Chinese) など．
25) 商学や経済・経営学の大学院は business school，法学大学院は law school，医学大学院は medical school．
26) 教育現象を社会学的に研究する教育科学の一つ．
27) 英語を母国語としない人に英語を教える方法論．
28) 外国語・第二言語としての英語教育方法論．
29) educational engineering は行動科学・学習理論などを工学・理学的に解し，それを教育へ応用する．educational technology は教育に利用できる機械的・電気的機器（ハードウエア）の工業技術を教育へ応用する．
30) 障害児教育に加えて，不登校や経済的困難に瀕する street children など，特別な教育的ニーズを持つ子どものための教育 (special needs education)．前掲8)，75頁．
31) 実際的 (practical) に対する原理的 (principle) 教育学を学ぶ．

Chapter 3　教育行政財
educational administration and finance

Lesson 8　教育の歩み　historical review of education

＊ キーワード ＊

徒弟教育　apprentices' education
藩校　fief school
寺子屋　writing school
国民学校　national elementary school
軍国主義　militarism
富国強兵　national prosperity and military strength
アメリカナイゼーション　Americanization
戦前　pre-world war II era
戦中　during the world war II
戦後　post-world war II era
アメリカ教育使節団　The U.S. Education Mission
アメリカ教育使節団報告書　reports of the U.S. Education Mission to Japan, submitted to the supreme commander for the allied power
教育基本法　Fundamental Law of Education
男女共学　co-education, co ed.
社会階層　social class, social strata
社会移動　social mobility
階層間移動　inter-strata mobility
教育改革　educational reform
ゆとりある教育　education with latitude
教育内容の選別　selection of educational content

Lesson 8　教育の歩み

　わが国における公教育制度は学制（1872年〈明治5〉）によってはじめて総合的に整えられることになった[1]．それ以前は**徒弟教育**(apprentices' education)があったとはいえ，義務的なものではなかった．僧侶階級のための僧庵学校，武士階級のための**藩校**(fief school)，庶民のための**寺子屋**(writing school)など，それぞれの集団の必要に応じるための階層性の（他集団とは交わらない）閉鎖的な学校制度であった[2]．その後，日清（1894-95）・日露（1904-05）・**第一次**（1914-18, the first world war, the world war I）・**第二次世界大戦**（1939-45, the second world war, the world war II）という戦争の時代に突入し，**国民学校**(national elementary school)が**軍国主義**(militarism)の根を植え付ける一翼を担った[3]．

　最後の力まで振り絞り，完膚なきまでにダメージを受けた日本は，第二次世界大戦に**無条件降伏**(unconditional surrender)という形でピリオドを打った[4]．そのわが国が，四半世紀足らずの間に海外の列強国と肩を並べるまでに立ち直ったことには，今思い返しても新しい驚きを覚える．日本が急速に復興することができたのは**アメリカナイゼーション**(Americanization, アメリカ化)の効力と，それを自らのものとしてさらに発展させることができた日本人の気質によるものである．

　まず**戦後**(post-world war II era)[5]の**教育改革**(educational reform)の全面的構図は，**アメリカ教育使節団**(The U.S. Education Mission)により作成され，マッカーサー元帥[6]に提出された**アメリカ教育使節団報告書**(reports of the U.S. Education Mission to Japan, submitted to the supreme commander for the allied power)によるものであった[7]．

　1947（昭和22）年には教育勅語にかわり，戦後の教育理念を表した**教育基本法**(Fundamental Law of Education)[8]が施行された．同法は，教育の方針(educational policy)・教育の機会均等(equality of educational opportunity)・**義務教育**(compulsory education)・**男女共学**(co-education, co-ed.)[9]などを改めて定義したものである．

　20世紀初め，国家主義的な色合いが濃厚な国民教育としてスタートした日本の教育は，終戦を境にして民主化を遂げた．戦前，教育は国力の拡大を目的とするものであったが，しだいに，個人にとっての立身出世のための資産・資本として受け止められるようになった[10]．さらに学校教育は人々の**社会移動**(social mobility)，とりわけ貧困層の**階層間移動**(inter-strata mobility)[11]の欲望を巧みに組織化することで権威を獲得した．やがて規律・管理主義に加えて生

き残るために勝ち抜くという競争主義を強化した学校教育は、いみじくも超高度経済成長という活況に歩調を合わせる形で学校神話をつくり上げた。

ところが、である。バブルの崩壊がもたらした不景気 (recession) によって、学校教育と教師に対する信頼と尊敬は一転して、懐疑と不信感になって膨れ上がった[12]。学歴主義 (credentialism, degreeocracy) という遺制にすがる親の叱咤を嘲るかのように、多くの子どもたちが学習から逃避し、遊びと非行の世界で浮遊している。

今まで欧米諸国の教育方針に追随してきた日本は、いよいよ自主性を発揮して教育改革を進めざるを得ない苦境に瀕している。そうしたなか、世界各国の教育改革が学力向上を目指し教育の高水準化に力を注ぐ流れに逆行し、わが国では**ゆとりある教育**(education with latitude)[13]をキーワードとする**教育内容を選別** (selection of educational content) する方針を掲げている[14]。無謀 (reckless) とも思える改革は日本の教育界をどこへ導くのか。21世紀は、まだ誰にも予測し得ない不透明な時代 (the age(era) of murky) となるだろう。

ミニ知識：アメリカの戦後教育改革(60・70年代)
　　　　　(educational reform in America during the 60th and 70th)

大戦後、膨れ上がった児童人口(ベビーブーマー)を収容し、マンモス化を遂げた60年代のアメリカの学校では"貧困層の子どもへの特別教育援助計画"や"人種間における教育機会の不均等を是正する"ための平等・公正を求める教育改革 (educational reform) が行われた[15]。

この改革の影響は、教育差別撤廃条約(Convention against Discrimination in Education,1960)、人種差別撤廃条約 (International Convention on the Elimination of All Forms of Racial Discrimination, 1965)、女子差別撤廃条約(Convention on the Elimination of All Forms of Discrimination against Women, 1979) などの一連の差別是正措置 (affirmative action, AA)[16]を次々と締結に漕ぎ着けた。

80年代になると、公立学校のすさんだ状況や生徒たちのさえない学習成果が連邦教育省 (National Commission on Excellence in Education, NCEE) 発行の"危機に立つアメリカ" (A Nation at Risk, 1983) をきっかけに次々とあらわにされた。そこでアメリカ教育界は、60年代に掲げた機会の公平 (equity)・平等 (equality) のスローガンを翻して、"世界ナンバーワンを目指す"とする卓越性 (excellency) を追い求める改革へと主眼を転換した。

＊＊ 関連ワード ＊＊

<u>人権宣言</u>（universal declaration of human rights）

<u>教育を受ける権利</u>（right to education, right to receive the education）：19世紀半ば以降(英国)，市民革命による人権思想の浸透と教育への要求の高まりの中で，<u>学習権</u>（educational rights）として，<u>機会均等</u>（equal opportunity），<u>無償の義務教育</u>（free compulsory education），政治・宗教・行政面においての<u>教育の中立性</u>（neutrality of education），<u>学問・教育・教授上の自由</u>（academic freedom）が追求された．

<u>市民教育</u>（civic education）

<u>教育労働運動</u>（educational labor movement）

<u>新教育運動</u>（new education movement）

<u>進歩主義</u>(progressivism)：代表的な存在であるデューイ（John Dewey, 1859-1952）は"<u>学校と社会</u>"("School and Society")の中で，生活を通じての，また<u>生活との関連による学習</u>（learning through and in relation to living），すなわち学習と生活を統一させることの重要性を主張した[17]．進歩主義教育運動は progressive education movement.

<u>本質主義</u>(essentialism)：人類の文化遺産や伝統的価値の本質的要素を次の世代へ伝えることを教育の第一の目的とする．進歩主義と対立する考え．この主義を支持する者は<u>エッセンシャリスト</u>（essentialist）．

<u>プラグマティズム</u>(pragmatism)：形而上学や観念論を排し，現実と行動を重視する実用主義・実際主義．

<u>生活に関連づけられた学習</u>（life-centered education）：<u>ペスタロッチ</u>（Johann Pestalozzi）は学校教育が現実の生活から遊離した内容を教える傾向にあるのに抗して，教育の内容・方法を学習者の生活を中心に考えようと主張し，学校を児童と教師によって構成される生活共同体として経営した．

<u>児童中心主義</u>（child-centered education）：<u>ルソー</u>（Jean Rousseau）の書いた『エミール』は子どもの権利を発見した本といわれる．

<u>ことなかれ主義</u>（preference for eventlessness）

Chapter 3　教育行政財

Lesson 9　行政　administration

＊キーワード＊

教育委員会　board of education, school board
都道府県教育委員会　prefectural board of education
市町村教育委員会　municipal board of education
教育委員長　chairman of the board of education
教育委員　member of the education board, member of board of education
教育長　superintendent of board of education
文部省　Ministry of Education
文部科学省　Ministry of Education, Science and Technology
"援助すれども統制せず"　support but no control
教科書検定　inspection of school text-book
学習指導要領　the courses of study, cumulative guidance record, curriculum guides for teachers, study guides for teachers, curriculum standard
教育要領　kindergarten course of study
教科カリキュラム　subject curriculum
潜在カリキュラム　implicit, hidden curriculum
顕在カリキュラム　manifest curriculum

　全国で47ある都道府県には**都道府県教育委員会**(prefectural board of education)、約3,200ある市町村には**市町村教育委員会**(municipal board of education)が配置されている[18]。全国の各地方自治体 (local official) にも**教育委員会** (board of education, school board) が設置されており、学校レベル・その他の教育機関（図書館・公民館・博物館など）などを所管し業務を行っている。

　文部科学省 (Ministry of Education, Science and Technology)[19]は、これら教育委員会をはじめとする所掌各部に対し、"**援助すれども統制せず**" (support but no control)の姿勢で接することを建前としている[20]。

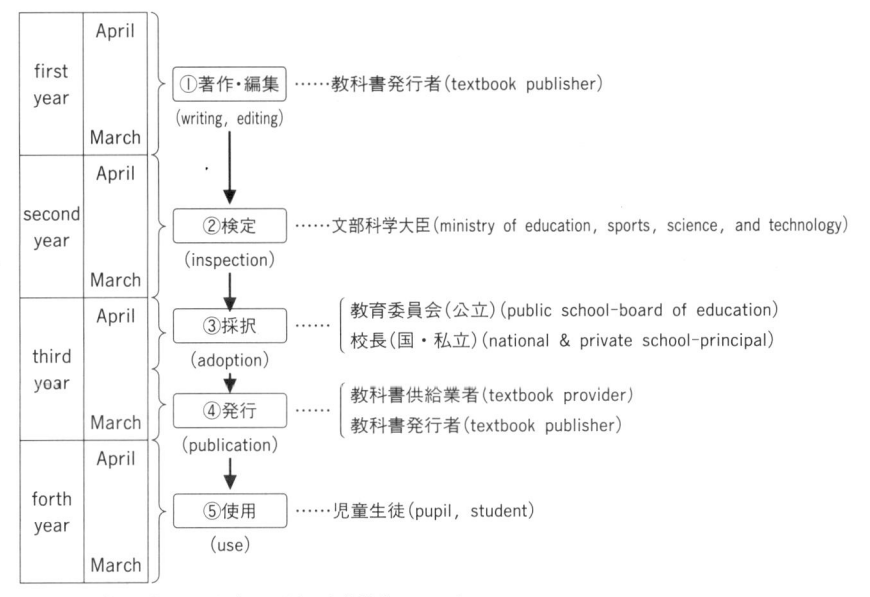

図9-1　教科書が使用されるまでの4年間

first year	April — March	①著作・編集 (writing, editing)	……教科書発行者 (textbook publisher)
second year	April — March	②検定 (inspection)	……文部科学大臣 (ministry of education, sports, science, and technology)
third year	April — March	③採択 (adoption)	……教育委員会(公立) (public school-board of education) 校長(国・私立) (national & private school-principal)
		④発行 (publication)	……教科書供給業者 (textbook provider) 教科書発行者 (textbook publisher)
forth year	April — March	⑤使用 (use)	……児童生徒 (pupil, student)

(資料) 文部省『平成12年度我が国の文教施策』2000年, p.175.

　文部科学省の有する権限の中で主なものは，教科書検定と学習指導要領の作成である．日本語の"検定"には事実上，許可(authorization)と検閲(censorship)の意味が含まれるが，文部科学省としては"検定"を英訳する際，screening (適性検査)[21]と inspection (点検・審査)[22]の語を用いて統一している．

　97年度の**教科書検定** (inspection of school text-book)では，女性の社会進出にともなう男女間の固定的な役割分担を見直そうとする記述や，離婚・事実婚・結婚しない人の増加など多様な家族像を取り上げた高校家庭科教科書4冊が"内容の選択に欠陥がある"との理由で不合格になり話題を呼んだ[23]．

　学習指導要領 (the courses of study, cumulative guidance record, curriculum guides for teachers, study guides for teachers, curriculum standard)は教科・特別活動に関し，例えばどの学年でどの当用漢字(Chinese characteristics for common use)[24]を覚えるかなど，各学年で達成すべきねらい・内容 (the aim and content of teaching at each grade)を公示するものであり，全国で統一されている (uniform everywhere in Japan)[25]．

Chapter 3　教育行政財

> ミニ知識：顕在・潜在カリキュラム（manifest and hidden curriculum）
>
> 日本語でカリキュラム(curriculum)[26]というと，教科カリキュラム(subject curriculum)と考えられがちだが，本来のカリキュラムの意味はもっと包括的で広範囲に及ぶ．例えば，顕在カリキュラム（manifest curriculum）とは実際に学校で執行されている行事・業務や観察でき得る（observable）状況・事態などを意味する．また潜在カリキュラム (implicit, hidden curriculum)とは，教科や学校環境という枠を超え(beyond the range of subject matters and school environment) 目に見えない（latent），存在感の自覚できない教育的影響力を指すものである．

** 関連ワード **

相関カリキュラム(correlated curriculum)：2教科以上に共通する教科内容の重複や隔たりを調整・融合（fusion）し，関連を持たせながら学習する学際的カリキュラム（interdisciplinary curriculum）．

連関カリキュラム(connected curriculum)：学習者が習得しているはずの知識・技術を彼らの興味・関心に結びつける student-centered curriculum.

クロスカリキュラム（cross curriculum）：テーマを特定し，そのトピックに関する複数の教科・科目を関連付ける横断的学習（cross curricular approach）．

学校レベルでのカリキュラム開発(school based curriculum development)

中核課程（core curriculum）

教科書検定制度（text-book screening system）

教科書裁判（text-book trial）

教育の地方分権(decentralization of educational administration)：中央の権限(central control)の強さ，top-down型の指示体制の限界が指摘され，学校の自治的運営(school based management, local management of school)や教師の自発性を重視する bottom-up 形式の必要性が説かれている[27]．

文部大臣（Minister of Education, Education Minister）

学校監督行政（super-intendance of school）

学校の自主性（自立性）と公共性(autonomy and publicity for school)：大学の自治性は university autonomy.

大学審議会(University Council)：文部大臣の諮問機関（advisory panel

to the Education Minister)
公立(public)：国立(national)[28]・県立(prefectural)[29]・市立(city-own, city)・市町村立(municipal school)に分かれる．私立はprivate.
文教族 (the education lobby)：現職ならびに歴代の文相・文部政務次官・教育制度研究審議会メンバーなど，日本の教育行政の将来に強い影響力を行使するグループ．lobbyはホテル・議会などの広間・廊下という意味から転じて，（議会のロビーに出入りして議員に陳述する）院外員・圧力団体という意味[30]．

Lesson 10　教育費　education(al) expenditure, education(al) expenses, cost of education

* キーワード *

教職員給与　salaries of personnel employed in schools
人件費　personnel expenses
公立学校　public institutions
私立学校　private institutions
公教育費　expenditures for public education
私教育費　expenditures for private education
父兄負担教育費　educational expenditure shared by parents
子ども１人当たりの教育費　expenditures per child, expenditures per enrolled student
入学金　admission fee, entrance fee, confirmation fee
授業料　tuition
教材費　material fees
諸費用　miscellaneous fees
自宅通学　going to school from one's own house
下宿する　boarding at, board with
賄い付き　boarding house
賄い無し　lodging house
月ぎめ家賃　monthly rent

Chapter 3　教育行政財

教育産業　education(al) industry

教育費とは教育のために支出される経費のことで，**公教育費**（国家や地方公共団体が行う，expenditures for public education）と**私教育費**（私立の学校法人・団体・企業・個人が行う，expenditures for private education）に分けられる．公教育費の中では（市町村立）義務教育諸学校の**教職員給与**（salaries of personnel employed in schools）など**人件費**（personnel expenses）が80％を占めるため，予算の硬直化が懸念されている[31]．

1994年度の文部省の調査によると，学校教育費[32]・学校給食費・家庭教育費（塾・おけいこ事）など，**父兄負担教育費**（educational expenditure shared by parents）の合計は**子ども1人当たりの経費**（expenditures per child, expenditures per enrolled student）が年額，**公立学校**（public institutions）の場合で，幼稚園は25万円，小学校は31.2万円，中学校は44.4万円，高校では52.1万円[33]．**私立学校**（private institutions）の場合では，幼稚園が48.5万円，高校が101.7万円となっている[34]．

大学では**自宅通学**（going to school from one's own house）の場合，国・公立だと平均101.9万円，私立だと160.7万円．**下宿**をしている（boarding at, board with）[35]場合では，国・公立で174.7万円，私立で245.3万円かかる[36]．

文部省の学習塾等に関する実態調査（1998年）によれば，通塾率は小学生で23.6％，中学生で59.5％．通塾日数は小学生で週2.2日，中学生では週2.7日とのこと．全国4万7千余りある学習塾（予備校を除く）の事業収入が約9千億円に達しているのもうなずける．さらに2002年施行の公立学校の<u>週5日制</u>（five-day-school system）にともない，塾が学校のスリム化を肩代わりする形勢で，学校とのダブルスクール化が定着することになろう[37]．

これまでは不景気になればなるほど盛んになるのが**教育産業**（education(al) industry）であるといわれ，つぎ込まれることが当然だと思われてきた"投資"としての教育費は，いまや出世を約束するどころか，その元さえも取れない時勢になってきたともいえる．いずれにしても高い教育費と住居費の捻出にあえぐ日本人の多くは，自国が<u>GNP</u>（Gross National Product）世界トップランクの豊かな国であることを自覚できないでいる．

Lesson 10 教育費

図10-1 子ども1人当たりの月間費用（monthly expenditures per child）

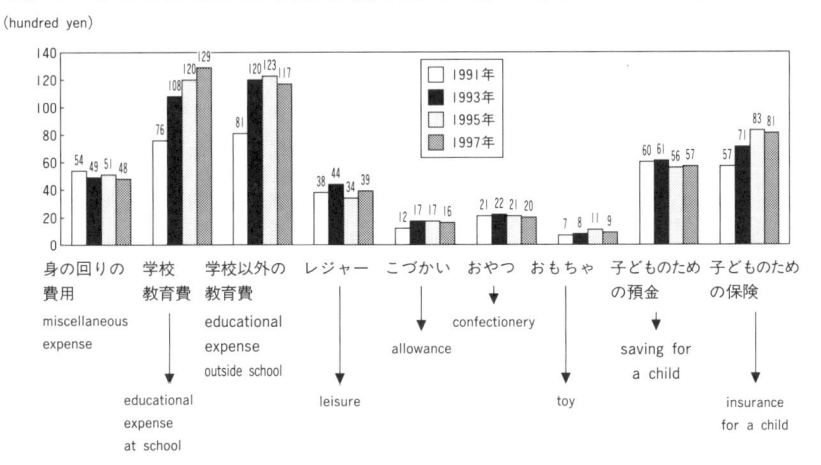

(hundred yen)

	1991年	1993年	1995年	1997年
身の回りの費用 (miscellaneous expense)	54	49	51	48
学校教育費 (educational expense at school)	76	108	120	129
学校以外の教育費 (educational expense outside school)	81	120	123	117
レジャー (leisure)	38	44	34	39
こづかい (allowance)	12	17	17	16
おやつ (confectionery)	21	22	21	20
おもちゃ (toy)	7	8	11	9
子どものための預金 (saving for a child)	60	61	56	57
子どものための保険 (insurance for a child)	57	71	83	81

(注) 学校以外の教育費とは，主に学習塾やおけいこ事．
(資料) 野村証券「第5回家計と子育て費用調査」1997年，日本子どもを守る会『子ども白書'99』1999年，p. 205．

図10-2 世帯年収と子どもに受けさせたい教育の程度

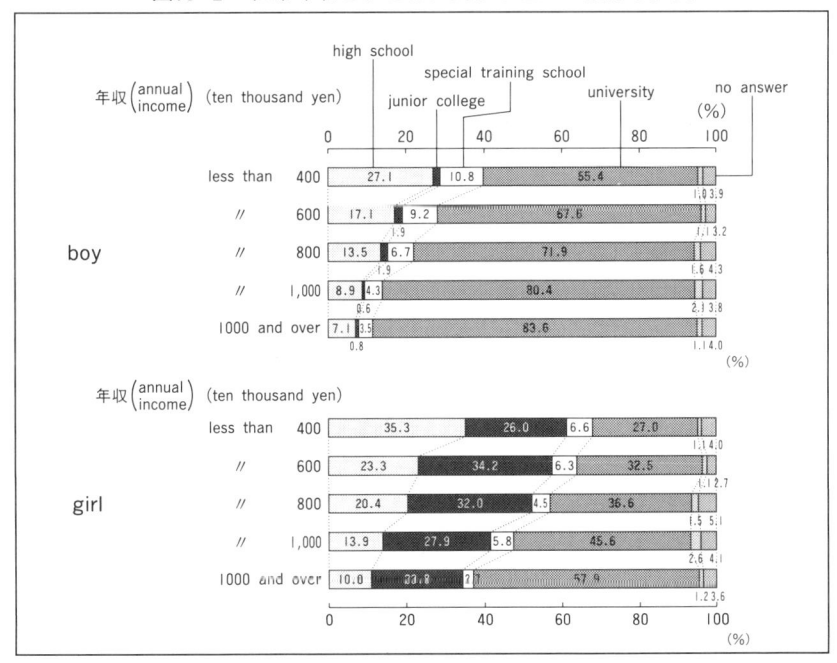

年収 (annual income) (ten thousand yen)

high school / junior college / special training school / university / no answer

boy

	high school	junior college	special training school	university	no answer
less than 400	27.1		10.8	55.4	1.0 / 3.9
// 600	17.1	1.9	9.2	67.6	1.1 / 3.2
// 800	13.5	1.9	6.7	71.9	1.6 / 4.3
// 1,000	8.9	0.6	4.3	80.4	2.1 / 3.8
1000 and over	7.1	0.8	3.5	83.6	1.1 / 4.0

girl

	high school	junior college	special training school	university	no answer
less than 400	35.3	26.0	6.6	27.0	1.1 / 4.0
// 600	23.3	34.2	6.3	32.5	1.1 / 2.7
// 800	20.4	32.0	4.5	36.6	1.5 / 5.1
// 1,000	13.9	27.9	5.8	45.6	2.6 / 4.1
1000 and over	10.0	23.8	2.7	57.4	1.2 / 3.6

(資料) 経済企画庁「国民生活選好度調査」1998年．苅谷剛彦・他『教育の社会学』2000年，p. 115．

Chapter 3 教育行政財

図10-3 教育費総額(total expenditure on education)：国民総生産と政府総支出の割合
(percentage of Gross National Product and government expenditure)

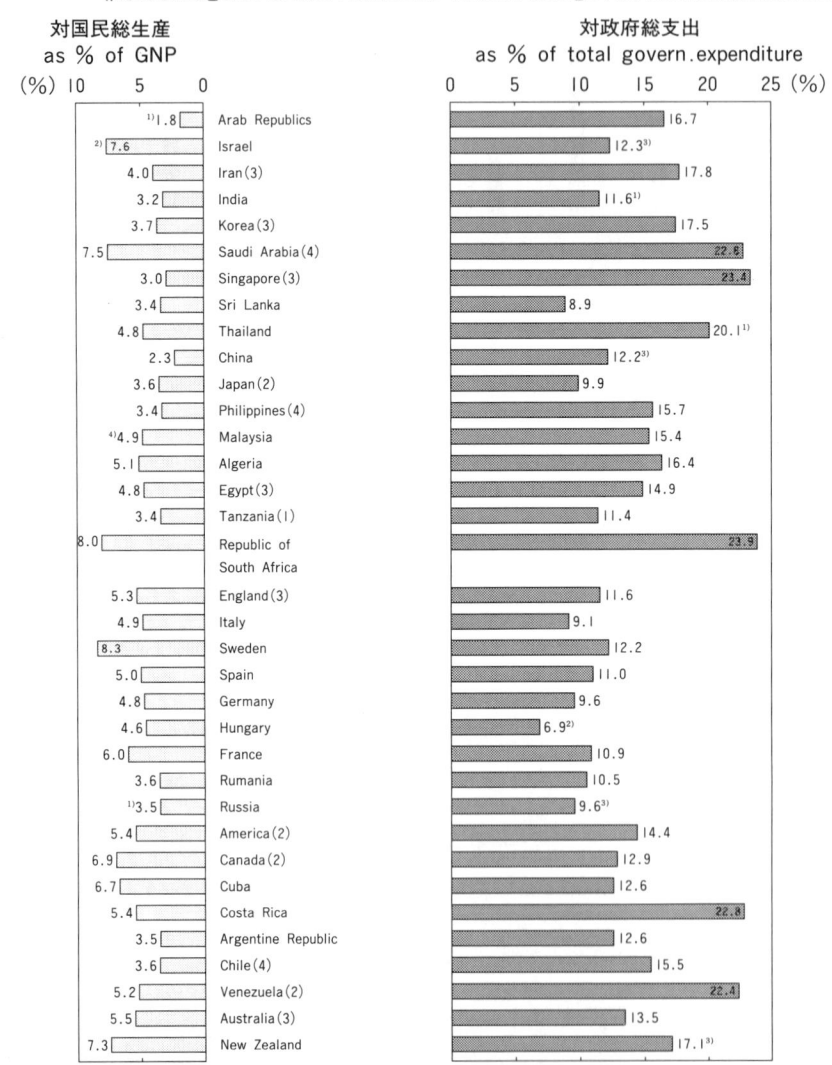

as % of GNP	国名	as % of total govern. expenditure
1) 1.8	Arab Republics	16.7
2) 7.6	Israel	12.3 3)
4.0	Iran (3)	17.8
3.2	India	11.6 1)
3.7	Korea (3)	17.5
7.5	Saudi Arabia (4)	22.6
3.0	Singapore (3)	23.4
3.4	Sri Lanka	8.9
4.8	Thailand	20.1 1)
2.3	China	12.2 3)
3.6	Japan (2)	9.9
3.4	Philippines (4)	15.7
4) 4.9	Malaysia	15.4
5.1	Algeria	16.4
4.8	Egypt (3)	14.9
3.4	Tanzania (1)	11.4
8.0	Republic of South Africa	23.9
5.3	England (3)	11.6
4.9	Italy	9.1
8.3	Sweden	12.2
5.0	Spain	11.0
4.8	Germany	9.6
4.6	Hungary	6.9 2)
6.0	France	10.9
3.6	Rumania	10.5
1) 3.5	Russia	9.6 3)
5.4	America (2)	14.4
6.9	Canada (2)	12.9
6.7	Cuba	12.6
5.4	Costa Rica	22.8
3.5	Argentine Republic	12.6
3.6	Chile (4)	15.5
5.2	Venezuela (2)	22.4
5.5	Australia (3)	13.5
7.3	New Zealand	17.1 3)

(注) 教育総支出とは各国内での中央政府(または連邦州政府)県・都・市・区レベルでの支出の合計。(1)は1990年、(2)は94年、(3)は95年、(4)は97年のデータにもとづく。
(資料) ユネスコ『ユネスコ文化統計年鑑1999』2000年、p.508. (財)矢野恒太記念会『世界国勢図会2000-2001』2000年、p.487.

Lesson 10 教育費

図10-4 大学の学生納付金の国際比較 (yen)

	大学の種別 kind of university	入学金 admission fee	授業料 tuition	その他 others	合計額 total
Japan (1999)	国立 (national) 公立 (public) 私立 (private)	275,000 381,271 290,815	478,800 477,015 783,298	 198,982	753,800 858,256 1,273,095
America (1997)	州立 (state) ・comprehensive ・four-year 私立 (private) ・comprehensive ・four-year	0 0 0 0	411,000 316,000 2,027,000 1,460,000		411,000 316,000 2,027,000 1,460,000
England (1996)	all	0	0 	134,000 286,000 501,000	134,000 (人文) 286,000 (理工) 501,000 (医学)

(注) 日本で，その他は施設設備費など．米国・英国で，その他は実験費・実習費など．
(資料) 文部省「教育指標の国際比較」1999年．時事通信社『教育データブック2000-2001』2000年, p.47.

図10-5 大学の入学金・授業料・設備費 (ten thousand yen)

		1975	80	85	90	95	98	99
national	admission fee	5.0	8.0	12.0	20.6	26.0	27.5	27.5
	tuition	3.6	18.0	25.2	33.96	44.76	46.92	47.88
	total	8.6	26.0	37.2	54.56	70.76	74.42	75.38
private	admission fee	9.6	19.0	23.5	26.7	28.3	29.1	29.1
	tuition	18.3	35.5	47.6	61.5	72.8	77.0	78.3
	cost for facility and equipment*	9.5	16.0	20.4	17.7	18.2	19.1	19.9
	total	37.3	70.5	91.6	105.9	119.3	125.2	127.3

(注) ＊施設・設備費のこと．
(資料) 時事通信社『教育データブック2000-2001』2000年, p.47.

Chapter 3　教育行財政

図10-6　学習塾費（expenditure for cram school）

distribution (thousand)	kindergarten				elementary school		junior-high school				high school (full-time)			
	public		private		public		public		private		public		private	
	96	98	96	98	96	98	96	98	96	98	96	98	96	98
total(%)	100.0	100.0	100.0	100.0	100.0	100.0	100.0	100.0	100.0	100.0	100.0	100.0	100.0	100.0
0 yen	81.4	85.3	74.6	79.9	59.4	58.7	22.6	25.0	39.3	42.5	56.3	60.2	47.8	57.5
less than　10 yen	3.4	3.8	3.3	2.5	3.2	3.0	1.6	1.7	1.9	2.2	2.9	2.6	3.0	3.2
〃　50 yen	7.4	5.5	12.2	6.7	12.8	10.5	9.5	8.1	10.8	8.7	8.4	7.9	9.9	7.3
〃　100 yen	3.8	2.7	5.4	4.5	8.8	10.1	12.7	10.7	12.1	9.7	8.2	6.3	5.9	5.3
〃　200 yen	3.3	2.6	3.3	4.3	8.8	10.4	24.2	20.8	15.9	14.5	10.8	9.6	10.8	8.7
〃　300 yen	0.6	0.1	1.0	1.1	2.9	3.8	14.3	16.4	10.2	9.5	5.0	4.5	8.0	6.2
〃　400 yen	—	0.1	0.3	0.2	1.4	1.3	8.9	9.9	5.4	6.8	4.3	3.9	4.9	4.0
400 yen and over	—	0.0	0.0	0.7	2.7	2.3	6.2	7.5	4.5	6.0	3.9	4.8	9.7	7.9

（資料）文部省「子どもの学習費調査」1998年．日本子どもを守る会『子ども白書'98』1998年，p.188．

ミニ知識：大学生生活（lives of university students）

　日本の大学では通常，年間定額の授業料を科す（charge tuition fees）．これは例えば，4年生は1週間に1日しか授業がなくても，1年時と同じ額の授業料を納めるということである．

　欧米では履修する単位ごとに授業料が計算されるため，多くのクラスを履修する学生は高額を，1学期に少しずつクラスを履修するパートタイムの学生はその分のみを支払う．また大学の学費は親が払うというよりは，学生本人がアルバイト（part-time job）をして自分で支払う[38]．4年間で急いで卒業というケースもあるが，働きながら時間をかけて卒業する者も多い．また，学費を支払えない者は大学側とloanを組み，卒業後働いて返済することもできる．

　海外では大学生の生活は一般的に質素で，服装もジーンズにTシャツとラフ（rough）であり，いわゆる貧乏学生の定番を謳歌している．日本の大学生がブランド品に固執し，グルメ（grummet）・海外旅行を究めるなど，各種娯楽を満喫しているのとはライフ・スタイル（life style）のステイタス（status）が根本的に違う．

**　関連ワード　**

教育費国庫負担（government sharing of educational expenses）
教育費国庫補助（government subsidy for educational expenses）
私学助成（government subsidies to private schools, or educational institutions）
財源（fund）
寄付金（contribution, donation）

Lesson 10 　教育費

<u>年間生活費</u>（annual living expenses）
<u>食品券</u>(food stamp)：生活保護を受けている家庭の子どもが学校のカフェテリアで使用することができる<u>食券</u>のこと．coupon でもほぼ同意．
<u>授業料免除</u>（tuition-free, tuition waiver）
<u>大学生の奨学金</u>(award, grant, scholarship)：<u>大学院生の奨学金</u>は fellowship と呼び区別する場合が多い．
<u>奨学生</u>（student on scholarship, grant recipient）
<u>寄宿舎制・全寮制学校</u>（dormitory, boarding school, residential school）：<u>寮母</u>（housemother）や<u>寮</u>（dorm, dormitory, university residence）の先生などが<u>親の立場</u>になって（in the place of a parent）<u>寮生</u>（resident student）を日常的に指導する．
<u>寄宿舎がない</u>（non-residential）：都市にある通学制の学校・大学に多い．

---

1) この時期，学校体系は学校段階の基礎部分のみが統合されており，基礎から上級に接続するコースと，上級に接続せず完結するコースが分化した<u>分岐型・フォーク型</u>(fork system)であった．
2) エリート学校体系・民衆学校体系など，対象とする生徒により複数の学校体系が並存する<u>複線型・並列型</u>（dual system, multi-track system）であった．新井郁男『教育社会学Ⅰ』放送大学教育振興会，1992年，83頁．
3) 教育はその当時，<u>富国強兵</u>(national prosperity and military strength)と殖産興業をスローガンとし欧米列強に追いつく（いずれは追い越す）ために，勤労者としての国民の質を引き上げるために作用した．
4) 森嶋道夫『なぜ日本は没落するのか』岩波書店，1999年，43頁．
5) <u>戦前</u>を pre-world war II era，<u>戦中</u>を during the world war II という．
6) <u>SCAP</u>(the supreme commander for the allied power)とはマッカーサー元帥の別名．<u>GHQ</u>（General Headquarters）は占領軍総司令部．
7) 宗像誠也「今日の時点でアメリカ教育使節団報告書をとりあげることの意義」1960年，日本教職員組合，タイプ刷り．
8) 終戦を境にして学校体系は複線型から単線型へ変わり，教育の量的普及が著しく進んだ．<u>単線型</u>（ladder system, single-track 6-3-3-4 system）とは初等・中等・高等と一直線に段階的に連続する，全ての段階で学校が統合された学校体系のこと．昨今では学校体系が複雑化し，単線型から分岐型に変化している．
9) 男女共学とは，男女が同一の教室で，同一かつ同程度の教科・学科などを，同一の教材・教育方法で同　の教育によ　て学習することを意味している．
10) 当時，師範学校制度は地方の農村家庭出身者の中で学業に秀でた子どもに「実力主義」の機会を与えた．

Chapter 3　教育行政財

11) **社会階層** (social class, social strata).
12) 佐藤学「子供たちはなぜ学びから逃走するのか」,『世界』2000年5月号, 77-86頁.
13) Latitude はゆとり, 幅の意味.
14) 教育内容を3割減した分は, **総合的な学習** (comprehensive learning, integrated learning, synthetic learning) の時間における「個別対応」や「方法知の習得」にまわすという方針になっているが, 現場である学校では安直なイベントがもてはやされている傾向を示している.
15) 早川操「世界の教育改革」, 佐伯伴編著『コミュニティと学校改革』岩波書店, 1998年, 23-45頁.
16) 教育や雇用（採用・昇進の際）の分野で性や民族による差別を禁止するための措置.
17) デューイは子どもを学校に適応させるのではなく, 学校を子どもに適応させる (adjust the school to the child) ことや, 子どもを教えるのであって教科を教えるのではない (teach children, not subject) ことも主張した.
18) **教育委員** (member of the education board, member of board of education) はそれぞれ都道府県市町村ごとに5名（町村レベルでは3名も可）から成る. 事務局長の役目をするのは教育長 (superintendent of board of education). 小澤周三編『教育学キーワード（新版）』有斐閣双書, 1998年, 125頁.
19) 2001年より文部省と科学技術庁が合体した形で**文部科学省** (Ministry of Education, Science & Technology) と改編された.
20) 援助 (assistance) とは監視指導・助言・勧告 (supervision, advice, guidance) を含む.
21) 「学習指導要領」または「総則」などの記載内容に準拠しているかどうか, という意味の適性検査.
22) 事実の記述に誤りがないか, という意味の点検・審査.
23) 『時事ワード98-99』時事通信社, 1999年, 251頁.
24) 全部で1850字ある. 以前は常用漢字 (Chinese characteristics for daily use) で1945語あった.
25) 幼・小・中・高・盲・聾・養護学校用の7種類ある. ただし幼稚園用は**教育要領** (kindergarten course of study) と呼ぶ.
26) curricula は複数形.
27) 江川攻成・他編『最新教育キーワード137(第8版)』時事通信社, 1999年, 44頁.
28) アメリカで国立大学と呼べるものは陸海空軍の士官学校のみで, 陸軍士官学校 (U.S. Military Academy)・海軍兵学校 (U.S. Naval Academy)・航空士官学校 (U.S. Air Foce Academy) がある.
29) 県立のレベルはアメリカでは州立 (state-owned, state), 中国では省立 (provincial) にあたる.
30) 石山宏一『新現代用語を英語にする辞典』グロビュー社, 1985年, 330頁.
31) 前掲18), 128頁.
32) **入学金** (admission fee, entrance fee, confirmation fee)・**授業料** (tuition)・**教材費** (material fees)・**諸費用** (miscellaneous fees) など.

Lesson 10 教育費

33) 小・中学校のレベルでは私立へ行く者は全体の1％に満たないが，幼稚園から高校卒業までの14年間に学校へ支払う教育費は，私立校にだけ通う場合が同時期公立校だけに通う場合の約2倍である．「読売新聞」(東京，朝刊)，2000年6月23日．
34) 高校では約30％の者が私立校に在学している．"The percentage of enrolments in private institutions is about 30% for upper secondary schools." Education at Glance–OECD Indicators. CERI. 1996, p.295.
35) <u>下宿</u> (boarding, lodging) には**賄い付き** (boarding house) と**賄い無し** (lodging house) がある．いずれも**月ぎめ家賃** (monthly rent) を支払わなければならない．
36) 前掲18)，129頁．
37) 『朝日キーワード1998年』朝日新聞社，248頁．
38) 図書館のスタッフ・学部の事務・カフェテリアの業務など<u>大学内の仕事</u> (campus job) で，授業料の一部を捻出する学生も多い．

Chapter 4　学校と先生と生徒
school, teacher, and student

Lesson 11　学校行事　school event

＊ キーワード ＊

担任の先生　homeroom teacher, class teacher, teacher in charge of a class
朝の会　morning meeting
朝礼　morning assembly
出席簿　attendance book, roll book
出席をとる　roll call
学級日誌　class diary
時間割　class time table
授業時間　class hour, class period
休み時間　recess, break
昼食の時間　lunch hour
給食　school meal, school lunch
学校食堂　school canteen, cafeteria, dining hall
タスク・オン・タイム　task-on-time
タイム・オン・タスク　time-on-task
2時間続きの授業　double session
モジュラー・スケジュール　modular schedule
学校行事予定表　school calendar
始業式　opening ceremony
終業式　closing ceremony, ceremony at the end of the term
卒業式　commencement, graduation ceremony, prom

Lesson 11 学校行事

卒業生総代　valedictorian
卒業式の祝辞　congratulatory speeches at graduation
送辞　farewell address, farewell speech
答辞　address in response, speech by the valedictorian to his (her) juniors
国旗掲揚　hoist the national flag
国家斉唱　sing the national anthem
通過儀礼　rite of passage, ritual
特別活動　special curricular activities
課外・教科外活動　extra-curricular activities
見学・遠足　field trip, hike, outing, picnic
日帰り旅行　day trip
修学旅行　school excursion
体育祭　athletic meeting, sports festival, field day
文化祭　cultural festival
学園祭　school festival

　学校での子どもたちの1日の活動を追ってみると，典型的な1日は朝の**ホームルーム** (homeroom) の時間に**担任の先生** (homeroom teacher, class teacher, teacher in charge of a class) が**出席簿** (attendance book, roll book) を持って教室に入ってくることから始まる．**朝の会** (morning meeting) では，先生が**出席をとり** (roll call) 連絡・注意事項が伝達される[1]．また，当番制で回ってくることになっている日直はクラスの開始・終了の号令をかけたり，**学級日誌** (class diary) に1日の出来事を記録する係である．
　授業時間 (class hour, class period) は小学校では，ひとクラス45分，中・高校では50分．**休み時間** (recess, break) は10分程度で，月から金は**1〜6限** (first-sixth period) まである．午前中に4時限の授業 (classroom teaching) が行われるが，子どもたちの生活が夜型になってきているのにともない，登校時間を遅くして午前中3時間授業にする案や，朝食をとらずに登校している生徒が多いことから**昼食の時間** (lunch hour)[2]を早めにする案，授業の始まり・終わりをなくす"ノーチャイム制"を導入して自分で時間を守る自主性を育てる案など，従来の**時間割** (class time table) を見直す動きも出されている[3]．

Chapter 4 学校と先生と生徒

また，授業を，割り振られた時間 (time) の中で活動 (task) を行う**タスク・オン・タイム** (task-on-time) 方式から，まず活動内容を決めて，それに応じ時間を割り振る**タイム・オン・タスク** (time-on-task) 方式への転換が望まれている．そのためには，授業時間を10分や15分で一つの固まり (module) とみなして分割したり，逆に**2時間続きの授業** (double session) にするなど，授業時間を柔軟に活用する**モジュラー・スケジュール** (modular schedule) を立てることも一案である．

次に1年を通しての主な活動・行事 (big event in the academic year) をたどるために，**学校行事予定表** (school calendar) を見てみると，まず学年度 (academic year) は4月の始業式 (opening ceremony) に始まる[4]．**特別活動** (special curricular activities) や**課外・教科外活動** (extra-curricular activities) としての**見学・遠足** (field trip, hike, outing, picnic)・日帰り旅行 (day trip)[5]を通してクラスの親睦が深められる．秋には**体育祭**(小学校では運動会，athletic meeting, sports festival, field day) や**文化祭** (cultural festival) などの**学園祭** (school festival) が催される．

学年も終わりに近づけば，最年長組の生徒は**卒業式**(commencement, graduation ceremony, prom) を迎える．卒業式は，成績最優秀の**卒業生総代** (valedictorian) の告別演説 (valedictory)[6]や，学校側からの堅苦しい (stiff and formal)**祝辞** (congratulatory speeches at graduation)[7]が述べられる**通過儀礼** (rite of passage, ritual) の一つである[8]．

文部科学省によれば2000年度，入学式・卒業式で**国旗を掲揚** (hoist the national flag)した小学校は99.6％，中学校は99.4％，高校は99.8％．また**国家の斉唱** (sing the national anthem) については，小学校が94.7％，中学校が94.0％，高校が98.1％の実施率と報告されている[9]．実際各学校を覗いてみると，校長が事前の姿勢として"国歌を歌ってほしい"としながらも，"歌いたくなければ起立してほしい"，それもいやなら"着席したままでよい"などと，混乱・反乱を避けるために入念な気配りをしている様子が見受けられる．

ミニ知識：生徒会とクラブ活動 (school government and club activity)

英国では生徒会を student self-government，米国では student council という．生徒会長は英・米で，それぞれ president of student self-government, president of student council．副会長 は vice president of self-government, vice president of student council と呼ばれる．委員会 (committee) としては図書・風紀・文化・放送・保健委員会

（library, discipline, cultural, broadcasting, health-care committee）などがある．
　課外活動（extra-curricular activity）としての<u>クラブ活動</u>（club activity）は，運動系（athletic）では<u>器械体操</u>（gymnastics club, apparatus gymnastics club）・サッカー部（soccer team club）・野球部（baseball team）・応援団（cheering party, pep club）[10]など．文化系では華道部（flower arrangement club）・茶道部（tea ceremony club）・吹奏楽部（brass band）・<u>コーラス部</u>（choir, chorus club）などがある．

** 関連ワード **

<u>週2時間</u>（two-hour-a-week）：<u>週2回</u>だと twice a week class.
授業計画（syllabus）
教壇（lecture platform, dais）
宿題（homework assignment）
生徒手帳（student handbook）
生徒・学生証（student identification card）
学割（student fare）
臨海学校（school camp by the sea）
林間学校（school camp in the mountain）
合宿（camp for club members）
卒業記念指輪（class ring, school ring）
式帽と制服（cap and gown）：欧米の大学で学士の学位を取得したものが着用する．レンタルが多い．<u>修士の学位</u>（Master's degree）を得た者は cap & gown の他にフード（hood）を着用．<u>博士号</u>（doctor's degree）を得た者はフード着用に加え，ガウンの袖に3本のストライプが入る．<u>優等生</u>（honor's student）として卒業する者には金色の紐が首から掛けられる[11]．
離任式（farewell ceremony for transferring staff）
男子学生クラブ・男子友愛会（fraternity）
女子クラブ・女子友愛会（sorority）
ファイベータカッパ（Phi Beta Kappa）：学業成績優秀な学生が勧誘されるクラブで，米国最古の名誉学生友愛会．

Chapter 4 学校と先生と生徒

図11-1 東京都公立小・中・高等学校における卒業式・入学式での国旗掲揚および国歌斉唱の実施状況

		年度 year	学校数 number of school	国旗 national flag		国歌 national antem		
				掲揚した hoist	掲揚しなかった no hoist	斉唱した sing	メロディだけきいた only listen to melody	斉唱・メロディなし neither sing nor listen
小学校 elementary school	卒業式 graduation ceremony	95	1406	1388 (98.7%)	18 (1.3%)	1187 (84.4%)	104 (7.4%)	115 (8.2%)
		96	1401	1389 (99.1%)	12 (0.9%)	1191 (85.0%)	97 (6.9%)	113 (8.1%)
	入学式 entrance ceremony	96	1401	1377 (98.3%)	24 (1.7%)	1171 (83.6%)	84 (6.0%)	146 (10.4%)
		97	1396	1380 (98.9%)	16 (1.1%)	1153 (82.6%)	96 (6.9%)	147 (10.5%)
中学校 junior-high school	graduation ceremony	95	666	662 (99.4%)	4 (0.6%)	557 (83.6%)	81 (12.2%)	28 (4.2%)
		96	667	664 (99.6%)	3 (0.4%)	562 (84.3%)	78 (11.7%)	27 (4.0%)
	entrance ceremony	96	667	663 (99.4%)	4 (0.6%)	566 (84.9%)	71 (10.6%)	30 (4.5%)
		97	665	660 (99.2%)	5 (0.8%)	560 (84.2%)	78 (11.7%)	27 (4.1%)
高等学校 (全日制) high school (full-time)	graduation ceremony	95	209	173 (82.8%)	36 (17.2%)	10 (4.8%)	3 (1.4%)	196 (93.8%)
		96	209	177 (84.7%)	32 (15.3%)	9 (4.3%)	3 (1.4%)	197 (94.3%)
	entrance ceremony	96	208	176 (84.6%)	32 (15.4%)	8 (3.8%)	6 (2.9%)	194 (93.3%)
		97	208	174 (83.7%)	34 (16.3%)	8 (3.8%)	5 (2.4%)	195 (93.8%)
高等学校 (定時制) high school (part-time)	graduation ceremony	95	112	81 (72.3%)	31 (27.7%)	3 (2.7%)	2 (1.8%)	107 (95.5%)
		96	107	81 (75.7%)	26 (24.3%)	3 (2.8%)	4 (3.7%)	100 (93.5%)
	entrance ceremony	96	102	74 (72.5%)	28 (27.5%)	2 (2.0%)	3 (2.9%)	97 (95.1%)
		97	102	76 (74.5%)	26 (25.5%)	1 (1.0%)	4 (3.9%)	97 (95.1%)
盲・聾・啞・養護学校 school for blind, deaf, dumb, mentally and physically handicapped	graduation ceremony	95	54	51 (94.4%)	3 (5.6%)	10 (18.5%)	2 (3.7%)	42 (77.8%)
		96	55	52 (94.5%)	3 (5.5%)	12 (21.8%)	2 (3.6%)	41 (74.6%)
	entrance ceremony	96	55	52 (94.5%)	3 (5.5%)	10 (18.2%)	2 (3.6%)	43 (78.2%)
		97	56	53 (94.6%)	3 (5.4%)	12 (21.4%)	3 (5.4%)	41 (73.2%)

(注) 学校数は卒業式および入学式をそれぞれ実施した学校の総数．カッコ内は構成比を表す．
(資料) 柿沼昌芳・他編『沈黙する教師たち』2000年，pp. 12, 13．

Lesson 12 学級運営　classroom management

* キーワード *

教員一人に対する生徒数　student-teacher ratios
協同授業　team teaching
（他の先生と）協働する　work in partnership with other teachers
連帯性・同寮性　collegiality
学級崩壊　disruption of classroom community
学級担任制　classroom teacher system, single-teacher-per-class system
教科担任制　departmentalization, subject teacher system
授業参観日　observation day at school
授業を参観する　observe classes
学校評議会　councils for school administration, school council
PTA　parent-teacher association
学校運営　school governing
レイマン・コントロール　layman control
素人統制　non-professional leadership

　小・中・高の教室を覗いてみると，**教員一人に対する生徒数**(student-teacher ratios) はおよそ１：30〜40が現状である．子どもの多様性を認める指導が求められ，ひとクラスに複数の先生を配置する**協同授業**（team teaching）の導入に期待が寄せられている．チーム・ティーチングは子どもに先生の関心・ケアが行き届き，先生と生徒の双方の関係が親密になるというメリットがある．

　それに加えて，チーム・ティーチングによって教師が学校で**協働する**（work in partnership with other teachers）体制が確立されれば，成長し合うための**連帯性・同寮性**（collegiality）を培うことができるというメリットもある．これは**学級崩壊**（disruption of classroom community）[12]などに瀕した場合に教師が１人で抱え込み，蓋を開けてみると<u>手のつけられない</u>（be hard to deal with, unruly）状態にまで進行していたという事態を防ぐことにもつながる．

Chapter 4 学校と先生と生徒

　1人の先生が全教科を担当する**学級担任制**（classroom teacher system, single-teacher-per-class system）は封鎖性・独善性を持ち，相性の悪い先生に当たってしまった子どもにとっては，運が悪かったとしては済まされない問題である．チーム・ティーチングは教師の才能の違いや得意不得意を調整でき，学級担任制による"学級王国"の弊害をなくすためにも効力がある．

　子どもをめぐる問題解決のためには，学校側と父兄側が互いに責任の所在を押し付けあうのではなく，子どもを思う気持ちという共通点を一つにして信頼しあう関係を**維持**（maintain）していくことが必要である．その一歩として父兄が**授業参観日**（observation day at school）以外の何時でも，自由に**授業を参観する**（observe classes）ことができるように，実際の授業の様子を公開したり，またその際には父兄の学級活動への参画を歓迎することで，父兄の力を味方につけていくように心がけたい[13]．

> ミニ知識：学校評議会
> 　　　　（councils for school administration, school council）
> 　PTA（parent-teacher association）[14]が学校に在籍する子どもの保護者という限定されたメンバーで構成されているのに対し，卒業生や地域の識者など，より幅広い学校外部の人[15]が**学校経営・管理**（school administration）や学校の立て直しに知恵を出しあうための機関として成立された．
> 　フランスで1968年から法制化されている"管理委員会"を見習ったもの．管理委員会はすべての公立中学校で選挙により決められた父母と生徒の代表・教職員代表・管理者（校長など）・地方自治体代表，及び有識者から構成されており，年3回開かれ，予算・校則・**学校運営**（school governing）について協議し決定する[16]．
> 　非専門家の常識判断を反映させることで学校の閉鎖性に風穴を開け，教育行政を地域住民の意思下に置くことで**レイマン・コントロール**（layman control）[17]を図るという点では，アメリカの"教育評議会制度"を見習った部分もある[18]．

＊＊　関連ワード　＊＊

<u>親と市民の会</u>（parent-citizen association, PCA）：学齢期の子どもを持つ親に限らず，子育てが一段落した（あるいは子どもを持たない）大人が学校教育を支援する会．2000年，全国組織として発足した[19]．

<u>学校休業日</u>（school holiday）：**週5日制**（five-day-school system）が実施されると，学校は1年（365日）のうち約5カ月（150日）休業していることになり，<u>授業日数</u>(the number of school days)・<u>授業時数</u>(the number

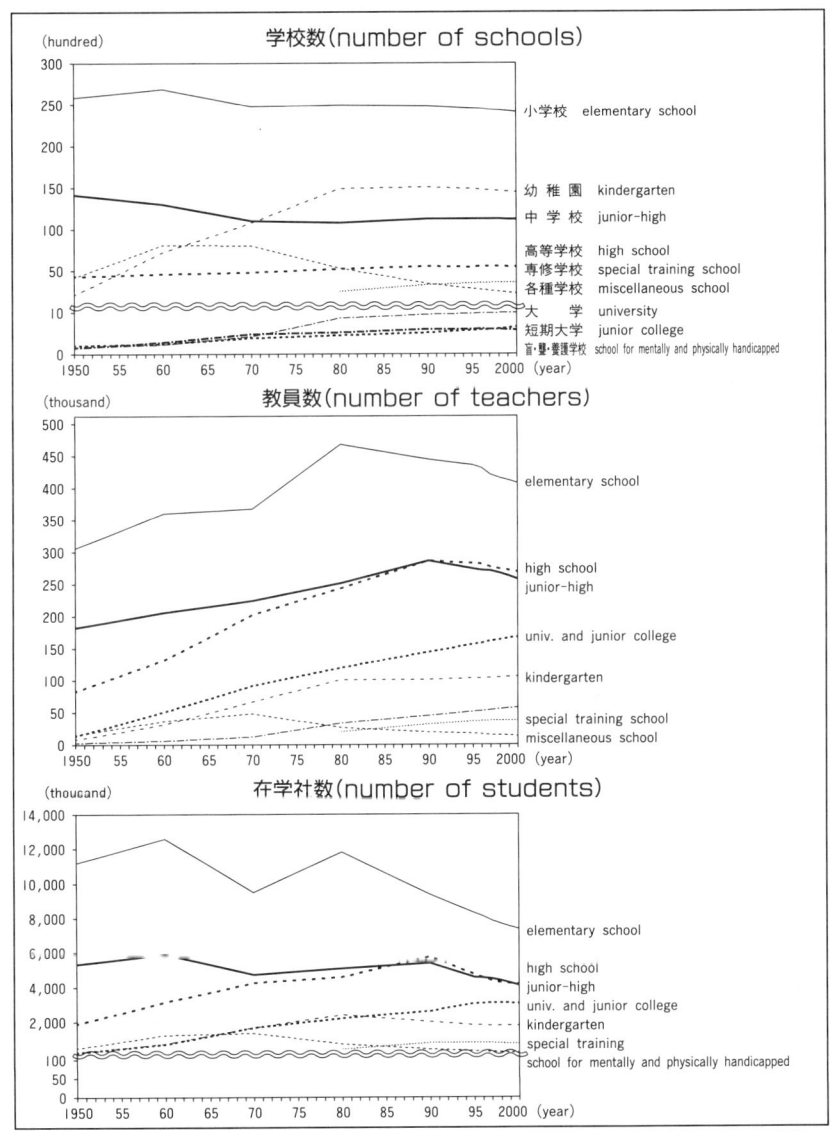

Lesson 12 学級運営

図12-1

学校数 (number of schools)

(hundred)

- 小学校 elementary school
- 幼稚園 kindergarten
- 中学校 junior-high
- 高等学校 high school
- 専修学校 special training school
- 各種学校 miscellaneous school
- 大学 university
- 短期大学 junior college
- 盲・聾・養護学校 school for mentally and physically handicapped

教員数 (number of teachers)

(thousand)

- elementary school
- high school
- junior-high
- univ. and junior college
- kindergarten
- special training school
- miscellaneous school

在学者数 (number of students)

(thousand)

- elementary school
- high school
- junior-high
- univ. and junior college
- kindergarten
- special training
- school for mentally and physically handicapped

(注) 学校数とは国・公・私立学校・本校・分校の合計のこと。教員数とは本務教員の数。在学者には通信教育の生徒・学生を含まない。
(資料) 文部省「学校基本調査」1999年，文部省『平成12年度我が国の文教施策』2000年，p. 343.

Chapter 4 学校と先生と生徒

of school hours）が減る．
<u>教科教室制・教科教室型運営方式</u>（departmentalized classroom system）：
　教科教室とは各教科の学習にふさわしい教具・機器が整備された教室のこと．教科ごとに（毎時間）それぞれ専用の教室へ生徒が移動する．
<u>すし詰め教室</u>（overcrowded classroom）
<u>40人学級</u>（forty pupils-per-class）
<u>学級規律</u>（classroom discipline）

Lesson 13　教職　teaching profession

* キーワード *

教員養成　teacher training, teacher education
養成教育　pre-service education
教員の現職教育　in-service education of teachers
教職専門科目　teaching specialized subjects
新任教員研修　induction training for beginning teachers
メンター制度　mentor system
新任教員　first-year teachers
指導教員　experienced teachers
教員資格　teaching license, teacher certificate
教員免許法　law of teacher certification in education
教員免許　teacher certificates
専修　advanced class
１級　the first class
２級　the second class
免許更新　renew certificate
教職から追放する　purge from teaching profession

　教員は専門職に就く者であるので[20]教職に就くために専門知識・技能の修得が必要であり，また就職後もそれらを継続的に高めていかなければならない．そしてこれらの教職の専門家を養成（teacher training, teacher education）

するために，**養成教育**（pre-service education）や**現職教育**（in-service education）がある．

養成教育とは主に大学で行われるもので，教職課程を履修した者が，**教員免許**(teacher certificates)を得るために取得する一般科目以外の，教科専門科目や**教職専門科目**（teaching specialized subjects）[21]を通じて行われる．

一方，俗にINSETと呼ばれる教員の現職教育（in-service education of teachers）[22]としては，まず**新任教員研修**(induction training for beginning teachers)がある．これは1989年の**教員免許法**(the law of teacher certification in education)改正により義務付けられたもので，すべての**新任教員**(first-year teachers)が，採用後1年間**指導教員**（experienced teachers）の指導下で研修を受ける**メンター制度**（mentor system）[23]である．

また教職を真の専門職あらしめるために，**教員資格**（teaching license, teacher certificate）[24]の2級を持つ教員は15年以内に1級を取り，**免許更新**（renew certificate）することを義務付けた．

ミニ知識：良い先生と悪い先生（a good teacher and a bad teacher）

病気や障害以外の理由で，児童・生徒を適切に指導できない教員を"指導力不足教員"と認定しようとする動きがある．より具体的に指導力不足とは，子どものことをよく理解できない，子どもから授業に対する不安・不満の声が多い，保護者との争いが絶えない教員のこと[25]．校長の申し出に教育委員会側が同意すると，これらの教員は教壇を離れ校務に最長3年専念させ，それでも改善できない場合は教職から追放する（purge from teaching profession）こともあり得る[26]．

楽しいだけの授業をする先生の評判が上がったり，型破りなことを行うと先生の人気が下がったりと，良い先生と悪い先生の判断は一筋縄では下せない．教員の指導力の有無を評価するといっても，結局表面的な取り締まりに終始するのではという点や，校長の個人的判断に基づき審査されてしまうという問題点が残されている．

** 関連ワード **

教員採用（appointment of teacher, teacher appointment）

教師のメンタルヘルス(mental health)：1998年度，わいせつ行為で処分を受けた教員数が過去最高となった．教師の疲労（fatigue）やストレス（stress）[27]が子どもへの愛情を歪めさせ，子どもを性の対象ととらえてしまう多重人格症を発症させているのではと懸念される[28]．また「文部省のまとめ」(1998年)

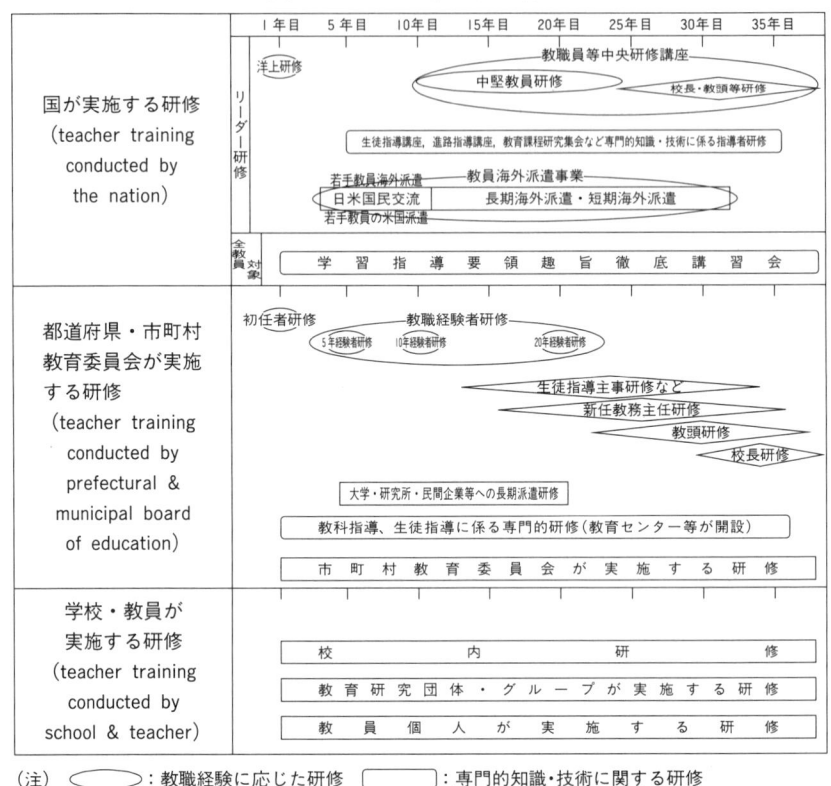

Chapter 4　学校と先生と生徒

図13-1　教員研修の実施体系

		1年目	5年目	10年目	15年目	20年目	25年目	30年目	35年目
国が実施する研修 (teacher training conducted by the nation)	リーダー研修	洋上研修			中堅教員研修	教職員等中央研修講座		校長・教頭等研修	
				生徒指導講座、道徳指導講座、教育課程研究集会など専門的知識・技術に係る指導者研修					
		若手教員海外派遣 日米国民交流 若手教員の米国派遣		教員海外派遣事業 長期海外派遣・短期海外派遣					
	全教員対象	学　習　指　導　要　領　趣　旨　徹　底　講　習　会							
都道府県・市町村教育委員会が実施する研修 (teacher training conducted by prefectural & municipal board of education)		初任者研修	5年経験者研修	教職経験者研修 10年経験者研修		20年経験者研修			
					生徒指導主事研修など				
						新任教務主任研修			
							教頭研修		
								校長研修	
			大学・研究所・民間企業等への長期派遣研修						
			教科指導、生徒指導に係る専門的研修（教育センター等が開設）						
			市　町　村　教　育　委　員　会　が　実　施　す　る　研　修						
学校・教員が実施する研修 (teacher training conducted by school & teacher)			校　　　　　内　　　　　研　　　　　修						
			教　育　研　究　団　体　・　グ　ル　ー　プ　が　実　施　す　る　研　修						
			教　員　個　人　が　実　施　す　る　研　修						

（注）　⬯：教職経験に応じた研修　　▭：専門的知識・技術に関する研修
　　　⬦：職能に応じた研修　　　　：その他
（資料）文部省『平成11年度我が国の文教施策』1999年, p. 125.

では精神性疾患で休職した教師の割合は千人に1人に及び，その予備軍（潜在的患者）を含めるとかなりの数に上ると予想されている[29]．

<u>燃え尽き症候群</u>(teacher burnout syndrome)：精神分析医フロイデンバーガーが1980年に命名[30]．

<u>対処戦略</u>（coping strategy）：組織の中で教師として困難な状況を切り抜ける，葛藤に対応するために身に付ける，<u>生き残るための方策</u>（survival strategy）[31]．

<u>教員協会</u>(teachers' association)：教師の専門的技術能力の向上を主目的とする．

<u>教師と生徒の関係</u>(teacher-pupil relationship)：集団としてのまとまりや行

動の基礎となる主導権（hegemony, ヘゲモニー）を誰が持つか．教師はあくまで外の力であり，全成員が自主的リーダーとしてかかわり合えるようになることが望ましい．
学校災害（calamity in school）
教師の学校事故に対する責任（liability of a teacher to a school accident）
教職員の業務災害補償（compensation for disaster of school personnel）
学校文化（school culture）
学校の雰囲気（school climate, ambience, atmosphere）
免職（dismissal）
懲戒処分（disciplinary punishment）

---

1) 全生徒を集めて体育館や校庭で朝礼（morning assembly）が行われることもある．
2) 小学校では通常，給食（school meal, school lunch）が賄われる．中学・高校では教室で持参した弁当（lunch box）を食べる．海外の高校では（あたかも日本での大学のように），生徒が授業の空き時間に(授業は単位制になっている)学校食堂（school canteen, cafeteria, dining hall）で食事をするところもある．
3) 「高知新聞」（朝刊），2000年1月22日．
4) 学期の終わりは終業式（closing ceremony, ceremony at the end of the term）で締められる．
5) 修学旅行（school excursion）は，海外へ行きたい生徒と国内の方がよい生徒がいるので，行き先を選択できるようにしている学校もある．
6) 成績が2番目に優秀な者（salutatorian）が開会の辞（salutatory）を述べる．
7) 送辞 is farewell address, farewell speech, 答辞 is address in response, speech by the valedictorian to his(her) juniors という．
8) 海外の卒業式は，日本のように正式で厳粛な気持ちになる（feel solemn）というよりは，浮かれたり，伸びやかで祭典的要素が強い．
9) 文部省初等中学教育局「学校における国旗及び国家に関する指導について（通知145号）」2000年6月2日．
10) 応援団長は a cheer leader であるが，複数でチアリーダーズ（cheer leaders）といえば普通，女性応援団員のこと．
11) 藤井基精・熊沢佐夫編『アメリカ社会常識語辞典』日本英語教育協会，1984年，44頁．
12) 厳密には，小学校では学級担任制なので"学級"崩壊，中学以降は教科別に授業が行われる教科担任制（departmentalization, subject teacher system）ことから"授業"崩壊である．あるクラスで一つの授業は崩壊しても，他の教科全部の授業が崩壊するケースは稀

Chapter 4 学校と先生と生徒

である.
13)「山形新聞」(朝刊), 2000年1月27日.
14) PTAの会長は president of the PTA.
15) 広報(public relation)やデータ管理など, 学校スタッフが持っていない分野の知識・技術を有する人々の参加が期待できる.
16) 江川玫成・他編『最新教育学キーワード(第8版)』時事通信社, 1999年, 59頁.
17) 素人統制 (non-professional leadership) としても同意.
18) 学区自治体 (school district) では州法 (state law) の定めに従い, 住民により公選された評議会議員が小中の公立学校(時に高等教育機関)の運営に携わる. 通常, 教育行政の専門家 (superintendent) をシステムの管理者として雇っている. 飛田茂雄『今生きている英語』中央公論社, 1995年, 191頁.
19)「日本経済新聞」(夕刊), 2000年9月22日.
20) ユネスコにおいて1966年採択された"教員の地位に関する勧告"の6項には, 教員の仕事は専門職とみなされるべき (teaching should be regarded as a profession) と記されている. 浪本勝年『戦後教育改革の精神と現実』北樹出版, 1993年, 23頁.
21) 大学の外で行われる教職専門教育としては, 教育実習(小・中で4週間, 高校で2週間, 授業実習を通して生徒指導を体験する)・介護体験(福祉施設で5日, 特殊学校で2日間, 高齢者や障害を持つ人と交流し, 介護にも参加する)などがある. これらの実習・体験をする学生を student teacher という.
22) 地方公務員法第39条に教員の権利として「研修を受ける機会を与えられなければならない」, 教育公務員特例法19条には義務として「研修に努めなければならない」と明記されている.
23) メンターとは"賢明で誠実な助言者・指導者"の意味.
24) 都道府県レベルの教育委員会(prefectrual board of education)から授与される. 教員資格には, 専修(advanced class, 大学院卒業者対象), 1級(the first class, 大学卒業者), 2級(the second class, 短大卒業者)の3種類ある.
25) 指導力不足教員のより具体的な例としては, 期日までに試験問題を作成できない, 教科内容について質問に答えられない, 授業中にわい談や, 下品な話が多い, 子供が嫌いなので話をしない, 雨が降ると欠席する, 勤務時間内にパチンコ店へ行くなどなど.「読売新聞」(大阪, 夕刊) 2000年11月6日.
26)「朝日新聞」(東京, 朝刊), 2000年8月28日・9月16日.
27) ストレスのもとになり得る種々の刺激をストレッサー (stressor) という. 例としては, 蒸し暑い気候, 狭苦しい教室, 日常のいらだち事 (daily hassles) など.
28)「読売新聞」(東京, 朝刊), 1999年12月28日.
29) 前掲16), 184頁.
30) 前掲16), 208頁.
31) 前掲16), 172頁.

Chapter 5　教育方針と方法
educational policy and method

Lesson 14　学習：刺激・強化から意欲・動機付けへ
learning: from "reinforcement" to "motivation"

---

* キーワード *

無条件刺激　unconditioned stimulus
無条件反射　unconditioned response
条件刺激　conditioned stimulus
条件反射　conditioned response
古典的条件付け・応答的条件付け　classical conditioning, respondent conditioning
オペラント条件付け・道具的条件付け　operant conditioning, instrumental conditioning
強化　reinforcement
報酬学習　reward learning
処罰学習　punishment learning
継時的近接法　successive approximation
外的処罰法　extrinsic punishment
内的処罰法　intrinsic punishment
効果の法則　the law of effect
学習適性　aptitude for learning
学習要求　needs of learning, learning demand
学習興味　interest for learning
学習環境　learning situation, learning environment
学習意欲　motivation for learning, desire for learning

Chapter 5 教育方針と方法

　ソビエトの生理学者パブロフ (I. P. Pavlov, 1849-1936) は，犬が食器を見ただけで，餌番の足音を聞いただけで，食物を食べなくても唾液を分泌することを発見した．彼は，"食物が口中に入る"という刺激(**無条件刺激**，unconditioned stimulus)を受けて生得的に唾液が分泌される反射(**無条件反射**，unconditioned response)に対し，"食器を見せるだけ"という直接反応には結び付かないであろう刺激(**条件刺激**，conditioned stimulus)を与えることにより学習的に唾液を分泌する反射(**条件反射**，conditioned response)を**古典的条件付け** (classical conditioning，または**応答的条件付け**，respondent conditioning) と呼んだ[1]．
　一方，ハーバード大学のスキナー (B. F. Skinner，心理学者) は，反応を刺激によって惹起（じゃっき）するレスポンデント型と，刺激・環境とはかかわりなく自発的に生じるオペラント型に分け，そのうちオペラント型の反応をさらに強化するために試行することを**オペラント条件付け** (operant conditioning，**道具的条件付け** instrumental conditioning) とした[2]．
　オペラント条件付けでは，ある場面で自発的に行った適当な行動ないし反応に対して，計画的に報酬("正の強化")を与える**報酬学習** (reward learning) または不適当な行動を罰("負の強化")により消失させる**処罰学習** (punishment learning) がある．これらの学習は，いずれも望んだ行動・反応を生起させる率を高めるための**強化** (reinforcement) 的手続であり，最終目標である行動が生じるまでその中間において順次報酬（または処罰）を加える**継時的近接法** (successive approximation) が用いられる[3]．
　負の強化による処罰学習には，不適当な行動に対し罰を与える**外的処罰法** (extrinsic punishment)[4]と，実際に罰を与えることはないが処罰されるべき行動を学習者に明確に概念化させることにより，不適当行動の除去を図る**内的処罰法** (intrinsic punishment) の2種がある[5]．正の強化による報酬学習が賞・成功をもたらす行動を助長できるのに対し(外的・内的)，処罰学習はあくまで反応を起こさせなくするためのものであり，反応（学習）が形成されにくい．このことから，ソーンダイク(E.L. Thorndike)は報酬学習が処罰学習より効果的であることを結論付け，それを**効果の法則** (the law of effect) と呼んだ[6]．
　報酬・処罰を用いずに学習を効果的に引き起こすためには，まず学習者の**学習適性** (aptitude for learning)・**学習要求** (needs of learning, learning demand) を考慮し**学習興味** (interest for learning) を引き出せるような**学

習環境 (learning situation, learning environment) を備えることが大切である．これらによって学習者を動機付ける(motivate)，すなわち学習者本人の持っている学習意欲(motivation for learning, desire for learning)を始動させることが肝要である．

** 関連ワード **
内発的動機付け (intrinsic motivation)：行動それ自体が目的として完成・完結する (consummation, consummately) 場合に起こる[7]．
外発的動機付け(extrinsic motivation)：目的があり，行動はその手段(instrument, instrumental) である場合に起こる[8]．

Lesson 15 学級編成　classroom as a group, pupil arrangement in a class, class organization

* キーワード *

習熟度別学級編成　class formed according to the degree of advancement
学業進歩児　over achiever
学業不振児　under achiever, slow learner
英才児　gifted children, the cream of the students
優越感　superiority
劣等感　inferiority
英才教育・優良児教育　special education for gifted (bright) children
習熟度別指導　instruction according to level of mastery
能力混合クラス編成　mixed ability class, pupil classification based on mastery level
"教育機会（インプット）の均等化"　equality of educational opportunity
優等生　A student, honors student
落ちこぼれ　drop out, drop behind
個人対個人の競争　individual competition
グループによる競争　group competition
潜在的な能力　potential ability

Chapter 5 教育方針と方法

習熟度別学級編成（class formed according to the degree of advancement）[9]は**学業進歩児**（over achiever）の才能を伸ばすかわりに**学業不振児**（under achiever, slow learner）を切り捨てにするという利点と欠点の両方を兼ね備えた学級編成と考えられがちである．**英才児**（gifted children, the cream of the students）[10]とそうでない者の**優越感**（superiority）と**劣等感**（inferiority）を増幅させる**英才教育・優良児教育**（special education for gifted (bright) children）の一種とみなされている傾向もある．

実際，習熟度別学級編成とは，「各人はもともと違う才能を持って生まれるため，それぞれが独自性を発揮できるような教育をするのがふさわしい」との考えに基づく．

あらゆる生徒の能力を"平均"という一つの基準に寄せ集めようとする従来型の日本的考えとは違い，それぞれの生徒の能力を伸ばし開花させるために小グループ化する．すなわち習熟度別学級編成では，伸びる可能性を有する者には，際限なくそのタレントを発揮するチャンスが与えられ，一方，不振児は切り落とされるのではなく，彼らに合ったレベルとペースで（平均に迎合するために無理することなく）学習に臨むことができるのである．

日本では「誰もが同じ才能を持って生まれるが，努力しだいで能力が発掘される」という考えが根強く，長い間，**能力混合クラス編成**（mixed ability class, pupil classification based on mastery level．自然学級でも同意）がとられてきた．能力混合クラスでは**"教育機会（インプット）の均等化"**（equality of educational opportunity）[11]は図られてきたものの，結果という**教育のアウトプットは不均等**（inequality of educational result）であるという事実がないがしろにされがちであり，また，かえって平等・平均であることから抜きん出ようとするための競争主義を助長してきた観がある[12]．

いずれにしてもテストで高得点の者を**優等生**（A student, honors student）そうでない者を**落ちこぼれ**（drop out, drop behind）と呼ぶことには，かなりの語弊があり，疑問が残る．また一方の勝利が他方の敗北に結び付く，**個人対個人の競争**（individual competition）を生み出す形式の学習にも問題点がある[13]．一人の敗者をも輩出することなく学習者全員が能力を高めていけるような教育について，その方針・方法・内容を再検討することこそ教育界が最優先すべき課題かもしれない．

Lesson 15 学級編成

ミニ知識：学校教育への期待（expectation for school education）
　1960年代の超高度成長期に比べ，現在の日本は成熟期に入り，その社会構造は大きく変容した[14]．教育面においては良質・均質の労働力を社会へ送り出すための粒ぞろい・画一的教育（uniform education）に替わり，単に人間社会の変化に追随していくのではなく独創性・柔軟性に富む社会の変化に主体的に対応できる人間を発掘し，開発できる教育への要請が高まっている[15]．
　明治以降百年の日本の近代化・工業化に必要な（大量）人材供給に貢献した日本教育は，時代が"近代・工業"から"ポスト工業・情報通信"へと移るその過程で，与えられた仕事を無難にこなすだけの人材から，豊かな創造力が求められる人材を育成する社会へと変っている[16]．多様性や個性を価値・資質として尊重するはずの社会において，不登校生徒の数が増加の一途をたどっているのは，その原因は生徒が画一を強いる学校に適応できないのではなく学校が生徒の唯一性に適応できていないからかも知れない[17]．

＊＊ 関連ワード ＊＊

2部授業（double-shift system, double sessions）：途上国に多い．

補償教育（compensatory education）：貧困から生じる発達遅滞・学業不振・就職不利その結果，再び貧困生活へという悪循環（vicious circle, cycle）を断ち切るために，環境条件の恵まれない子ども（不遇児），disadvantaged children, deprived children に対し，環境要因に起因するマイナスを消去するため，より多くの機会を提供し社会的格差（social differential）をできるだけ取り除こうとする教育．犠牲者としての彼らに対し，損害賠償として教育条件の改善・便宜を図ることから補償教育と呼ばれる．

"能力の貯水池"（pool of ability）・"才能の貯水池"（pool of talent）：教育の機会均等（equal opportunity）の対極的原理で，高い知的能力は国民のごく一部だけが貯えられるよう教育を行うべきとする考え方．西欧諸国では1940〜50年代高学歴マンパワー（manpower）の貯水池が国民の11〜16％程度になるよう制限が加えられていた[18]．

ストリーミング（streaming 細流に分ける）・トラッキング（tracking 軌道を敷く）：総合成績に基づく学級編成．なかでも比較的幅広く分類する場合はバンディング（banding）という．

セッティング（setting）：総合成績ではなく，科目ごとの成績に応じる学級編成．ストリーミング・トラッキングが優秀な生徒の育成を主眼とするのに対し，セッティングでは例えば一芸に秀でる者（artistically talented）にチャ

Chapter 5 教育方針と方法

ンスを与える．ナンバーワンからオンリーワンを目指す学級編成[19]．

<u>学歴偏重教育</u> (educational system with undue emphasis on people's educational backgrounds)
<u>無学年制</u> (nongrading (nongrade) system)
<u>進級制度</u> (promotion system)
<u>早期入学</u> (early admission)
<u>年齢主義</u> (grade promotion by age)：同年齢の生徒が一定期間学習すれば全員進級できる．それぞれ生徒による習得の程度の差から免れない．
<u>課程主義</u> (grade promotion by curriculum completion)：優秀な者を<u>上級クラス</u> (honors class, advanced stream) に配置したり<u>飛び級</u> (skip grades, grade skipping system)させる．またそうでない者には<u>補習授業</u> (supplemental lesson, make-up classes) を行ったり<u>治療学級</u> (slow learners' class, slow track, remedial class classroom for remedial education) を開く．それでも効き目の見られない場合は<u>落第</u> (flunk) という形で対処する．<u>学級は異年齢の子を集めた</u> (multi-age grouping, inter-age grouping) <u>縦割り集団</u> (vertical grouping) となる．
<u>学習者の主体性を重視するクラス</u> (tutorial class)：tutor とは<u>相談者・助言者</u>あるいは生徒が彼らとともに学習すること．
<u>追試験</u> (supplementary examination)
<u>優等賞</u> (summa cum laude)
<u>優秀者名簿</u> (dean's list)
<u>学習課題</u> (learning project, learning task)
<u>学習材料</u> (material for learning, study material)

Lesson 16 教育方針
principle of education, educational policy

＊ キーワード ＊

知識の詰め込み　cramming knowledge
教化・注入的教育　education for indoctrination
一斉指導　classroom instruction

Lesson 16 教育方針

丸暗記　rote memorization, learning by heart
実用記憶法　keyword-system, peg-word system mneumonics
議論　discussion
討論　debate
欲望や衝動を自制する　control one's desire and impulse
学習環境　learning environment, milieu
全盛的施設　total institution
学校建築　school architecture, school building
一般学習スペース　general learning area
学校分割　school within a school
実戦的学習拠点・学習ゾーン　practical investigation nucleus
スキップフロア　skip floor
可動型家具　movable furniture
間仕切り・隔壁　partition, room divider
セミ・オープンタイプ　semi-opening style

　わが国の教育方針では，幼児期に協調性・従順さ・勤勉さ・忍耐など，人間としての基本的マナーや態度を身に付けさせることに重点がおかれている．このことは日本の教育の最大の長所でもあるが，しかしその後の苛烈な入試システムは多くの点で弊害をもたらしている．
　真の教育とは，人生の問題にぶつかった時それらにスムースに対処できる能力や人生の価値を深く理解する能力を養うものである．にもかかわらず，現行の入試制度下の**知識の詰め込み**(cramming knowledge)**注入的教育** (education for indoctrination)を受けた若者たちは知識偏重の**丸暗記**(rote memorization, learning by heart)[20]こそ勉強であると信じて疑わない．教育とはほど遠い"訓練"を受けた青少年たちが創造力・表現力に乏しいという弱点を共有する大人になるのは避けがたい成り行き (consequence) である．この種の人材は粒ぞろいの労働力を産出することによって超高度成長を遂げることができた60年代にはマッチしたが，独創的なアイディアや発想性の豊かさを追い求める現代においてはその影が薄くなる．
　それならばすぐにでも創造力や表現力を育てる教育方法に切り替えればよいとはいうものの解決策はそれほど単純明快ではない．なぜなら今日まで日本では40人もの学生を一教室に詰め込んでも授業が成立してきたのは，管理と能率

にものをいわせる教育方針[21]をとってきたからこそ,それに対してそれぞれの生徒が独創的に教師・友人との**議論**(discussion)・**討論**(debate)を通して自己主張をする方式の欧米のクラスでは,20人のクラスに先生とTA(teaching assistant)が2人がかりで対応(team teaching)しても簡単には収拾がつけられない.

すなわち独創性や自己主張力を育てながら協調性や従順さを育むことは両立できにくく,結果として欧米では,他の生徒の言うことに耳を傾けられない,ペースをあわせられない,自分の順番を待てない,ミーイズム(me-ism)に陥った生徒が授業の進度を遅らせ授業の焦点を狂わせている.

また米国の例を見てみると,幼児期から"自由"という特権を存分に与えられたせいか,自分の**欲望や衝動を自制する**(control one's desire and impulse)ことができない青少年によるドロップアウトや犯罪の凶悪化が進行している.日本とはあたかも対極とも思える教育方針を掲げる米国でも日本の抱えている問題に勝るとも劣らない問題を抱えているのである.

ミニ知識:学習環境 (learning environment, milieu)

社会から隔絶された空間の中でメンバーの統率を図る機関(修道院・刑務所・精神病院など)は全盛的施設(total institution)と呼ばれるが学校建築もこれらと何ら変わりない色彩を放っている[22].申し合わせたように日本列島でくまなく同じデザインの校舎(school building)では均等に優秀であると認定された教師たちが全国統一された学習指導要領に則った授業を行っている.今から百年昔の明治後期に考案されたデザインをそのまま受け継ぐ学校建築(school architecture, school building)の四角い教室は,家庭で各自の個室を持つ子どもたちにとって陳腐な空間であることは間違いない[23].

海外の事情を見てみると英国では1960年代に教室や廊下の区別がほとんどなく学校全体が一般学習スペース(general learning area)と作業・観察・実習コーナーなどの実戦的学習拠点・学習ゾーン(practical investigation nucleus)となりその中にホームベース(home base 基地)・ホームベイ(home bay 母港)が配置されるタイプが増えた[24].

米国では1970年代スキップフロア(skip floor,展示会場のようなオープンスペース)や大空間を可動型家具(movable furniture)・隔壁(partition, room divider)の配置を変えることでゾーニング(zoning)し自在に使いこなす様式1980年に入ってからは学校の中に比較的小さなまとまりを作るセミ・オープンタイプ(semi-opening style)が増えている[25].

日本でも近年になり学校のインテリジェント化構想(詳細はLesson 37参照)にともない学校建築が現代化へ向け動き出している.

Lesson 16 教育方針

＊＊ 関連ワード ＊＊

受容学習(reception learning)：学習者の有する能力や知識に教材の意味内容が関連付けられないまま機械的に強制される学習．

発見学習（discovery learning）：学習者の有する能力や知識に教材の意味内容が関連付けられる有意味な学習(meaningful learning)．オーズベル(D. P. Ausubel) によると，発見学習は受容学習より学習内容が長く記憶される．

先行オーガナイザー（advance organizer）：学習者が有意味に学習するためにその学習材料に先立って与えられるもの[26]．

壁のない学校(school without walls)：ハード面では空間（ドアがない）だけでなく学年（年齢）・学級・時間(no chime 制)・教科間の障壁がない．また，ソフト面では先生と生徒の間に心理的溝やギャップがない，バリアフリーな教育環境[27]．

カフェテリアム(cafetorium)：cafeteria plus auditorium で，カフェテリア兼講堂のこと．

学校施設 （school facilities）

学校設備 （school equipment）

実験学校 （laboratory school）

道具(器具)主義 (instrumentalism)：人間の知性は目的・理想に到達するための道具であると考える．

実験主義 （experimentalism）

進歩主義教育 （progressive education）

経験主義教育 （empirical education）

実質陶冶 （substantial discipline）

形式陶冶 （formal discipline）

---

1) Pavlov, I P. (1927). *Conditioned Reflexes* (G. V. Anrep, Trans.) London: Oxford University Press. 例えば，犬にかまれた人が犬恐怖症になる，火傷をした人が火を恐れるなど，古典的条件付けで説明される現象が日常生活には多々ある．
2) Skinner, B. F. (1953). *Science and human behavior.* Macmillan. スキナーの学説は一時的にもてはやされたが，その浅さ故に今日では支持する人は少ない．
3) 勝田守一編『現代教育学入門』有斐閣双書，1976年，48頁．
4) 日常的に親が行う叱咤などがこれにあたる．

Chapter 5 教育方針と方法

5) 岸本弘・柴田義松編『教育心理学』学文社，1988年，143頁．
6) Shaver K & Tarpy R, *Psychology,* 1993, Macmillan, p.36.
7) 例えば子どもが無心に遊ぶのは，遊び自体が楽しみ・喜び・目的である．
8) 例えば，お腹がすいて食べる，お金を得ようとして働く，ほめられようとして行動するのは，そのこと自体が何かのための手段・方法となっている．
9) 能力別学級編成としても同意だが，"能力別"という表現には語弊がある．**習熟度別指導**は instruction according to level of mastery.
10) 特に学問的才能のある生徒は academically talented student.
11) すべての個人が，**潜在的な能力**（potential ability）に関係なく教育資源の均等配分を受けるべきとする教育の機会均等．
12) 平等主義を掲げる日本人の口癖である"がんばります"（I'll keep it up.）には，"**負けてたまるか**"（I won't be defeated.）という意志が潜んでいる．
13) **グループによる競争**（group competition）では，グループに勝利をもたすためにグループ内の個人が犠牲的敗者になることがあり得るが，グループ全体として勝利や敗北感をシェアできたり，**チーム・ワーク**（team work）精神を育むことができる．
14) 天野郁夫『日本の教育システム――構造と変動』東京大学出版会，1996年，56頁．
15) 文部省教育改革実施本部編『情報化の進展と教育――実践と新たな展開』ぎょうせい，1990年，21頁．川野辺敏監修，『生涯学習――日本と世界（上）』エムテイ出版，1995年，5頁．
16)「日本経済新聞」（朝刊），2000年8月12日．
17)「毎日新聞」（東京，朝刊），2000年8月2日．「よくわかる授業」が少ないうえに，記憶復元型の試験や評価方法に生徒たちが学校で学ぶ意味を見出せないでいる．
18) 新井郁夫『教育社会学――人間の発達と教育』放送大学，1990年，115頁．
19) 小澤周三編『教育学キーワード』有斐閣双書，1998年，110頁．
20) **語呂合わせ**（euphony, pun）などを利用してできるだけ速く，しかも正確に記憶する**実用記憶法**（keyword-system, peg-word system mneumonics）などで，内容はよく理解できないけれど，とりあえず暗記してしまう．
21) 1人の教師が多数の生徒を同一教材を使用して指導する**一斉指導**（classroom instruction, lecture-style, uniformed instruction）が主流．
22) 鈴木敏恵『マルチメデイアで学校革命』小学館，1997年，16頁．
23) 朝日新聞社社会部編『学級崩壊』朝日新聞社，1999年，234頁．
24) 上野淳『未来の学校建築』岩波書店，1999年，47頁．
25) いくつかのハウス棟という**単位**（unit）に**学校分割**（school within a school）し，独立運営方針を持たせるミニスクール化や，クラスの中で実験・実習を含むほとんどの学習活動が完結できる（self-contained classroom）ハウスシステム化など．上野淳『未来の学校建築』岩波書店，1999年，59頁．
26) 岸本弘・柴田義松編『教育心理学』学文社，1988年，69頁．
27)「新潟新聞」（朝刊），1999年12月3日．

Chapter 6 評価とテスト evaluation and testing

Lesson 17 21世紀が目指す評価
evaluation in the 21st century

---

* キーワード *

主観評定　subjective rating, valuation
客観的測定　objective measurement
多肢選択法・マークシート方式　multiple-choice, marking sheet method
相対評価　relative evaluation
絶対評価　absolute evaluation
集団基準準拠評価　norm-referenced evaluation
目標基準準拠評価　criterion-referenced evaluation
集団基準準拠テスト　norm-referenced test
目標基準準拠テスト　criterion-referenced test
項目応答理論　item response theory, IRT
コンピュータテスト　computerized adaptive testing, CAT
ポートフォリオ　portfolio
採点の容易性　scorability
アセスメント　assessment

　21世紀が目指す評価(evaluation)の在り方を検討するために，20世紀における評価の歴史を足早に振り返ることにする．まず全体的な流れをみると，従来それは採点者の**主観評定**(subjective rating, valuation)の抱える問題から脱却し**客観的測定**(objective measurement)を目指してきたと言うことができる[1]．1960年代には測定誤差を最小にし公平性・効率性・**採点の容易性**(scorability)を重視した**多肢選択法・マークシート方式**(multiple-choice, marking sheet method）に代表されるテスト文化が一般化し定着した．

評価形式の流れとしては**相対**（relative）評価から**絶対**（absolute）評価へ移行した．**相対評価**（relative evaluation）（偏差値）とは偏差IQ〔標準偏差〕という一種の標準得点，あるいはパーセンタイルなどによる集団内の相対位置で解釈する評価形式である．すなわち**集団基準準拠評価**（norm-referenced evaluation）と表現してもよい[2]．一方(到達度)**絶対評価**（absolute evaluation）とは子どもたちの学力を単にできる子とできない子を並べてとらえるのではなく，目標に照らしてどれだけ高まったか深まったかを基準に，子ども一人ひとりの学習状況を把握する評価形式である．**目標基準準拠評価**（criterion-referenced evaluation）とも呼ばれている[3]．

1980年代以降，**項目応答理論**（item response theory, IRT）の発達にともない**コンピュータテスト**（computerized adaptive testing, CAT）が増えている．現在では大規模化しコンピュータテスト受験者総数は世界で推定300万人に上るといわれている．21世紀においては評価方法の多くがよりコンピュータ化されることはほぼ間違いない．コンピュータテストは手間暇がかからないことから，一般論的には確かに進歩的である．しかし，教師と生徒のかかわりを重視する学習の評価方法としてはあまりに impersonal（無機的・人間のかかわらない）な性質を持つとの批判がある[4]．

生徒の目に見えない（測定できない）深い理解という形よりも，点数重視の序列づけ，評価方法への反省から，昨今ではポートフォリオ学習へと，学習観と評価体制をシフトしていくことに期待が寄せられている[5]．**ポートフォリオ**（portfolio）とは，小論文・絵・図表・取材記録・メモ・実験記録・会議録などの作品を作成する過程で派生した様々な"訂正"を示すものである．ポートフォリオ学習では各生徒が作品を完成させるまでに教師や他のクラスメートからコメントをもらい自分で考え直す，すなわち実践しながら振り返る（reflect on practice）という自己評価が重要な意味を持つと位置付けられている[6]．またポートフォリオの評点としては生徒になるべく序列意識を持たせないよう配慮されたコメント（rubric）が用いられていることが特徴である[7]．

こうして見てみると従来，評価とは"過去"に重点を置いた反省と，次回に臨むための評価（rating, evaluation）であったといえる．21世紀は"将来"に焦点を合わせ，多くの資料を収集・分析する中で今後の在り方について考えを深める**アセスメント**（assessment）形式がより広範に用いられることになりそうである[8]．

Lesson 17 21世紀が目指す評価

＊＊ 関連ワード ＊＊

<u>総括評価</u>(summative evaluation)：大勢の平均を基準にしてそれより良いか悪いかで個人の評点を決める．過程（どうしてよくできたのか・できなかったのかという原因解明や今後はどうすればよいのかという生徒にとって有益なフィードバック）よりも評点という結果を重視[9]．

<u>形成評価</u>(formative evaluation)：結果より過程を重視．生徒全員が学習すべき事項を完全に修得できるようになることを目指し，落ちこぼれを生まないための<u>完全習得学習</u>(mastery learning)に基づく評価．時間と手間がかかる．

<u>ゴール・レコード・ブック</u>(goal record book)：生徒によって習得するまでに早い遅いの違いがあるものの，どの生徒も必ずいつかはできるようになることを前提とする評価．先生は医者の立場で患者である生徒一人ひとりのカルテ(goal record book)を作成し，目標が達成できた日付（点数ではない）を記入し生徒の成長の様子を記録する．

<u>内容準拠評価</u>（content-referenced measurement）

<u>学習到達度</u>（attainment）

<u>到達度の目標</u>（criteria）

<u>スタンダート・レファレンス・クライテリア</u>（standard-referenced criteria）：決められたスタンダートを生徒が習得したかどうかを判断するための基準．日本では知識としての"学力"を評価するのに対し，このクライテリアでは生徒の記述・発表などにより，具体化し実証された"能力"を評価する．

<u>観察すること</u>（monitoring）

<u>測定</u>(measurement)：対象のある時点における状態や特性を知るためにそれらに<u>物差し</u>(measure)をあて数値化することからmeasurementの語が用いられる．

<u>力量査定</u>（performance assessment）：情報社会にあって個人の大切な資質とは，"知識量"ではなく仕事ができる"力量"である．わからないことはCD-ROM内の百科事典ですぐ引き出せるし，インターネットでも検索できる．必要なのはそれらを行うことができる思考力と判断力であり，その力量をこそ査定すべきである[10]．

<u>国際教育到達度評価学会</u>（International Association for the Evaluation of Educational Achievement）

Chapter 6 評価とテスト

Lesson 18 能　力　ability

＊　キーワード　＊

内面的性質および外的要素　personalities and outer characteristics
特定の技能　specific skills
学力　academic ability
知能指数　intelligence quotient, IQ
多面的知性　multiple intelligences
言語的能力　linguistic intelligence
音楽的能力　musical intelligence
論理的・数学的把握力　logical-mathematical intelligence
視覚的・空間的把握力　spacial, spatial intelligence
身体的能力　bodily-kinesthetic intelligence
内省的能力　personal-self, intra-personal intelligence
対人折衝能力　personal-others, inter-personal intelligence
教育により開発される能力　educational quotient
"開花できうる可能性"　potentials, potentialities

　人間を形容するときには，まず**内面的性質および外的要素**(personalities and outer characteristics)について，そして次には，その個人がどのような**能力**(ability)を持っているかを述べるのが基本的な基準となるように思われる．内面的性質としては，例えばwarm hearted, slow, calm, funny, lazy, diligent（心優しい・鈍い・穏やかな・面白い・怠惰な・勤勉な）などがあげられる．次に外的要素の一つである外観(looks and figures)を表現するにはpretty, tall, short, fat, slim（きれい・背の高い・背の低い・太った・やせた）などがある．また個人の能力についてはもし"優秀である"ことを表したい場合にはsmart, clever, wise, quick, sharp（賢い・聡明な・知識深い・素早い・鋭い）などと全般的に描写することができるし，優秀であることを**特定の技能**(specific skills)に秀でているとして示したい場合には，run fast, sing well（足が速い・歌がうまい）などと表現できる．

Lesson 18 能　力

　学力(academic ability)は能力のほんの一部に過ぎないのであるが,往々にして私たちを評価する主要な基準となっている．すなわち学力は過大評価を受けており，学校では子どもたちが教科におけるテストの点数によって間違った規範を無理やり押し付けられているのが現状である．特に**知能指数**(intelligence quotient, IQ)[11]が高い低いなどと言って,頭の良し悪しを判定する風潮が蔓延しているが，IQがそのまま知性 (intelligence) や能力の高低を表示するものにはなり得ない[12]．米国の教育学者ガードナー (Howard Gardner) は知性とは一元的に測定できないものとの見地に立ち，**多面的知性** (multiple intelligences) の重要性を提唱した[13]．

Garder's Multiple Intelligences

知性の種類 kind of intelligence	特徴 characteristics
(1) 言語的能力 linguistic ability	詩・修辞・説明など(考察し創作する能力) poetry, rhetoric, explanation
(2) 音楽的能力 musical ability	作曲・演奏・ピッチやリズム感 composition, performance, sense of pitch & rhythm
(3) 論理的・数学的把握力 logical-mathematical ability	論理的理由付けの展開 extensive chains of logical reasoning
(4) 視覚的・空間的把握力 spacial (Spatial) ability	形ある物の感受イメージ像の心的操作 visual perceptions of forms, mental manipulation of images
(5) 身体的能力 bodily-kinesthetic ability	運動機能・芝居・ダンス・競技などのための優れたコントロール fine control over motor behavior, mimes, dances, athletics
(6) 内省的能力 personal-self(intra-personal) ability	自分の感情・存在について理解し評価を行う access to one's own feeling and life
(7) 対人折衝能力 personal-others (inter-personal) ability	雰囲気・動機・他者の意図することに気付く notice moods, motivations, intentions of others

Chapter 6 評価とテスト

出典 (source)：Gardner, H, *Frames of mind: The theory of multiple intelligences,* New York: Basic Books (1983), p.115.

なお,知性が一元的なものでないことを主張するために知性を150もの分野に類別した学者[14]がいる一方で,IQ に加えて**教育により開発される**後天的な**能力**としての EQ (educational quotient) を積極的に評価しようとする動きもみられている[15].

いずれにしても個人の真の才能とはあくまで私たちに内在する"開花でき得る可能性"(potentials, potentialities)いかんによるものであり,教育の役割こそはその可能性をできる限り開花させるよう助長することにある.

＊＊ 関連ワード ＊＊

センス・オブ・ワンダー (sense of wonder)：なぜと不思議に思ったり,もっと知りたいと思う能力・感覚.

マテリアル・ブレイン (material brain)：物質的・器質的能力が主導する頭脳.

成就指数 (achievement quotient, AQ)：生徒の知能検査の結果と学業成績とが不一致の場合には何らかの障害が働いていると考えられ,その不一致の程度を算出するために考案された.成就指数は精神年齢 (mental age) あるいは知能偏差値 (intelligence standard score) に対する教育年齢 (educational age) あるいは学力偏差値 (achievement standard score) の割合で求められる.AQ が100以下なら学業成績が知能相応以下,100以上なら知能相応以上となる[16].

能力重視主義 (ableism)：外的要因主義にも共通するが,大きさを誇示する sizeism,肉体を誇る bodyism,顔の美醜にこだわる faceism,若さを重視する youthism などがある.これら差別／偏見を持つ表現は,政治的妥当性 (political correctness) を主張する人々の反感をかっている.ちなみに能力を重視する者は ableist[17].

Lesson 19 入　試　entrance exam

＊ キーワード ＊

受験準備　preparation for entrance examination
大学入試制度　system of entrance examination to universities
応募資格　qualification for application
大学進学率　rate of university entrants, rate of advancement to university
単願　apply to one school
併願　apply to more than one school
推薦入学　examination for selected candidates, enrollment by recommendation
縁故入学　admission of students through personal connections
裏口入学　admission through the back door, backdoor admission, admission fraud, admission to a school by unfair means
入学願書　application form
通知簿　grade report
内申書　transcript of grades
内密報告書　confidential report
大学入試センター　National Center for University Entrance Examination
入学審査局・入学手続事務局　office of admissions, admission office
評定平均値　grade point average, GPA
推薦状　recommendation letters
書類による選考　selection based on student records
面接　interview
小論文を記述させるテスト　essay examination
大学入学手続　admission procedure to enter university

　過度な競争意識をあおり立てる入試システムが日本の教育を歪めている元凶であると指摘されて久しい．幼稚園受験から始まるともいわれている**受験準備** (preparation for entrance examination) のために日本の子どもたちは，

Chapter 6 評価とテスト

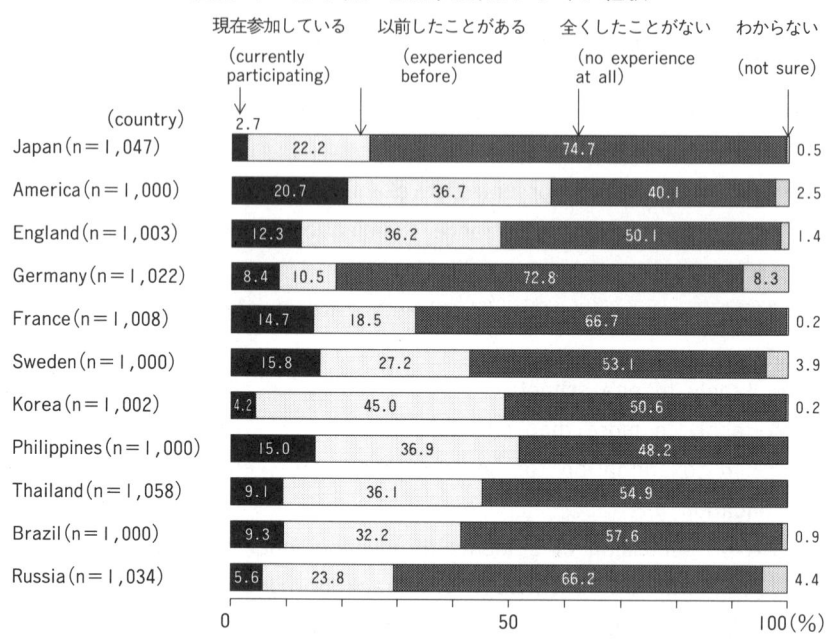

図19-1 青年(18〜24歳)のボランティア経験

国 (country)	現在参加している (currently participating)	以前したことがある (experienced before)	全くしたことがない (no experience at all)	わからない (not sure)
Japan (n=1,047)	2.7	22.2	74.7	0.5
America (n=1,000)	20.7	36.7	40.1	2.5
England (n=1,003)	12.3	36.2	50.1	1.4
Germany (n=1,022)	8.4	10.5	72.8	8.3
France (n=1,008)	14.7	18.5	66.7	0.2
Sweden (n=1,000)	15.8	27.2	53.1	3.9
Korea (n=1,002)	4.2	45.0	50.6	0.2
Philippines (n=1,000)	15.0	36.9	48.2	—
Thailand (n=1,058)	9.1	36.1	54.9	—
Brazil (n=1,000)	9.3	32.2	57.6	0.9
Russia (n=1,034)	5.6	23.8	66.2	4.4

(資料) 総務庁青少年対策本部「第6回世界青年意識調査報告書」1999年．時事通信社『教育データブック2000-2001』2000年，p.204．

図19-2 年齢別にみるボランティア活動参加率

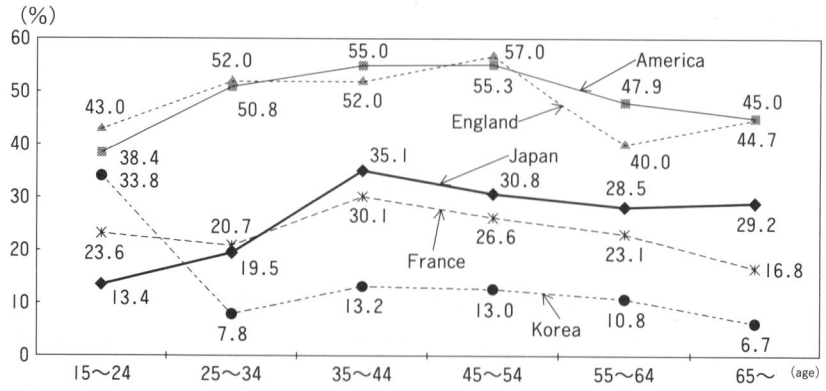

age	15〜24	25〜34	35〜44	45〜54	55〜64	65〜
America	43.0	52.0	55.0	57.0	47.9	45.0
England	38.4	50.8	52.0	55.3	40.0	44.7
Japan	13.4	19.5	35.1	30.8	28.5	29.2
France	23.6	20.7	30.1	26.6	23.1	16.8
Korea	33.8	7.8	13.2	13.0	10.8	6.7

(注) アメリカは1995年，イギリス・フランス・日本は96年，韓国は99年の数値．
(資料) 経済企画庁『国民生活白書』1999年，p.19．

Lesson 19 入 試

図19-3 Non-Governmental Organization(NGO)数の推移

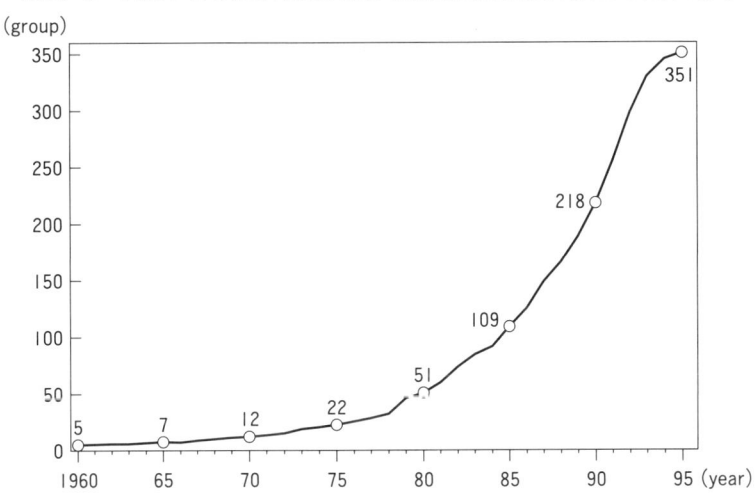

(group)

1960: 5
65: 7
70: 12
75: 22
80: 51
85: 109
90: 218
95: 351

図19-4 ボランティアグループおよび参加者数の推移

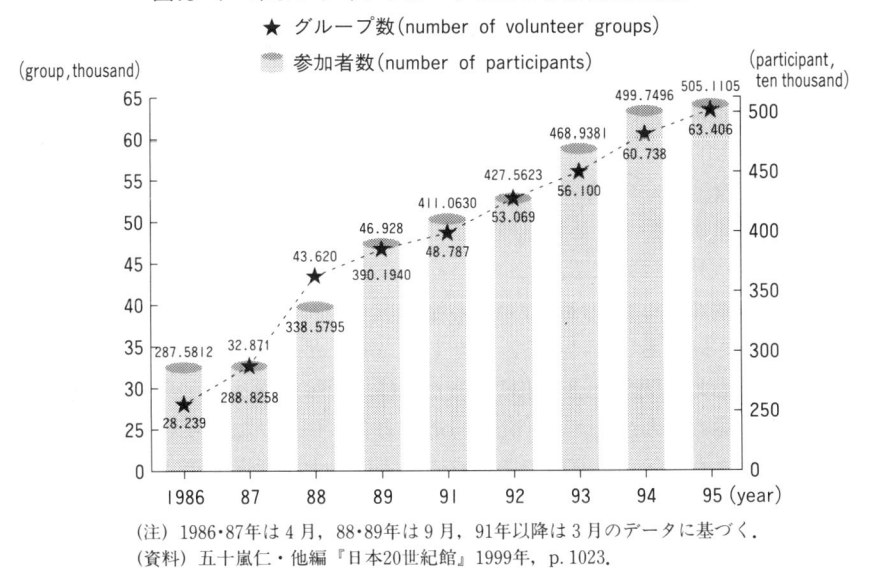

★ グループ数(number of volunteer groups)
▓ 参加者数(number of participants)

(group, thousand) / (participant, ten thousand)

年	グループ数 (★)	参加者数
1986	28.239	287.5812
87	32.871	288.8258
88	43.620	338.5795
89	46.928	390.1940
91	48.787	411.0630
92	53.069	427.5623
93	56.100	468.9381
94	60.738	499.7496
95	63.406	505.1105

(注) 1986・87年は4月, 88・89年は9月, 91年以降は3月のデータに基づく.
(資料) 五十嵐仁・他編『日本20世紀館』1999年, p.1023.

Chapter 6 評価とテスト

他に学ぶべきことが山ほどある最も多感な時期を，競争意識を燃やすことに費やしている[18]．世界最高レベルの成人学力水準を保ち，高学歴社会を自称する日本ではあるが，子どもたちから体験を通じて学ぶことや自覚的要求を断ち切ることによって，彼らの豊かな人間性を奪い受験一辺倒の世界へ追い込んでいる現実を目の当たりにする時，むしろ日本は，世界に冠たる不健全な無学歴社会[19]であると言わねばならない[20]．

以下，**大学入試制度** (system of entrance examination to universities)について順を追って見てみよう．まず，受験生は名門**大学**への**進学率**(rate of university entrants, rate of advancement to university)の高い高校へ在学していることが望ましい．受験には大きく分けて**単願**(apply to one school)と**併願** (apply to more than one school)の2種があり，単願者の中には**推薦入学** (examination for selected candidates, enrollment by recommendation)の者もいる．また，**縁故入学**(admission of students through personal connections)[21]や**裏口入学** (admission through the back door, backdoor admission, admission fraud) などの**不正入学** (improper admission)も皆無とは言えない．いずれにしても**応募資格**(qualification for application) を得るためには，**入学願書** (application form)を取り寄せる必要がある．推薦入学の場合には**通知簿**(grade report)[22]や**内申書**(transcript of grades，または**内密報告書** confidential report)[23]により日ごろの積み重ねが評価される．

欧米諸国のように大学入学のための学力試験（詳しくは Lesson 20参照）が**全国ワイド** (nation-wide)で統一され標準化していない日本では，各大学で試験問題が異なっている[24]．そのために入試は不必要なまでに難易度を増し，ピラミッド状に階層を形成する大学側には"狭き門であればあるほど名門"という強気な態度が見受けられる．

子を持つ親たちは粉骨砕身働いてお稽古事・塾・予備校そして大学という教育産業に貢ぎ続けることになる．しかし，当の子どもは，大学入試というある種無用とも思える関門を通り抜けたあとでは，受験勉強という彼らにとっての生きる証を奪われた燃えかす(あかし) (burn-out) と化す[25]．ひたすら効率最優先主義を全うしてきた小・中・高校での教育の成果は，大学で実を結ばないどころか，大学そのものの空洞化（大学は入るためと出るためのもので在学中に学ぶことが少ない）・レジャーランド化が進んでいる．日本の将来がこの種の教育を受けた青少年の双肩にかかっていることを考えれば，入試の現状が滑稽であるとし

て一笑に付しては済まされない．

ミニ知識：英米の大学入学手続き
(admission procedure to enter universities in England and the U.S.)

米国では大学入学審査局・入学手続事務局 (office of admissions, admission office) による AO 入試が一般的である．AO 入試では通常全国規模の進学適正テストの成績・評定平均値 (Grade Point Average, GPA)[26]・奉仕活動 (voluntary activities) や部活動からの推薦状 (recommendation letters) などを含めた書類による選考 (selection based on student records)・面接 (interview) および小論文を記述させるテスト (essay examination) などを並行して実施する．小論文では生徒の社会的活動・自主的意欲の有無生徒会・クラブ活動や大学に入る目的についての記述が重要なポイントとなる．

また英国で大学に入学を希望する場合には，志願者は五つの大学と学科を志望順に列挙し，それに出身校の校長の報告書を添付して大学中央評議会に提出する．願書と校長の報告書は評議会から希望の大学へ送られ，大学はその書類と生徒の全国単一試験 (General Certificate of Secondary Education, GCSE) の結果を基に審査を行う．大学側の入学許可に関する情報は，大学からまず評議会へ知らされ，志願者は評議会から通知を受ける．

＊＊ 関連ワード ＊＊

PL宣言 (profession liability, professor's liability)：教授が一定水準を持った学生のみを卒業させることを保証する．レベルの低い者に対しては再教育する．

試験勉強 (cramming for an examination)

合格者 (successful applicant, successful candidate)

不合格者 (unsuccessful applicant, unsuccessful candidate)

ガリ勉 (grind, swot)

ごますり (apple-polish)

虎の巻を使う (use a pony, crib)

一夜漬け (overnight cramming)

夜食 (late-night snack)：気分転換の要素もあるので refreshment でもよい．

一流校 (prestigious school)

二流校 (second-rate, second-rank, second-record, second-class school)

合・不合格評価 (pass-fail, pass-failure)：満足・不満足 (satisfactory-unsatisfactory) の評価もある．

Chapter 6 評価とテスト

5段階 (five stage) 評価：A・B・C・D・E，あるいは E(excellent, 秀)・S(superior, 優)・A(average, 良)・I(inferior, 可)・F(failure, 不可)で記述．前者は E，後者は F が落第を意味する．

学業成績 (academic achievement)

学歴偏重 (over‐emphasis on one's academic background)：学歴は educational background でもよい．

学歴社会 (education‐conscious society, academic background‐oriented society, credential society, diplomacracy)

学歴主義 (credentialism, degreeocracy)：海外の日本研究家からは，「日本では生まれた時には身分差はないが，教育によるカースト制度が成り立っている」「日本は無宗教主義の国であるが，学歴信仰の国である」などの指摘を受けている[27]．

A をとる生徒 (an A student)

オール A (straight A's)

落第坊主 (an F student)

落第する (flunk out, repeat a grade)

退学 (withdrawal)

留年 (delay of promotion, graduation)

Lesson 20 各種のテスト　variety of tests

＊ キーワード ＊

　小テスト　short test, quiz
　中間テスト　mid-term exam
　学期末テスト　end-of-term, final examination
　学年末テスト　annual, yearend examination
　客観テスト　objective test
　到達度を見るテスト　achievement test
　標準化されたテスト　standardized exam
　検定・適正テスト　aptitude test

Lesson 20 各種のテスト

スコアの妥当性　validity
教育検査サービス　Educational Testing Service, ETS
SAT　Scholastic Assessment Test of the College Entrance Examination Board
ACT　American College Test
GRE　Graduate Record Examination
GMAT　Graduate Management Admission Test
実用英語技能検定：英検　Examination in Practical English
国連英検　The United Nations Association's Test of English, UNATE
外国人の英語による国際交流能力判定テスト　Test of English for International Communication, TOEIC
外国語としての英語能力判定テスト　Testing of English as a Foreign Language, TOEFL

　テストと一口に言っても種々様々あるので，学力テストと検定・適正テスト (aptitude test) に大別してみる．まず学校につきものの学力テストは種類が多く難易度も幅広い．簡単で頻繁に行われるものでは小テスト (short test, quiz)，また成績に響いてくるものとしては中間 (mid-term exam)・学期末 (end-of-term, final exam)・学年末テスト (annual, yearend examination) などがある．また，生徒の到達度を見るテスト (achievement test) や標準化されたテスト (standardized exam) も学力テストの一種である．
　次に検定・適正テストについてであるが，アメリカではその代表的なものとして教育検査サービス (Educational Testing Service, ETS)[28]の開発による全国共通大学（院）進学適正テストとしてSAT(Scholastic Assessment Test of the College Entrance Examination Board)[29]・ACT(American College Test)[30]・GRE(Graduate Record Examination)[31]・GMAT(Graduate Management Admission Test)[32]などがある．
　SATをはじめとする上述の客観テスト (objective test) は短時間における正答率を競ういわばIQテストの要素が大きく，受験者の資質・意欲・根気などを測定することができないため，これらのスコアの妥当性(validity)について1990年ごろから受験者や大学側で疑問の声が高まっている[33]．近年ではこれら適正テストのスコアを考慮しない，あるいは同スコアの提出を任意とする大学が増えている．

Chapter 6 評価とテスト

図20-1　TOEFLスコアの国際比較 (Score of the Test of English as a Foreign Language: International comparison)

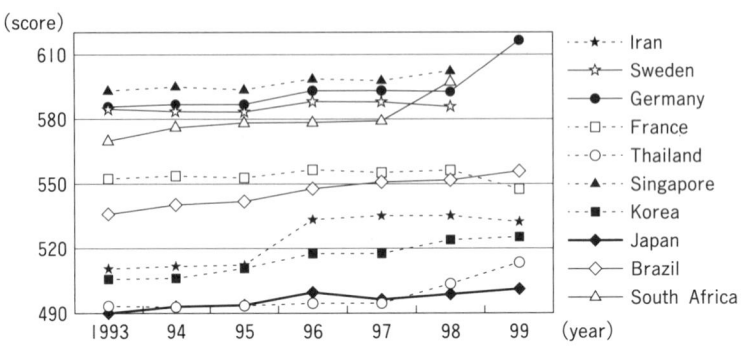

(資料) Educational Testing Service, TOEFL Test and Score Data Summary, 各年度版。時事通信社『教育データブック2000-2001』2000年, p.252.

　日本では**実用英語技能検定**(英検, Examination in Practical English)・**国連英検**(The United Nations Association's Test of English - UNATE)や**外国人の英語による国際交流能力判定テスト**(Test of English for International Communication, TOEIC)などが広く受験されており, 就職の際に候補者の英語力を検証するある種の尺度となっている[34]. また英語圏への大学進学・転学を希望する学生にとっては**外国語としての英語能力判定テスト**(Testing of English as a Foreign Language, TOEFL)の結果が各大学の定める基準点に達していることが入学条件の一つとなっている[35].

＊＊ 関連ワード ＊＊

公開模試 (open mock test)
職業適性テスト (vocational aptitude test)
筆記テスト (paper and pencil, written examination)
抜き打ちテスト (surprise quiz, surprise test, pop quiz)：quizは10分くらいでできる小テストのこと.
埋め込みテスト (embedded test)
記述式テスト (essay exam)
マルバツ形式 (true or false test, T - F test)：T (True)は正しい, F (False)は間違ったの意味.

課題試験 (assignment exam)：家に持って帰る形式 (take home exam) の場合が多い．
答案用ノート(blue book)：20枚程度の薄いノートになっている解答用紙で通常表紙が青色．
カンニング・ペーパー(crib sheet, cheating sheet)：テストでカンニングするは cheat on an exam という．
(テストが) 簡単である (piece of cake, Mickey Mouse)

---

1) 池田央「21世紀がめざす評価と研究の動向」，『指導と評価』1999年8月号，55-57頁．
2) 個人が属する集団の中で他の人と比較して順位を決めるテストを集団基準準拠テスト(norm-referenced test) という．
3) 1970年代，評価の視点を結果(result)から過程(process)へ転換させる大きな役割を担った．当時，成績をつけるための評価から，学習者の学びを支えるための評価として支持された．個人が学習により，目標をどの程度達成したかを測定するテストを目標基準準拠テスト (criterion-referenced test) という．渋谷憲一「教育評価の歴史100年」，『指導と評価』1999年8月号，38-41頁．
4) 前掲1)．
5) ポートフォリオ学習とは，一人ひとりが自分の学びを深めていく中で知識を獲得していくプロセス重視の学び方．小田勝己『総合的な学習で学力をつける：日本型ポートフォリオシステムのあり方』桐書房，2000年，26頁．
6) 小田勝己『ポートフォリオ学習と評価』学事出版，1999年，109頁．
7) 3段階評点の記述例としては熟達者 (master)・普通 (ordinary)・新人 (novice) や果実 (fruit)・花 (flower)・つぼみ (bud)，5段階では模範的 (exemplary)・達成的 (accomplished)・有望 (promising)・発芽的 (developing)・初歩的 (beginning) などがある．前掲書，131頁．
8) 石田恒好『日本の教育評価史——この25年』，「指導と評価」1999年8月号，25-28頁．
9) 小澤周三編『教育学キーワード』有斐閣双書，1998年，150頁．
10) 前掲1) 54-57頁．
11) 知能指数は生活年齢に対する精神年齢の割合 (the ratio of mental age to chronological age)で求められる．もし，精神年齢が生活年齢より高ければIQは100以上，低ければ100以下となる．"If MA is greater than CA the IQ will be above 100, but if it is less, the IQ will be below 100." Shaver, K. and Tarpy, R., *Psychology,* Macmillan, 1993, p.607.
12) ハーバード大学の (知能テスト批判学者) エレノア・ダックワース (E. Duckworth) はベストセラーとなった"*The having of wonderful ideas*"(Teachers College, 1992, p.65) の中で，「物事を深く考える生徒ほど，知能テストで低いスコアを得る」と主張した．

Chapter 6 評価とテスト

13) ガードナーの学説は人間の理解力の多様さから発想されたものであり、時間をかけた複雑な学びを前提とする．
14) Guilford, J.P. (ギルフォード) The structure-of-intellect model. (知性構造のモデル) In B. B. Wolman (Ed.) *Handbook of intelligence: Theories, measurements, and application,* Wiley, 1985, pp.225-266.
15) EQ は対人関係のうまさや精神の安定度を測る，心の知能指数 (emotional quotient) を意味する場合もある．この種の EQ 診断は主に企業などが昇進や人事のために利用している．「朝日新聞」(東京，朝刊)，2000年10月23日．
16) "The achievement quotient (AQ) is obtained by dividing a measured educational age (EA) by the child's mental age (MA) and multiplying the result by 100. If EA is greater than MA the AQ will be above 100, but if it is less, the AQ will be below 100." 前掲書11) p.607.
17) 宮本倫好『変貌するメディア英語』三修社，1999年．
18) 98年度の小学校入試倍率は，お茶の水女子大学附属小学校の55倍を頂点に，国公立大学の附属小学校や名門私立大学の附属小学校の多くが10倍以上の競争率となっている．苅谷剛彦他著，「教育の社会学」有斐閣アルマ，2000年，102頁．
19) 国立教育研究所内生涯学習研究会編『生涯学習の研究 (上巻)』エイデル出版，1993年，331-340頁．
20) 名門大学を経て一流企業に就職することで幸福になれると信じて疑わない親を持つ子どもたちは，川で魚を捕ったり山で昆虫を追ったり，夕日の美しさに感動する経験を持たないまま大人になってしまう．
21) connection の代わりに favoritism としても可．
22) 英国では通知表 (record of progress) と呼ばれ，5段階評価とともに詳細なコメント (comments) やリマーク (remarks) が記されている．
23) 元来，受験競争の激化を是正するために生徒の学力以外の行動や性格を評価するものであったが，通知簿とは違い本人はその内容を知ることができず，結果として生徒が先生に対し不信感を抱く構造をつくり出している．例えば"意欲"や"態度"を評価するのに挙手の回数やノートのきれいさを基準としている先生に対し，生徒側はその評価方法が内向的で手を上げられない，字が汚い生徒にとっては不公平であると考えている．江川昭子，NHK 少年少女プロジェクト編『証言10代』1998年，54頁．
24) 近年，国・公立大学に限らず**大学入試センター** (National Center for University Entrance Examination)テストの中から，ある特定科目の結果を入学許可を下す際の基準として採用する大学が増えている．
25) このこともやがては昔語りになるだろう．一部のトップランクの大学は別として，勉強らしきことをしなくても入れるFランク (free pass, free admission) の大学が出現し，大学全入へと時代は巡っている．
26) 成績評価を数字化 (4 point 制)すると，A が4，B が3，C が2，D が1となる．GPA が2以下になるとその学生は仮及第 (on probation) 処分になり，次の学期で GPA を上げないと放校 (kick out) される．藤井基精・熊沢佐夫編『アメリカ社会常識辞典』日本英語教育協会，1984年，58頁．

Lesson 20 各種のテスト

27) 中央官庁 (central government office, agency) や銀行・商社など一部の企業では「出身校主義」が依然根強い.
28) 教育テスト事業団としても同意.
29) 言語 (語彙力 vocabulary, 論証力 verbal reasoning, 読解力 understanding what you read) と数学 (算術 arithmatics, 基礎幾何 geometry, 基礎代数 algebra) の2分野から成る.
30) SATに比べ豊富な内容を取り扱い, 英・数・社・理の4分野で評価する.
31) 大学院入学のための試験で, 一般 (general) と15の専門学科 (subject) の2種類がある. 一般は語学能力 (verbal)・数学的能力 (quantitative)・分析能力 (analytical) の3分野から成る. 専門学科については受験生が大学から指定された学科をそれぞれ受験する.
32) ビジネス・スクール入学のためのもので GRE に類似. 言語と数学的能力を評価する.
33) 前掲6), 49頁.
34) これらのテストに備えるためのクラスを受講することや, テストである程度の点数を取ることを英語の単位として認めている大学もある.
35) TOEFL のスコアは, 通常の大学 (学部) では500点以上, 大学院理工系では530-550点, 大学院文系では550-580点以上を獲得することが要求される.

Chapter 7　人間の発達と教育
human development and education

Lesson 21　発達段階　developmental stage

＊ キーワード ＊

成長　growth
発達　development
ライフ・サイクル　life cycles
ライフ・コース　life course
生活周期　life stages
乳児期　period of infant
第１反抗期　period of primary resistance
幼児期　early childhood
ギャング・エイジ　gang age
児童期　middle childhood
青年期　adolescence
思春期　puberty, the springtime of life
敏感期　sensitive period
第２反抗期　period of secondary resistance
壮年期　adult hood
老年期　senescence
発達段階　developmental stage
発達課題　development tasks
発達心理学　developmental psychology
人格発達理論　theory of psychosocial development
自我同一性　gender identity

Lesson 21 発達段階

ジェンダーの役割　gender role
役割期待　role expectation
成人役割　Adult role

　人間は，それぞれが生まれた時に"死ぬまで生きる"という宿命を背負うことになる．生から死へ続く人生という過程において私たちの持ち得る選択は継続するか停止するかの2つしかない．継続とは私たちが日々いろいろな事象や人物に直面したり間接的に巡り合いながら生き続けることで学び・考え・**成長** (growth)・**発達** (development) していくことである[1]．と同時に，継続とは老いや病気に侵されながらも生きることを持続していく行為でもある．一方，停止とは継続している状態がそこで止まること，すなわち死を意味する．

　人間が地球上の生きとし生けるその他の動物と違うところは**ライフ・サイクル** (life cycles)[2]あるいは**生活周期** (life stages)[3]についての意識レベルが比較的高いことである．人間のライフ・サイクルは大まかに**乳児期** (period of infant)[4]・**幼児期** (early childhood)[5]・**児童期** (middle childhood)[6]・**青年期** (adolescence)[7]・**壮年期** (adult hood)・**老年期** (senescence) とに分類でき，ライフ・サイクルに対する意識とは，自分の寿命の中で自分の担うべき任務が何であるか，より厳密に言えば**発達段階** (developmental stage) における**発達課題** (development tasks) が何であるかを把握して生きているということである．

　人類が誕生日を祝うことも私たちのライフ・サイクルに対する意識の強さの現れである．またお酒や車の運転は成人してからと，ある年齢に達すれば権利を得られるというルールも，人生を各ステージの積み重ねと考えればこその発想である．子どもは勉強に，親は**育児** (child rearing)・勤労にそれぞれいそしむように，各ステージで社会から期待されている役割を果たすことが人間としての営みと認識されているのである[8]．**定年** (retirement age, age limit) になれば，たとえまだまだ若々しく体力も能力も労働年齢並みの人であっても，ある年齢に達したというそのことだけで，退職することを納得し受け入れる．ライフ・サイクルとは人間をして，時間という尺度の前にきわめて従順であらしめる観念と言うこともできる．

　米国の発達心理学者 (developmental psychologist) であるエリクソン (E. Erickson) は，私たち人間の社会性は段階的に発達するものであり"<u>直面する危機を克服する</u> (overcome, resolve facing crisis) ことにより人格の発達

103

が進む"とする**人格発達理論** (theory of psychosocial development) を提唱した．その中でエリクソンは，人生を 8 段階に分け各段階に沿って**発達課題** (developmental task for the stage) と<u>心理的危機</u> (psychosocial crisis, challenge) を具体化している[9]．

Erickson's Stages of Psychosocial Development

approximate age 発達段階	developmental task for the stage 発達課題	psychosocial crisis 心理的危機
(1) 0-1.5 years 乳児期	Attachment to the mother based onconsistency of attention to needs. 常に注意を引き付けている必要性のために母親に癒着	trust vs. mistrust. 信頼 vs.不信
(2) 1.5-3 years 早期幼児期	Gaining control of self (movement) and impulses (e.g. toilet training). 自分の動作と衝動に対するコントロールの獲得（トイレット・トレーニング等）	autonomy vs. shame and doubt. 自立 vs.恥と疑問
(3) 3-6 years 遊戯期	Becoming self-directive and using energy in productive ways, not inactivities that produce guilt. 犯罪行為ではなく生産的方向へ自己主導的活力を持つ	initiative vs. guilt. 自発性 vs.罪悪感
(4) 6-puberty 学童期	Developing persistence, especially in school activities, but also in physical and social skills. 主に学校での活動を通じて肉体的・社会的能力や持続性を発達させる	industry vs. inferiority. 勤勉 vs.劣等感

Lesson 21 発達段階

(5)	adolescence 青年期	Making transition from dependency of childhood to independent identity and possible career choice. 依存していた子ども時代から脱却して自己を認識し，将来の職業的な可能性を選択する	identity[10] vs. role diffusion.[11] 確立した自我像 vs. 役割混乱
(6)	young adulthood 初期成人期	Fusing one's own identity with that of another person through mutuality and commitment. 自己と他のアイデンティティーを相互性とコミットメントにより融合する	intimacy vs. isolation. 親密さ vs. 孤独
(7)	middle age 成人期	Fulfilling family and personal goals, demonstrating concern for future generation. 家族または個人の目標を満たし，将来の世代への考慮を示す	generativity vs. stagnation. 生殖性 vs. 停滞
(8)	old age 成熟期	Reviewing one's life and deciding that it contains order and meaning. 自己の人生を振り返り，秩序と意義について吟味する	ego integrity vs. despair. 自我の統合 vs. 絶望

出典(source)：E. Erickson, *Childhood and society*. Norton. 1950. エリクソン著・仁科弥生訳『幼児期と社会Ⅰ』みすず書房，1977年，351頁．

＊＊ 関連ワード ＊＊

<u>性的成熟</u>（sexual maturation）：<u>性意識</u>は sexual awareness．
<u>早熟児</u>（precocious-retarded child）
<u>生産的役割を果たす</u>（play a productive role）
<u>基本的生活習慣</u>（fundamental habits）
<u>しつけ</u>（discipline）
<u>運動技能の発達</u>（development of motor skill）
<u>知覚の発達</u>（development of perception）：<u>奥行知覚</u>は depth conception．

Chapter 7 人間の発達と教育

数量概念の発達 (development of concepts of number and quantity)
道徳性の発達 (moral development)
社会規範 (social norm)
予想余命 (life expectancy)
モラトリアム(moratorium)：青年期自分を発見するために様々なことを経験することで試行錯誤する大人になるための発達段階，執行猶予期間．アメリカの精神分析学者エリクソン (E. Erickson) が提唱[12]．日本では近年高校・大学から輩出された卒業生が社会人という型にはまり切らずにモラトリアムに突入しその数の増加・長期化の傾向を示している．彼(女)らに対する呼び方も，プータロー，フリーターを経て，青年実業家見習いへと序々に正当化されてきている．
X 世代(generation X, Xers)：20世紀末の10年間に成人になった世代．アメリカでは戦後の不況とそれに続く経済競争・麻薬の浸透などにより，人生への動機付けも責任感も薄い世代を指す．X 世代の一世代後を Y 世代(generation Y) と呼ぶ[13]．
スラッカーズ (slackers)：1991年制作の米国映画"スラッカーズ"から発祥．学生時代のライフスタイルを超えられない人生の方向を失った若者，あるいは消費文化とテレビに育てられ政治的・文化的に無気力な若者を指す．スラッカーズの一昔前を新人類 (new species) と呼ぶ[14]．

Lesson 22 自己と対人　self and relation with others

* キーワード *

自己の確立　self-establishment
対人関係　inter-personal relations
脱工業社会　post-industrial society
情報化社会　information-oriented society
個別化　separated, customized
個性　individuality, personality
自己に対する概念　self-concept

106

Lesson 22 自己と対人

親子関係　parent-child relation
兄弟関係　sibling relation
仲間関係　peer relation
先生－生徒の関係　teacher-student relation
自己統制　self-control, self-discipline
自己主張　self-assertion
自己肯定感　self-esteem
帰属意識　sense of belongings, identification
人格構造理論　theory of personality, theory of structure of personality
イド　id
自我　ego
超自我　super ego
快楽原則　the pleasure principle
現実原則　the reality principle
道徳原則　the morality principle

　人間の発達段階の中で最も**クリティカル**(critical)な段階であると思われるのは，**自己の確立**(self-establishment) および**対人関係**(inter-personal relations)の確立期である．**脱工業社会**(post-industrial society)・**情報化社会**(information-oriented society)の住人である私たちは自宅の個室に電話，ケーブル・テレビ，パーソナル・コンピュータ，ファックス（コピー機能付き）など最先端技術を私有した生活を送っている[15]．
　このように個人の生活の**個別化**(separated, customized)が進行している中，**個性**(individuality, personality)という言葉の真意が曖昧なまま教育改革のキーワードとなり，もてはやされ，個別化を個性化ととき違えている若者があまりに多い．"自由あるところに責任あり"の格言通り，自由は責任の代償（代価）であるのに自由だけを欲しがり，それがもたらす結果に責任を持とうとしない，あるいは持つ能力がない若者が急増していることには危機感さえ感じられる[16]．
　また，**自己に対する概念**(self-concept)[17]があやふやな者は**対人関係**(inter-personal relationship)が築けないという問題も抱え込んでいる．逆に，**親子関係**(parent-child relation)・**兄弟関係**(sibling relation)・**仲間関係**(特に同年齢の子どもの関係 peer relation)・**先生－生徒の関係**(teacher-student

relation)[18]など対人関係がうまく機能していないと自己の確立に問題をきたすケースがある。なぜなら個人は、他との関係[19]の中で初めて**自己統制**(self-control, self-discipline)・**自己主張**(self-assertion)・**自己肯定感**(自尊 self-esteem)など、自己の在り方に関する意識を持ち得るからである。

こうして見てみると、人間は他者の<u>同伴を探し求める</u>(seek the company of others) **帰属意識**(sense of belongings, identification) を持ちグループになって生きる習性(群生)を持つ動物の一派に属すると考えられる。個人はグループの中で調和し、存続するために仲間として受け入れられたいと期待(hope for affiliation)しながら、その一方では相手に<u>拒絶される</u>のではと<u>恐れる</u>(fear of rejection) <u>相対方向</u>（opposite dimension）の感情を併せ持っている[20]。

> **ミニ知識：フロイドによる人格構造理論**（theory of personality by Sigmund. Freud）
> 人格構造理論でフロイドは、人格を<u>イド</u>（id）・<u>自我</u>（ego）・<u>超自我</u>（super ego）の<u>三種の体系</u>(three components)から成る統合体としてとらえた[21]。イドは<u>無意識・本能・衝動的</u>(unconscious, instinctive, impulsive)な快楽原則(the pleasure principle)に従い現実を考慮することなくやみくもに欲求の満足・解消を求める混沌とした原初的エネルギーである。これに対し、自我は現実原則(the reality principle)に従い現実的に危険の少ない方法を探したり、現実の要請に応ずるために欲求を延期・抑圧したりするエネルギー。超自我は道徳原則(the morality principle)に従い、自我がどのようにイドに対応しているのかを監視するエネルギーである。フロイドは、この三者の力関係から個人の人格や行動が説明できるとして、人間形成を構造的に唱えた[22]。

＊＊ 関連ワード ＊＊

<u>対話的関係</u>（dialogical relationship）

<u>自己開発</u>（self development）

<u>自己中心性</u>（ego centrism）

<u>仲間集団</u>（peer group）

<u>兄弟（姉妹）間の対立</u>（sibling rivalry）

<u>個人差</u>（individual difference）

<u>自己効力感</u>(self-efficacy)：ある行動を起こす前に個人が自覚している自己遂行可能感（自分にはこのようなことがここまでできるのだという考え）を意味する。<u>バンデューラ</u>（A. Bandura, 1977）が提唱[23]。

<u>自己実現</u>(self-actualization)：自らの内にある可能性を実現して人格内の一

致・統合を目指すこと．マスロー（A. H. Maslow, 1971）によれば，自己実現している人は（自他に内在する特質を受け入れられるため）他者の行動や思考に対して寛大になれるという特徴を有する[24]．

利他(他愛)主義(altruism)：egoism の反意．自己を犠牲にして他者の利益のために振る舞う（perform for the benefit of other individuals at the expense of the altruistic individual）こと．

Lesson 23 遺伝と環境　heredity vs. environment[25]

＊ キーワード ＊

現象の世界　a world of phenomena
フォームの世界　a world of forms
（生まれた時の）空白の状態　a blank state at birth, or tabula rasa
外的経験　external experience
内的理由付け　reasoned consideration of the innate idea
優性遺伝　dominant heredity
劣性遺伝　recessive inheritance
前成説　preformationist
劣性遺伝　recessive inheritance
現象型　phenotype
元型　genotype
一卵性の双子　identical, monozygotic twins
二卵性の双子　fraternal, dizygotic twin
双生児法　twin method
養子研究　adopted-child study
野生児　wild boy, feral child
臨界期　critical period
教育の最適期　optimal period of education
"すべての行動は学ばれる"　All behavior is learned
生理的反射作用　physiological reflexes

Chapter 7 人間の発達と教育

外的刺激　external stimulation
経験論　empiricism

　人間の特質・特徴とは，各人特有の遺伝子 (gene) により生まれながらに (by nature) 決定付けられるものなのか，あるいは各人を取り巻く環境 (environment) により育まれて (by nurture) 形成されるものなのかをめぐる討論の歴史は長い．その起源は恐らく古代ギリシャ (the ancient Greeks) の哲学者プラトン (Plato) とアリストテレス (Aristotle) にたどり着くと思われる．

　プラトンは世界には**現象の世界**(a world of phenomena)と不変的かつ永遠である**フォームの世界**(a world of forms)があると唱えた．私たちは世のことすべてを直接体験することはできないが，フォーム (forms)[26)]に従い物事を理解すると説き，"先天性"による影響を支持した．一方，アリストテレスは子どもの心 (child's mind) は生まれた時には**空白の状態** (a blank state at birth, or tabula rasa) であるが，環境と経験によって徐々にその空白が埋められていくとして"後天的"要素の重要性を主張した．

　プラトン派の主張を受け継ぎ，生まれながらの遺伝的要素を重視する生得説では，人間の成長 (growth)・発達 (development) を量的・質的変化の両側面からとらえ，それぞれを**前成説**(preformationist)と**前定説**(predeterminist)としている．前成説とは，誕生の際にすでに出来上がっている人間の基本的特性や能力は年齢とともに量的に成長するとの考えであり，前定説とは，経過する人生の諸段階を通じてそれらは質的に発達するという考えである．いずれの説も，人間形成にとって環境要因の及ぼす影響力は非常に限られているとしいわゆる**現象型**（フェノタイプ，phenotype)[27)]は変化しても**元型**（ゲノタイプ，genotype)[28)]は基本的には変わらないとする見解を示している．

　また各人の能力(ability)や興味(interest)，そして性格的な特性(personality traits) の先天性を調べるために**一卵性** (identical, monozygotic) および**二卵性の双子** (fraternal, dizygotic twins) を用いた**双生児法** (twin method) による研究が進められている[29)]．研究結果では一卵性の双子が二卵性に比べてより多くの特性を共有することが立証されている[30)]．

　一方，環境上の（社会・文化的）影響なくして人間形成は起こり得ないとする，アリストテレス的考えを受け継ぐ環境説 (environmentalism) の主張を如実に示してくれたのは，**野生児** (wild boy, feral child) の研究である．野生児とは，人間社会からの働きかけが不可欠である幼児期(early childhood)

に人間社会から隔離された環境で生育した子どものことである．野生児は世界で数十の発見例があるが**臨界期**(critical period)に動物の世界で育った野生児の場合はいずれも動物の世界が必要とする能力を備えるかわりに，必要としない人間の能力を失っていた．このことは人間が人間として発達するためには人間の社会や文化からの働きかけが**教育の最適期**(optimal period of education)に行われることが不可決である(裏返して言えば同時期に外部からの働きかけによって習得した能力を消すことは容易ではない)ことを実証するものであった[31]．

世の親たちには「私の子なのだから良い子に違いない」と遺伝説を指示する心理作用と「他の子どもに比べて大切に育てれば，きっと立派な大人になってくれる」と環境説にすがろうとする両方の願望がある．周りを見渡せば生まれた本質に忠実に生きている人もいるし，その本質からかけ離れた自己を確立して生きている人もいる．先天か後天か(nature vs. nurture)，遺伝か環境かをめぐる論争(heredity vs. environment controversy)は長い歴史を重ねてきたが，現時点でそのどちらの論議にも確たる証拠がないことが幸いで，どちらの説をどれだけ信じるか(信じないか)は私たちの判断にゆだねられている[32]．

ミニ知識：行動主義（behaviorism）

"すべての行動は学ばれる"(All behavior is learned.)と主張する行動主義(behaviorism)の元祖とも呼べるコロンビア大学のソーンダイク(E. L. Thorndike 心理学者)は，猫の行動を"パズル箱"(puzzle box)を用いて研究した．パズル箱の中の猫は箱の外に置いてある食べ物を得る(obtain food placed outside the box)という"刺激"(S-stimulus)のために，ペダルを押すことでドアを開ける(press a pedal to open the door)という"反応"(R-response)を難なく習得した．ソーンダイクはこのS-Rの組み合わせ(stimulus-response (S-R) association)を効果の法則(the law of effect)と命名した[33]．

ソーンダイクの法則はシカゴ大学〔後にジョン・ホプキンス大学〕のワトソン(John Watson)ハーバード大学のスキナー(B. F. Skinner)へと継承された．ワトソンが生理的反射作用(physiological reflexes)は外的刺激(external stimulation)により引き起こされるという考えに焦点をあてたのに対し，スキナーは行動は報酬を得たり(rewarded)強化される(reinforced)ことにより習慣形成されるとする経験論(empiricism)の立場を主張した（Lesson 14参照）．

Chapter 7 人間の発達と教育

1) 人間の心身と機能の変化を表現するには，量的増大に重点を置く考えと，質的・形成的観点から系統付けるものがある．前者を**成長** (growth)，後者を**発達** (development) と分けて理解することが望ましい．新井郁夫『教育社会学——人間の発達と教育』放送大学教育振興会，1992年，17頁．
2) ライフ・サイクルは家族の集団性を前提とする．個人の人生としてとらえるときは**ライフ・コース** (life course) を用いる．
3) stage of life だと人生の段階という意味．
4) 乳児期の中でも生後4週間までを period of newborn あるいは neonatal period という．
5) 3～4歳に**第1反抗期** (period of primary resistance) を迎える．
6) 8・9歳から11・13歳の間は，仲の良い数人で団結を誓い秘密の隠れ家を作るなど，同年齢の子供の関係を重視して集団で遊ぶ時代であり，**ギャング・エイジ** (gang age) と呼ばれる．友久久雄編著『学校カウンセリング入門』ミネルヴァ書房，1999年，60頁．
7) 多感な時期である思春期 (puberty, the springtime of life)・**敏感期** (sensitive period) や**第2反抗期** (period of secondary resistance) が含まれる．
8) 成人に期待される役割，**成人役割** (adult role)．
9) 小沢周三編『教育学キーワード』有斐閣双書，1998年，28-29頁．
10) アイデンティティー（確立した自我像）の中には**ジェンダーの自我同一性**(gender identity) がある．これは各個人 (individual) が，男性であること (maleness) や女性であること (femaleness) のどちらに自分を位置付けるかという内的意識である．
11) ロール（役割）の中にはジェンダーの役割 (gender role) がある．これは男性は支配的 (dominant)，女性は従属的 (submissive) 等と，社会・文化的影響力 (socio-cultural forces) が決定付ける，社会から期待される役割 (**役割期待**，role expectation) のことである．
12) 新井郁夫『教育社会学——人間の発達と教育』放送大学教育振興会，1992年，17頁．
13) 宮本倫好『変貌するメディア英語』三修社，1999年，76頁．
14) 同上，79頁．
15) 戦後のベビーブーマーは my home 世代，ポスト・オイルショックの世代は my room 世代と称される．
16) 個性とは自由であり，自分たちがしたいことは何でもできることだと，わがままを個性と間違えている (mistake individuality for selfishness) 人が多い．本来，個性とは自分の行動に責任を取ること (Individuality means taking responsibility for what we do.) なしには成立しないものであり，単なる私的自由の尊重 (privatism) は利己主義 (egoism) にすぎないのである．
17) 自己に対する概念とは，客体としての自己を認知し，その自己を客体としての他人の中でどのようにとらえ評価しているか，という意味．
18) 従来は管理-被管理・指導-被指導という高圧的に対立的な構図でとらえられてきたが，指示・命令から支援・後押し，コミュニケーションのある相互作用へと，今後関係を修復していかなければならない．江川玟成・他編『最新教育キーワード137（第8版）』時事通信

Lesson 23 遺伝と環境

社, 1999年, 202頁.
19) 支配 - 従属・競争 - 協力・攻撃 - 援助など様々な関係がある.
20) 積極的・肯定的・陽性な positive と消極的・否定的・陰性的な negative の感情に分かれる. Mehrabian A. & Ksionzky S., Models for affiliative and conformity behavior. Psychological Bulletin, Vol.74, 1970, pp.110-126. Mehrabian A. & Ksionzky S,. A theory of affiliation. MA, 1974, Lexington.
21) Freud, S. 1952. The ego and the id. In R. M. Hutchens (Ed.) *Great books of the Western world* (vol.54, pp.697-717), Encyclopaedia Britannica.
22) 岸本弘・柴田義松編著『教育心理学』学文社, 1988年, 109頁.
23) 井田正則「生涯学習活動参加者の心理的特徴」,『立正大学紀要教育学研究』第9号, 立正大学教育学研究室, 2000年, 35-42頁.
24) 同上, 35-42頁.
25) **優性遺伝**は dominant heredity, **劣性遺伝**は recessive inheritance という.
26) 外的経験(external experience)からではなく, 先天的配慮(consideration of the innate idea) により得られる.
27) フェノタイプは遺伝的 (genetic) と環境的 (environmental) 要素を混ぜ合わせることによりつくられたもので, 体つきや運動神経の発達度といった個人の目に見えて観察でき得る特徴 (an individual's observable characteristics) のこと. 例えば, ある者が筋肉質(muscular)なのは先天的に受け継いだ要素, 子どもの時の栄養状態(childhood nutrition) や重量挙げ (weight training, weight lifting) などの訓練の成果による.
28) ゲノタイプとは個人が両親から譲り受けた遺伝子の構成様式のこと.
29) **養子研究** (adopted-child study) も双生児法の一つであり, 出生後全く違った環境で育てられた双子の相違性を研究する.
30) Shaver, K. & Tarpy, R. *Psychology,* Macmillan, 1993, p.415.
31) 新井郁夫『教育社会学——人間の発達と教育』放送大学教育振興会, 1992年, 18-21頁.
32) 今のところ, 遺伝と環境 (heredity and environment) の相互作用を認める説が有力である.
33) Shaver Kelly & Tarpy Roger, *Psychology,* New York: Macmillan, 1993, p. 36.

Chapter 8　障害を乗り越える教育
education to overcome handicap

Lesson 24　障害 vs. 身体的不全
handicapped vs. disabled

* キーワード *

"挑戦を受けている"　challenged
"不便を強いられている"　inconvenienced
境界線に位置する　borderline class
軽度　mild
中度　moderate
重度　severe
最重度の障害を有する　severely and multiply, profoundly handicapped
養護学校　special school for the mentally and physically handicapped
養護学校の先生　nurse teacher, school nurse
特殊教育諸学校　special education school
障害者権利宣言　declaration on the rights of disabled person
(健常者と障害者を) 隔絶する教育　segregated education
統合教育　integrated education, normalization
本流化　mainstreaming
包括的教育　inclusive education
部分的統合　partial integration
漸増的統合　incremental integration
相棒(友達)方式　buddy system
生活の質　quality of life, QOL

日本では障害者の数が欧米諸国に比べ著しく少ないとは考えにくいことであ

るが，障害者の活躍が著しく少ないことは事実である．街の中にも障害者と彼らを暖かく支える健常者との自然な交流が日常風景として存在しているとは言い難い[1]．障害者はみっともない者，あるいは普通ではない（異常な）者と周囲も本人も認めてきた部分があり「彼らは家の中でできる仕事にでも従事すればよい」として長い間封じ込めてきた．そんな社会の構造とその社会の住人が堅持してきた偏見に対する反省の声が近年漏れ出している．

通常障害者という呼び方は健常者に対値させる形で使われているが，より正確には<u>身体的</u>(physically)・<u>精神的</u>(mentally)に<u>機能が不全である</u>(disabled, impaired) ために社会的に<u>不利な</u> (handicapped) 状況に陥る者のことである[2]．障害者を語弊による差別から取り除くために「**挑戦を受けている**」(challenged)[3]と言ったり「**不便を強いられている**」(inconvenienced) と表現する試みがなされている[4]．

また障害の程度は正常な者とそれ以下の者の**境界線に位置する** (borderline class) 者 (IQ の基準では75-85の値を有する者) から<u>軽度</u> (mild)・**中度** (moderate)・**重度** (severe)・<u>最重度の障害を有する</u> (severely and multiply, profoundly handicapped) 者まで分けられている[5]．ただし障害者の中には例えば<u>目が見えない</u>(blind)とその失われた視覚を補うために<u>聴力</u>(hearing ability) など<u>他方面の能力が発達しそちらで才能を発揮する</u> (otherly abled, differently abled, differently gifted) 者もいる．

障害児の教育は歴史的には異常児教育・欠陥児教育などと呼ばれていた経緯があり**養護学校** (special school for the mentally and physically handicapped)[6]に押し付けられてきた．近年，**障害者権利宣言** (declaration on the rights of disabled person) が一つの触発的契機となり健常者と障害者を**隔絶する教育**(segregated education)から障害者も組み入れ**統合教育**(integrated education, normalization)[7]へしだいに方向転換してゆくことが望まれる[8]．

また社会では，障害を持った人にも自分ができることに精一杯取り組めるような環境を供給していかなければならない．最高の生活水準を追い求める健常者と最低の水準に甘んじる障害者の溝を是正するために，多くの課題が残されている[9]．

＊＊ 関連ワード ＊＊
<u>就学措置</u> (placement)

Chapter 8 障害を乗り越える教育

大ダンピング(main dumping)：受け入れる側に準備も意欲もないため普通学校(ordinary school, mainstream school)に放置される障害児や学習困難児．dumpingは(ゴミや荷物などを)捨てる・放置するという意味．

特別扱い（specialism）

自己支援（self-help）

正常であること（normality）：正常でないのは abnormality．

周辺的統合（peripheral integration）

立法手続(legislative procedure)：legislative は法律を立案する際のという意味．

障害者が見下されている（patronized）

かみ砕いた指示（grain size of instruction）[10]

Lesson 25 身体障害
physically handicapped, physical disability

* キーワード *

視覚障害　visual handicap, visual disturbance, visual impairment

聴覚障害　hearing impairment, auditory disorder, acoustic disturbance

言語障害　speech and language disorder, communication disorder

知能(脳)障害　brain damage, mentally handicapped

知覚障害　perceptual disorder

感覚障害　sensory impairment

運動機能障害　motor, motion impairment

虚弱・病弱児　health impaired children, delicate children, children with weak constitution

視覚障害者　legally blind

聴覚障害者　hearing impaired, deaf

言語障害者　person with a speech impediment, speech and language impairment

脳障害者　brain damaged

肢体不自由児　physically handicapped, crippled

Lesson 25 身体障害

聾唖学校　school for the deaf and dumb, mute
盲聾学校　school for the deaf and blind, deaf-blind
盲学校　school for the blind
点字　braille
点字触読能力　efficiency of braille reading
弱視　partially sighted, weak sighted
色弱　anomalopia, color weakness
色盲　incomplete color blindness, color blindness, achromatopsia
難聴　hard of hearing
聾学校　school for the deaf
手話　chirology, manual method
筆談　conversation by means of writing
読唇　lip reading
バリアフリー　barrier free
ユニバーサル・デザイン　universal design
建築上の障害　architectural barriers
障害者の可動性　mobility of the handicapped
利用しやすさ　accessibility, usability
建築基準　architectural, constructional standards
人造環境　the man-made environment
住居付きケア　domiciliary care

<u>身体障害</u>(physical disability)には，**視覚障害**(visual handicap, visual disturbance, visual impairment)・**聴覚障害** (hearing impairment, auditory disorder, acoustic disturbance)・**言語障害**(speech and language disorder, communication disorder)・**知能(脳)障害** (brain damage, mentally handicapped)・**知覚障害** (perceptual disorder)・**感覚障害** (sensory impairment)・**健康障害**(**虚弱児**や**病弱児**, health impaired children, delicate children, children with weak constitution)・**運動機能障害** (motor, motion impairment) などがある[11]。

視覚障害を持つ者のためには**盲学校** (school for the blind) がある[12]。実際日常生活に全くと言ってもよいほど支障のない程度の**弱視**(partially sighted, weak sighted)や**色弱**(anomalopia, color weakness)[13]であるにもかかわ

117

Chapter 8 障害を乗り越える教育

らず，色が全然わからないと思い込んでいる人々による偏見が重なり，誤解を招いてしまう場合がある[14]．

難聴 (hard of hearing) など聴覚障害のある者 (person with impaired hearing) は聾学校 (school for the deaf)[15]で手話 (chirology, manual method)・筆談 (conversation by means of writing)・読唇 (lip reading) などを学ぶ．

日本では，身体的障害を持つ者のためというよりは，高齢社会が抱える問題[16]に取り組む必要性が先に立って，自宅・公共施設・観光地などをバリアフリー (barrier free) にし，全ての人が共用できることを目指すユニバーサル・デザイン (universal design) へと建て直しが考慮されるようになってきた．

建築上の障害 (architectural barriers) を乗り越えるためには，昇降機 (hoist) や動く歩道 (moving sidewalks) など，障害者の可動性 (mobility of the handicapped) や利用しやすさ (accessibility, usability) に気を配り，かつ建築基準 (architectural, constructional standards) をも満たす住居設備 (living arrangement)・人造環境 (the man-made environment) づくりが着手されている．また今後，支援グループ (self-help group) の積極的参加により住居付きケア (domiciliary care) や健常者と障害者の統合的環境 (integrated setting) へ向けての動きも充実化・活発化するであろう[17]．

いずれにしても肝心なことは，物理的街空間・建物・移動システムなど，設備にかかわるHard面，心理・態度・意識などのSoft面，行政活動・法制度・サービス体系の半Soft面，の3方面[18]から障害者の社会への統合が図られるべきである．その際，健常者は障害者に対し"かわいそう"とか"気の毒"という同情 (sympathy) や中途半端の優しさではなく，彼（女）たちと同じレベルで共感できる (empathy) 能力を持つことである[19]．すべての人間が持っている能力を最大限に発揮できるという意味で，平等（公平）な社会づくりはまず私たち一人ひとりが持っている価値観を変換することから始まる[20]．

＊＊ 関連ワード ＊＊

学習障害 (learning disabilities)：知的障害ではないが，聞く・話す・読む・計算するといった特定の能力が著しく劣っていること．中枢神経系に機能障害があるためと推定される．同じLDであるが学習困難は learning difficulty．

注意欠陥多動性障害 (attention deficit hyperactivity disorder, ADHD)：

気が散る・忘れ物が多いなどの<u>注意散漫</u>（distraction）や，絶えず体を動かす<u>多動性</u>（hyperactivity）[21]が特徴．刺激伝達部室（ドーパミン系）の働きの異常が原因と考えられている[22]．

<u>失読症</u>(alexia)：後天的脳病変によって，字が読めない理解できないこと．<u>難読症</u>は dyslexia．

<u>失語症</u>（aphasia）

<u>吃音</u>（stuttering, stammering）

<u>耐性虚弱</u>(tolerance deficiency)：自己制御能力の不足．忍耐力や粘り強さに欠ける．

<u>無気力症候群</u>（apathetic student syndrome, apathy syndrome）

<u>無気力</u>（apathy）・<u>無関心</u>（lack of interest）

<u>中度学習困難児</u>(pupils with moderate learning difficulties)

<u>訓練可能な精神遅滞</u>(trainable mentally retarded)

<u>てんかん</u>（epilepsy）

<u>麻痺</u>（paralysis）：<u>小児麻痺</u>は, polio, poliomyelitis.

<u>ダウン症候群</u>（Down's syndrome）

<u>盲導犬</u>（guide dog, eye mates）：国内8カ所の訓練施設があり年間に約100匹の盲導犬が卒業する．近年では盲導犬に対する理解が進み，"盲導犬同伴可"のステッカーを張る店舗が増えている[23]．

<u>障害を持つアメリカ人（のための）法</u>（Americans with Disabilities Act of 1990）：公共施設を障害者が問題なく利用できるように改善することを義務付ける障害者の権利基本法．

Lesson 26 精神障害
mentally handicapped, mental disorder

* キーワード *

精神・情緒障害　emotional disturbance
心の病気　mental disorder
不安神経症　anxiety disorder
人格障害　personality disorder

Chapter 8 障害を乗り越える教育

精神分裂症　schizophrenia
分裂人格　split personality
二重人格　dual personality
多重人格　multiple personality
幻覚　illusion, hallucination
被害妄想　delusion of injury
白昼夢　day-dreaming
自閉症　autism
小児性自閉症　infantile autism
異食　pica, perverted appetite
引きこもり　social isolation or withdrawal
ノイローゼ　neurosis, get neurotic
ムード障害　mood disorder
躁鬱病　bipolar disorder, manic-depressed psychosis
鬱病　melancholia, major depression
自殺を企てる　attempt to commit suicide
手首を切る　slit one's wrists
睡眠薬を過分に服用する　take overdoses of sleeping pills
銃殺　shoot oneself
飛び降り　jump off buildings
高所恐怖症　acrophobia
閉所恐怖症　claustrophobia
広所(空間)恐怖症　agoraphobia
パニック障害　panic disorder
震え　shaking
発汗　sweating
腹部の不快感　abdominal distress
動悸　palpitations
心的外傷後ストレス障害　posttraumatic stress disorder, PTSD
動揺　disturbance
不眠症　insomnia, sleeping disorder
睡眠発作　narcolepy
強迫観念　obsessive-compulsive idea

Lesson 26 精神障害

強迫神経症　obsessive-compulsive disorder
不潔恐怖症　mysophobia
対人恐怖症　anthropophobia
非社会性人格障害　antisocial personality disorder
解離性同一性障害　dissociative identity disorder
多重人格性障害　multiple personality disorder
発達障害　developmental disorder
精神薄弱　mental retardation
身体型障害　somatoform disorder
心気症　hypochondria
性的障害　sexual disorder
性的異常　sexual abnormality
性的昂進　hyper-sexuality
性的減退　hypo-sexuality
拝物愛　fetishis
老人(性)愛　gerontophilia
近親(性)愛　incest
獣姦　bestiosexuality, buggery
死体(性)愛　necrophilia
自体愛　autoerotism
服装倒錯　transvestitism
性的倒錯　sexual perversion
小児(性)愛　pedophilia
加虐性愛　sadism
被虐性愛　mazohism
露出症　exhibitionism
のぞき　peeping

　精神障害に属するか属さないかの境界線は真に引きにくい．海外の心理学者の中には日本人の総人口の1/3は軽度の狭心症[24]に侵されているとみる者もいる．この課では，私たちにとって比較的身近な**精神・情緒障害**(emotional disturbance)を，①**心の病気**(mental disorder)，②**不安神経症**(anxiety disorder)，③**人格障害**(personality disorder)，④<u>その他</u>(others)に分類

121

Chapter 8 障害を乗り越える教育

して解説する[25].

① 心の病気（mental disorder）
- **精神分裂症**（schizophrenia）：スキゾフリニアとはギリシア語（the Greek words）で"分裂する"（"to split"）と"心"（"mind"）という意を合わせたもの．ただし，精神分裂症で"分裂する"のは人格ではなく思考(感情)と行動の間の接続（the connection between thought and action）であり分裂人格（split personality）や多重人格（multiple personality）としばしば混同されがちのため，注意が必要である[26]．主な症状（symptoms）としては，幻覚（illusion, hallucination）・被害妄想（delusion of injury）・白昼夢（day-dreaming）・自閉症（autism）[27]・社会からの引きこもり（social isolation or withdrawal）などが見られる．
- **ムード障害**（mood disorder）：躁（mania）と憂鬱（depression）[28]という相対する極間を交互する躁鬱病（bipolar disorder, manic-depressed psychosis）や鬱病（melancholia, major depression）があり患者は自殺を企てる（attempt to commit suicide）傾向にある[29]．

② 不安神経症（anxiety disorder, anxiety neurosis）
- **恐怖症**（simple phobia）：高所恐怖症（acrophobia）や閉所恐怖症（claustrophobia）など不安の対象が非生物（inanimate）である場合と，生物的（animate）である場合がある．非生物的対象の例としては，高さ（height）・エレベーター（elevator）・閉ざされた空間（enclosed places），生物的対象としては，爬虫類（reptile）・昆虫類（insect）・ペット（pet）などがあげられる．これらに対する恐怖症を持つ患者の多くは専門医による治療を受けず自らを対象から隔離することによって対処している．
- **広所(空間)恐怖症**（agoraphobia）：アゴラホビアとは，オープン・スペース（open space）に対する恐怖という意味であるが，実際の症状としては，家から外へ出ることへの恐怖．患者は専門医による治療を必要とする．
- **パニック障害**（panic disorder）：状況に関係なく激しい恐怖や不安を感じること．一般的な症状としては，震え（shaking）・発汗（sweating）・腹部の不快感（abdominal distress）・動悸（palpitations）など．
- **心的外傷後ストレス障害**（posttraumatic stress disorder, PTSD）：心的外傷（psychic trauma）や外傷経験（traumatic experience）[30]の侵襲的な再体験（フラッシュバック，flashback）により，不安（anxiety）・動揺

(disturbance)・不眠症 (insomnia, sleeping disorder)[31]などを引き起こす[32].
● 強迫神経症 (obsessive‑compulsive disorder)：不潔恐怖症 (mysophobia)・対人恐怖症 (anthropophobia) などの恐怖症．強迫行動 (compulsion)・強迫観念 (obsessive-compulsive idea) とは，自分ではどうすることもできずそうせざるを得ない気持ちであり不安に駆られて何度も繰り返し行う (repeat again and again)．例えば，ドアや窓に鍵をかけたかを何度となくチェックしたり食事の前に手を50回も洗ったりする (wash one's hands 50 times before meals).

③ 人格障害 (personality disorder)
● 非社会性人格障害 (antisocial personality disorder)：antisocial はこの場合，反社会的ではなく非社会的・社交嫌いの意味．他の人との関係をうまく構築することができない[33].
● 解離性同一性障害 (dissociative identity disorder)：多重人格 (multiple personality)・二重人格 (dual personality) など．

④ その他 (others)
● 発達障害 (developmental disorder)：小児期に正常な発達が損なわれた状態．
● 身体型障害 (somatoform disorder)：心気症 (hypochondria) など．soma はギリシャ語で body の意味．
● 精神薄弱 (mental retardation)：精神薄弱児は mentally retarded child, feeble-minded child.
● 性的障害 (sexual disorder)：性的異常 (sexual abnormality) は質的異常と量的異常に分けられる．質的異常には性対象の異常[34]・性目的の異常[35]があり量的異常には性的昂進 (hyper-sexuality)・性的減退 (hypo-sexuality) がある．

Chapter 8 障害を乗り越える教育

ミニ知識：精神疾患の診断・統計手引き
(diagnostic and statistical manual of mental disorders)

アメリカ心理学会（American Psychiatric Association, APA）は，心理・社会的衝撃やストレスが，個人にとって精神障害発症の引き金になる場合があるとの見解から，それらの度合いを（地震の震度や火傷の症状を示すように）6段階に分類している[36]．

level of psychosocial stressors （心理・社会的ストレス・レベル）	examples （例）
1. 衝撃・ストレスなし（none）	
2. 軽度（mild）	恋人との別れ（broke up with boyfriend or girlfriend）
3. 過度に至らない（moderate）	別居（separation）・失業（laid off, unemployment）・流産（miscarriage, abortion）
4. 深刻（severe）	離婚（divorce）・第1子の出産（birth of first child）
5. 極度に深刻（extreme）	配偶者の死（death of spouse）・レイプの犠牲（victim of rape）・深刻な病気と診断される（diagnosed as serious illness）
6. 絶望的（catastrophic）	子どもの死（death of child）・配偶者の自殺（suicide of spouse）・破壊的天災（devastating natural disaster）

** 関連ワード **

精神障害児・者（mentally handicapped）

情緒障害児（children with emotional problems, emotionally disturbed child）

心身障害児（physically and mentally handicapped child）

心因性障害（psychogenic disturbance）：心因反応（psychogenic reaction）とほぼ同意．

心身症（psychosomatic disorder, psychosomatic illness）[37]

情緒不安定（emotional instability）

不安定（unstable）：安定感は stability．

葛藤（conflict）：2つ以上の互いに対立する欲求（ambivalent desire）が同時に生じどちらを選ぶべきか決定できない緊張状態．

神経衰弱（nervous breakdown）

神経質（nervousness）

異常心理学 (abnormal psychology)
スキゾ・キッズ (schizo kids)
痴漢 (sex pervert)
自己愛 (narcissism)
自己顕示欲 (self-display)
狂気 (insanity)
ヒステリー (hysteria)

Lesson 27 精神病治療法
therapy and remedy

* キーワード *

不治永患者　the incurable
社会復帰　rehabilitation
肉体的治療法　somatic therapy
心理的・行動的治療法　psychological and behavioral therapy
薬物治療　pharmaceutical treatment
鎮静剤・安定剤　tranquilizers
抗精神病薬　antipsychotics, neuroleptics, neuroleptic drugs
抗鬱病薬　antidepressants
プロザック　Prozac
体の硬直　stiffness
パーキンソン病　Parkinson's disease
震え　tremors
機嫌を良くする　produce an elevated mood
口の渇き　dryness in the mouth
便秘　constipation
めまい　dizziness
動悸　palpitations
視界がぼやける　blurred vision
電気けいれん療法　electroconvulsive therapy

Chapter 8 障害を乗り越える教育

トラウマ的出来事　traumatic events
主張訓練法　assertive training
自己開示　self-disclosure
遊戯療法　play therapy
睡眠　hypnosis
催眠治療　hypnotherapy

　先天・後天[38]を問わず精神障害を持つ者の中には**不治永患者**(the incurable)として絶望視されている者もいるが**社会復帰**(rehabilitation)[39]を目指す者もいて彼(女)らにとって専門医による治療は頼みの綱である。**精神症医学者**(psychiatrists)・**心理学者**(psychologists)による精神病治療は**肉体的治療法**(somatic therapy)と**心理的・行動的治療法**(psychological and behavioral therapy)の2派に大きく分けられる。以下，主だったものを紹介する。

　まず肉体的治療法の代表とも言える**薬物治療**(pharmaceutical treatment)では精神異常は体の異常から引き起こされるという前提に立ち，その体の異常な部分を薬の投与で取り除き正常化させる。精神状態を調整できる薬(psychoactive drugs)として投与されるものは，主に**鎮静剤・安定剤**(tranquilizers)・**抗精神病薬**(antipsychotics, neuroleptics, neuroleptic drugs)・**抗鬱病薬**(antidepressants)[40]の3種である。

　鎮静剤・安定剤(tranquilizers)は心配性のための薬(antianxiety drugs)ストレスを減少させるための薬であり，精神病の副次的な治療として服用される[41]。抗精神病薬(antipsychotics, neuroleptics, neuroleptic drugs)は精神分裂症患者の症状としてみられる幻覚(hallucination)を抑える効果があるが副作用として**体が硬直したり**(stiffness) **パーキンソン病**(Parkinson's disease)にみられる症状の震え(tremors)などを起こす危険性がある。抗鬱病薬(antidepressants)は混乱(confusion)や幻覚を和らげる効果はないが**機嫌を良くする**(produce an elevated mood)効き目がある。副作用として，**口の渇き**(dryness in the mouth)・**便秘**(constipation)・**めまい**(dizziness)・**動悸**(palpitations)・**視界がぼやける**(blurred vision)などの症状が起こり得る[42]。また，脳に電撃を与える**電気けいれん療法**(electroconvulsive therapy)は鬱症(depression)に効果がある肉体的治療法の一つであるが，この治療を認めるか否かの賛否をめぐり議論が高まっている[43]。

　一方心理的・行動的治療法は患者が体験した**トラウマ的出来事**(traumatic

events)やストレスが精神的異常の引き金となると考え患者が将来その経験を対処できるようになるための指導に力を注ぐ療法である[44]．自己主張・不満・拒否・怒りなどを表現する訓練を通じ対人関係から生ずるストレスを克服できるように訓練する**主張訓練法**（assertive training）や言語表現が十分できない子どものためには遊びの中で**自己開示**(self-disclosure)させる**遊戯療法**(play therapy) そして**睡眠** (hypnosis)・暗示によりコンプレックスなどを表出させる**催眠治療**（hypnotherapy）が用いられる．

　ミニ知識：失敗学 (study of failure)
　良く言えば石橋を叩いて渡る慎重派の日本人であるが，もっとあるがままをずっこけながら肩の力を抜いて生きる方がより人生は感慨深いのではないだろうか．無駄のない（失敗のない）人生を送ったと思っている人こそ一生を無駄に過ごした人かもしれない．
　人は，失敗という無駄を積み重ねて少しずつ大きく深い人間に成長していくことができるものなのに，間違いをしないように逃げて通ったまま大人になってしまう人が多い．医療・警察・企業・教育の現場での隠蔽・もみ消し・過小報告等々は，まさに失敗を恐れるくせに成功だけはしたいと思う者たちのなせる業である．
　失敗を無駄にしない（失敗を有効に生かす）ために，失敗を許す強さ（隠すのは弱さである）を育む必要がある．2000年科学技術庁長官の私的諮問機関である，21世紀の科学技術に関する懇談会は"失敗学"（study of failure）の構築を提案した[45]．

＊＊ 関連ワード ＊＊
（薬を）処方する（prescribe）
（薬を）乱用する（abuse）
作業療法（occupational therapy）
家族療法（family therapy, parents counseling）
絵画・非言語療法（art therapy）
言語治療（speech and language therapy）
ゲシュタルト療法（Gestalt therapy）
系統的脱感作法（systematic desensitization）：漸進的弛緩法や自律訓練法により，心身の弛緩状態をつくり出す訓練．
精神分析（psycho analysis）：フロイド（S. Freud）が不安神経症（心配症 anxiety disorder）の患者の夢から患者の深層心理を解釈し指針を示す治療法として始まった．

Chapter 8 障害を乗り越える教育

1) 「(経済的)強者を美化する」という日本社会の土壌が, 社会的栄進(出世)を遂げられずに経済的弱者になりがちな障害者への態度につながっている.
2) 厳密には, impairment は機能の形態異常・欠損, disability は impairment がもたらす結果, すなわち能力障害を意味する. 例えば聴覚喪失 (impairment) するとその結果として, 言語がうまく話せなくなる (disability). アン・ルイス著, 西田有紀訳『障害のある子とない子の交流教育』明石書店, 1999年, 26頁.
3) 例えば脳障害を持つ者に対しては」「脳の面で挑戦を受けている」として cerebrally challenged と表現する.
4) 宮本倫好『変貌するメディア英語』三修社, 1999年, 151頁.
5) 最重度の者は通常, IQ の値が35以下.
6) 養護学校の先生は nurse teacher, school nurse. 特殊教育諸学校は special education school.
7) 本流化 (mainstreaming)・包括的教育 (inclusive education) は75年ころから米国で盛んになった. exclusion (排除・除外) の反意として inclusion (包含・算入) が用いられている.
8) 相棒(友達)方式(buddy system)を取り入れ, 共働(collaboration)・共同活動(cooperative working)を行ったり, 部分的統合(partial integration)や漸増的統合(incremental integration) ができる. また, 特別学校の生徒が普通学校に通う (link) という形態も可能である.
9) 例えば医師が癌患者に告知するのは, 患者の持つ余生の QOL (quality of life, 生活の質) を守るためである. 障害者は最低限の生活保障をされるだけでなく, 満足感・安定感・幸福感などを満たす, より良い生活を求めることができる.
10) 前掲書2), 128頁.
11) 障害を持つ者はそれぞれ, 視覚障害者(legally blind)・聴覚障害者(hearing impaired, deaf)・言語障害者 (person with a speech impediment, speech and language impairment)・脳障害者 (brain damaged)・肢体不自由児 (physically handicapped, crippled) といわれる.
12) 彼らにとって点字 (braille) の習得は欠かせない. 点字の本は books in braille (for blind people). 点字触読能力は efficiency of braille reading.
13) 色盲 (incomplete color blindness, color blindness, achromatopsia) は色弱より色覚が弱い.
14) それら"つくられた差別"を受け, 就職ができない視覚障害者もいる.「佐賀新聞」1999年12月6日.
15) 聾唖学校は school for the deaf and dumb (mute). 盲聾学校は school for the deaf and blind (deaf-blind).
16) 老齢により機能低下すると, 関節炎・片麻痺などの症状 (symptom) が現れる. 神経系の疾病としては筋ジストロフィ (muscular dystrophy)・パーキンソン症候(Parkinson's disease)・脳性麻痺 (cerebral palsy) などの症状が出てくる.

Lesson 27 精神病治療法

17) 日比野正巳編著『バリアフリー百科』TBSブリタニカ，1999年，55頁．
18) 児玉勇二『障害を持つ子供たち』明石書店，1999年，182頁．
19) 人間的尊厳 (human dignity) は障害者も非障害者同様に持っている．
20) 前掲17)，56頁．
21) 異常に活発なのは hyperactive.
22) 「山陽新聞」(朝刊)，2000年9月5日．
23) 前掲17)，10頁．
24) 学歴にこだわったり，将来設計がしっかりし過ぎていることなどによるノイローゼ(neurosis, get neurotic) 状態．
25) disorderは変調の意味．Bootzin, R.R. & Acocella, J.R. *Abnormal psychology: Current perspectives* (4*th ed.*). Random House, 1984.
26) 精神分裂症患者は習慣的に嘘をつき，自分を正当化する術に長けている．本人には自覚がない場合が多い．K. Shaver, R. Tarpy, *Psychology,* Macmillan, 1993, p.650.
27) 小児性自閉症 (infantile autism) には，3歳以上で土・石・ガラス玉・髪の毛・布などを食べる，異食 (pica, perverted appetite) の症状がみられる (3歳以下なら発達過程と考えられる)．
28) 躁状態を manic state, 鬱状態を depressive state という．
29) 自殺を企てる者の数は女性が男性に比べ3倍であるが，実際には女性の3倍の数の男性が自殺を遂行している．これは男性と女性の自殺法に，違いがあることによる．女性は"比較的直ちに致命的でない" (less immediately lethal) 手段，例えば手首を切る (slit one's wrists)・睡眠薬を過分に服用する (take overdoses of sleeping pills) を選ぶのに対し，男性は"より即効的効果のある" (more immediately effective) 手段，例えば自らを銃殺 (shoot oneself)・飛び降り (jump off buildings) を選ぶ．Rosenham D.L. & Seligman M.E.P. *Abnormal Psychology* (*2nd ed.*) Norton, 1989.
30) 戦時中の経験 (wartime experiences) など，心の傷 (psychological scar) となったり精神的ダメージを与えた経験．
31) 不眠症の逆は睡眠発作 (narcolepsy) で，突然眠気に襲われ眠ってしまうこと．約15分ほど続く．
32) Walker, J.I., & Cavenar, J.O. Vietnam veterans: Their problems continue. *Journal of Nervous and mental disease,* vol.170, 1982. p.174-180.
33) 前掲書25) p.663.
34) 拝物愛 (fetishism, 男性に多い)・老人(性)愛 (gerontophilia)・小児(性)愛 (pedophilia)・近親(性)愛 (incest)・獣姦 (bestiosexuality, buggery)・死体(性)愛 (necrophilia)・自体愛 (autoerotism)・服装倒錯 (transvestitism)・性的倒錯 (sexual perversion) など．
35) 加虐性愛(サディズム, sadism)・被虐性愛(マゾヒズム, mazohism)・露出症 (exhibitionism)・のぞき (peeping) などがあげられる．
36) アメリカ心理学会(American Psychiatric Association, APA)『精神疾患の診断・統計手引き(第3版)』(*Diagnostic and statstical manual of mental disorders,* 3rd. *rev. ed.*). Washington D.C., Author, 1989.

Chapter 8 障害を乗り越える教育

37) 生理的な理由 (physiological cause) がなく身体的作用を引き起こす病気のこと。例えば静かに腰かけているのに，心臓の脈拍数に異常をきたすなど。
38) 先天的な (congenital, hereditary)．後天的な (adventitious, acquired)．
39) 1942年，全米リハビリテーション評議会ではリハビリテーションを「障害を受けた者が自らのなし得る最大の身体的・精神的・社会的・職業的・経済的な能力を有するまでに回復すること」と定義している。
40) 代表的なものは**プロザック** (Prozac)．通常，抗躁鬱病 (antibipolar disorder) のためにも antidepressant を使う。
41) 鎮静剤は精神病治療 (psychiatry) として最も使われている薬でもあり，アメリカでは成人人口の半数が一生に1度は口にする薬ともいわれている。前掲書24)．
42) 過度の薬の服用が致命的になるため (Overdose can be fatal.) 投薬量 (dosage) には細心の注意を払う必要がある。Davison G.C., & Neale J.M. *Abnormal psychology*: An experimental clinical approach (4th ed.) New York, Wiley, 1986.
43) アメリカでは各州ごとに定められる法律，州法 (state laws) により，この治療法を禁止している州もある。
44) 前掲書25)，p.690.
45) 失敗学の始まりは20年ほど前，建築・工学分野において"成功よりも失敗からより多くを学ぶ" (We learn more from failure than from success.) と主張した，ハーバード大学のキットジンガー (Uwe Kitzinger) 教授によるものと考えられる。失敗は成功のもと，は英語で Failure teaches success.

Chapter 9 教育の病理現象
educational pathology

Lesson 28 家庭が抱える問題　problems at home

* キーワード *

飽食の時代　era of gluttony
先進国病　advanced nations' disease
母子・父子関係　mother-child, father-child relation
出生率　birth rate
甘やかされた子　spoiled, indulged, spoon fed child
甘やかす親　overindulgent parent, doting parent
一人っ子　only child
共稼ぎの夫婦　two-pay check married couples, double-income family
かぎっ子　a latchkey child
拡大家族　extended family
核家族　nuclear family
単身赴任　business bachelor
離れ離れになった家庭　separated family
一人親家庭　one-parent family
単親家族・世帯　single head family, single-parent households
父子家庭　single father family
母子家庭　mother-child home, single mother family
未婚の母　unwed or unmarried mother
家庭崩壊　family distraction, collapse of the family
専業主婦　professional housemaker, executive housewife
教育ママ　education mama, education obsessed mother, mother overly

concerned with education, mother too enthusiastic about her child's education
家父長制　patriarchy
亭主関白　male chauvinist, over bearing husband
起業家養成塾　private school for nurturing entrepreneur

　戦後目覚しい発展を遂げた日本は，今では先進国の中でも筆頭と目される豊かな国になり，国民が飲食費に回す実質支出(<u>エンゲル係数</u>，Engel's coefficient)が頭打ちになる**飽食の時代**(era of gluttony)を迎えている[1]．お腹いっぱい食べさせておけば親孝行の子どもが育ってくれた時代に比べ，**先進国病**(advanced nations' disease)[2]に侵食された現代では，家族・家庭[3]の形式が変貌し，育児がことのほか難しくなってきている．

　従来，親の担当であった育児は，習い事・塾へ通わせるという，金が主導する育児（金を支払って雇ったサービスが子どもを育てる）へと様変わりしている．**母子・父子関係**(mother-child, father-child relation)は希薄になり，子どもにとって父親は金の出どころであり，母親は身の回りの世話と栄養補給をしてくれるメイドであり，家族の中で子どもは無料でフルサービスを受けられるホテルの利用客的な存在になっている．この種のホテル家族[4]では子を見れば"勉強"を強制する親と，親を見れば"金"と"飯"を催促する子どもで，親子の会話の大部分が完結していそうである．

　従来の**拡大家族**(extended family)が**核家族**(nuclear family)化を遂げた過程で，父親の**単身赴任**(business bachelor)のために**離れ離れになった家庭**(separated family)も多い．晩婚化が進み，**出生率**(birth rate)が下がったことが手伝って，少産良育主義の旗印のもと，必要以上に**甘やかされた**(spoiled, indulged, spoon fed)**一人っ子**(only child)や[5]，女性の社会進出の影響で**共稼ぎの夫婦**(two-pay check married couples, double-income family)の間には，孤独を自由で紛らわす**かぎっ子**(a latchkey child)が増えている．

　また，離婚による**一人親家庭**(one-parent family)[6]や**母子家庭**(mother-child home, single mother family)[7]も増えている．シングル・マザーと英語や片仮名で聞いている限りでは自立した女性のイメージすら持ってしまう言葉であるが，**未婚の母**(unwed or unmarried mother)の実情は生易しいものではない．精神的・肉体的（仕事と家事の両立）・経済的問題を常に抱え，や

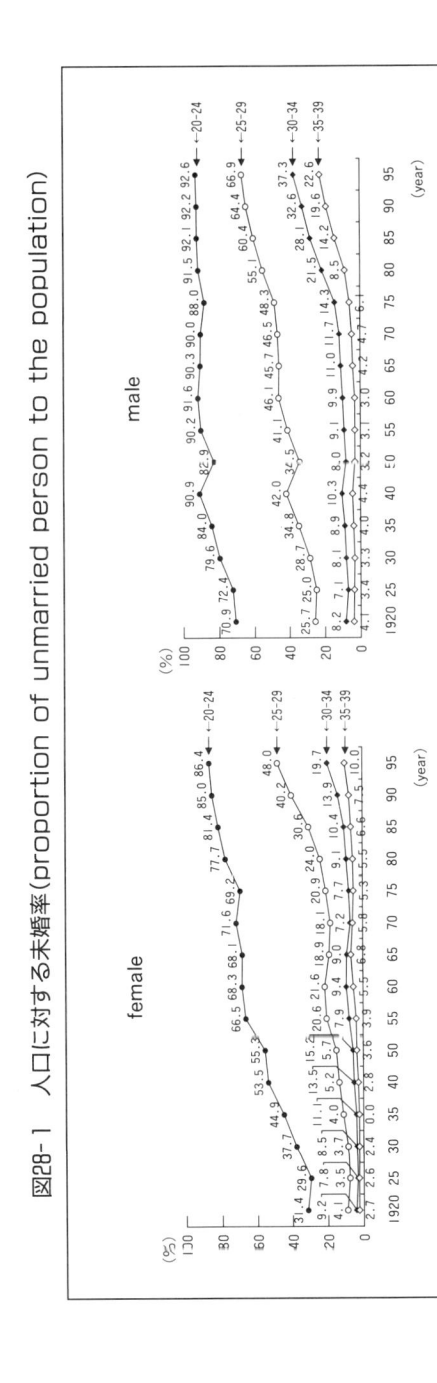

Lesson 28 家庭が抱える問題

図28-1 人口に対する未婚率 (proportion of unmarried person to the population)

(注) 1940〜65年は沖縄県を除く。
(資料) 総務庁『平成11年度青少年白書』2000年, p. 72.

Chapter 9 教育の病理現象

図28-2 母親の態度と子どもの特性(mothers' attitudes and characteristics of children)

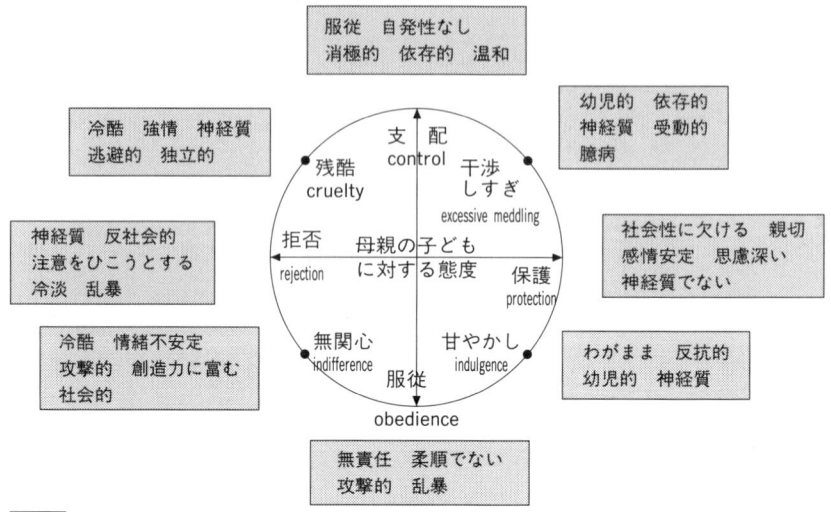

- 服従 自発性なし 消極的 依存的 温和
- 冷酷 強情 神経質 逃避的 独立的
- 幼児的 依存的 神経質 受動的 臆病
- 神経質 反社会的 注意をひこうとする 冷淡 乱暴
- 社会性に欠ける 親切 感情安定 思慮深い 神経質でない
- 冷酷 情緒不安定 攻撃的 創造力に富む 社会的
- わがまま 反抗的 幼児的 神経質
- 無責任 柔順でない 攻撃的 乱暴

円内:支配 control / 干渉しすぎ excessive meddling / 保護 protection / 甘やかし indulgence / 服従 obedience / 無関心 indifference / 拒否 rejection / 残酷 cruelty / 母親の子どもに対する態度

□ 母親の態度によって形成される子どもの特性

(資料) 阿部信太郎・他編『資料・現代社会1998』1998年.

図28-3 家族類型による世帯数の予測

(thousand, family)　　　　　　　　　　　　　　　　　　　　　　(year)

		1995	2000	2005	2010	2015	2020
核家族世帯	nuclear family	25,760	27,349	28,540	29,079	28,967	28,357
夫婦のみ	only husband and wife	7,619	8,920	9,932	10,541	10,753	10,694
夫婦と子	husband and wife with children	15,032	14,852	14,627	14,252	13,706	13,043
ひとり親と子	single parent and children	3,108	3,577	3,981	4,286	4,507	4,620
単独世帯	single	11,239	12,341	13,171	13,734	14,159	14,531
その他	others	6,901	6,718	6,516	6,329	6,147	5,966
合計	total	43,900	46,407	48,227	49,142	49,273	48,853

(注) その他とは主に3世代世帯・非親族世帯など.
(資料) 厚生省「日本の世帯数の将来(全国推計)」1998年. (財)矢野恒太郎記念会『日本国勢図会』2000年, p.50.

り場のないそれらのストレスは家庭の中の弱者である子どもに向けられてしまいがちである．家族（夫婦・親子）の絆(bond)を，いま一度締め直すことができるのか．学級崩壊(the chaotic classroom, classroom distraction)のコインの裏図柄には**家庭崩壊**(family distraction, collapse of the family)が描かれている．

Lesson 28 家庭が抱える問題

ミニ知識：教育パパ (father overly concerned with education)

産業の発展（所得水準の上昇）と少子化のおかげを被って，時間と活力を持て余した専業主婦 (professional housemaker, executive housewife) が家庭の主導権を握るようになった．一方，同じ家庭の中で発言力が低下し"家父長制" (patriarchy)・"亭主関白" (male chauvinist, over bearing husband) という特権を譲り渡した父親たちは，教育パパへと変身を余儀なくされている．

会社でリストラ (employment adjustment, restructure) の憂き目に遭遇している彼らが，子どもに自分の二の舞を踏ませないために，社会で役に立つ実力を身に付けさせようと，起業家養成塾 (private school for nurturing entrepreneur) へ送り迎えする，けなげな姿が見られるようになった．しかし，自分の叶えられなかった夢を子に託し他力本願に全力投球している姿勢は，悲しいほどに教育ママ (education mama, education obsessed mother, mother overly concerned with education, mother too enthusiastic about her child's education) と共通するものである[8]．

＊＊ 関連ワード ＊＊

親性 (parenthood)：母性 (motherhood) と父性 (fatherhood) がある．
愛着行動 (attached behavior)：幼児が親との交流 (infant-parent interaction)・親和 (affiliation) を求める．
母性剝奪 (maternal deprivation)
母子分離 (maternal separation)
母原病 (mother-pathogenic disease)：母の育児態度（過保護や神経質など）により，子が夜尿症・チック症・心因性便秘・習慣性腹痛などを起こす．
親代わり主義 (paternalism)：paternal は父として，の意味．
養護施設 (residential care facilities for children)
児童福祉施設 (child welfare facilities)
施設病 (hospitalism)：施設児を institutionalized child という．
人見知り (fear of stranger)
だまりっこ (mutism)
駄々こね (temper tantrum)
かんしゃく (hot temper)
吃音 (dysphemia, stammer, stutter)
指しゃぶり (thumb-sucking)
夜尿症 (bed-wetting)
依存症 (dependency)

Chapter 9 教育の病理現象

<u>地位家族</u>(positional family)：権限または命令する権利が年齢や性別という形式的地位により決定している（役割の分担が形式的地位により決まる）家族[9]．

<u>人志向家族</u>(person-oriented family)：子どもの行動が兄・弟といった形式的地位によってではなく，親との対話を通じて決められていく（他人の動機や気持ちに対する志向が促進される）家族．英国の言語社会学者<u>バーンステイン</u>（B. Bernstein）が提唱[10]．

Lesson 29 学校をめぐる問題　problems at school

* キーワード *

（自分の）居場所　sense of position
学級崩壊　the chaotic classroom, classroom distraction
学内暴力　school violence, in-school violence, violence within schools
兄弟喧嘩　quarrel, fight with siblings,
異年齢集団　multi-age group
自己中心主義　selfishness, self-centered behavior
いじめ　bullying, hazing
いじめっ子　bully
いじめられっ子　victim of bulling, persecuted children, tormented youngsters
方向喪失　disorientation
摂食障害　eating disorder
拒食症　anorexia nervosa
過食症　bulimia nervosa
偏食　food capriciousness
無茶食い　binge eating
自己誘発性嘔吐　self-induced vomiting
下剤・利尿剤で排出する　purge by means of laxatives

子どもを取り囲む最も身近な環境である家庭の問題について見てきたが，学

Lesson 29 学校をめぐる問題

校でも多くの問題が彼らを待ち伏せているとすると,子どもたちは家庭でも学校でも**自分の居場所**(sense of position)を見出せないでいることになる.月曜の午前中を中心に起こる**学級崩壊**(the chaotic classroom, classroom distraction)や**学内暴力**(school violence, in-school violence, violence within schools)が頻発する状況をみると,学校は子どもたちにとっての居場所というよりは,家庭で良い子であることを求められる結果,彼らのストレスを吐き捨てる場所とさえなっているようだ.

　少子化にともない増えた一人っ子は,兄弟を通しての脈絡がなく[11],**兄弟喧嘩**(quarrel, fight with siblings)を通じて相手の痛みを理解しようとする能力も育ちにくい[12].自分の感情の起伏に軸足を置き,それを最優先にする.好きな時に好きな物・好きなことを,好きなだけ,というスタイルの**自己中心主義**(selfishness, self-centered behavior)を貫いている子どもたちにとって,学校側からの「……してはいけない」や「……しなくてはいけない」という絶対命令など,かつての威力を持つわけもない.さらに,ゲーム・テレビ・映画・漫画の残酷なシーンで人命を軽視する風潮に慣れ,"興奮"商品の<u>マニア</u>(mania)にさえなっている子どもたちは,**いじめ**(bullying, hazing)の限度を知らない.

　いじめとは,改めて定義すれば,学校という逃げられない(閉じた)集団の中で繰り返される心理・身体・物理的に及ぶ私的制裁のことである.特徴としては,日常化(学校での出来事として目新しいことではない)・ゲーム化(自分の娯楽のためにゲーム感覚で行う)・集団化(通常<u>1対1ではなく,1対複数</u>で行われる, not one against one, but many against one)・巧妙化(より<u>陰湿</u>になる, underhanded)・正当化(自分の基準に照らして,相手こそが<u>異質</u>(heterogeneity)で<u>逸脱</u>(deviation)していると考える)[13]・長期化(エスカレートする)などがあげられる[14].そこには自分がされて嫌なことを他の人にしてはいけない(You should not do to others what you would not like done to yourself.)という大原則さえ見失われているどころか,他者の苦しみを自分の快感に結び付けたり,自己治癒のための手段とみなされている観が濃厚である.

　いじめは学校だけでなく会社・家庭内でも,そして昔も今も,洋の東西を問わず,人間関係の成立するところで必ずといってよいほど影のように存在してきた社会現象である[15].ただ日本で独特なのは,学校で行われたいじめに対し被害者が死(自殺)を問題解決の出口として選択することである.これは彼らが困

137

Chapter 9 教育の病理現象

難や危機を克服する姿勢と方法，生き続けるために十分な夢と希望を持っていないからではないかと推測される．ここにもまた今日という刹那で，自分の明日に希望が持てずに（将来の夢が描けずに）**方向喪失**(disorientation)した子どもたちの姿が浮かび上がってくる．

> **ミニ知識：摂食障害**（eating disorder）
>
> 　思春期（puberty, the springtime of life）・敏感期（sensitive period）を含む青年期（adolescence）に摂食障害（eating disorder）を起こす若者が多い．その多くは女性（全体の96％）である．悩み・ストレスが原因となる場合もあるが，太ってない人でも，実際よりも太っている（much fatter than they really are）という思いに取りつかれて（obsessed）しまう．
>
> 　摂食障害は，女性はきゃしゃでたおやかであるべきとのクラシックな考えによるものなのか，ファッション・モデルや芸能人という特殊な人の水準に自分を合わせようとする背伸びなのか，それともルックスの良い者をチヤホヤしてきた大人社会によって"つくられたイメージ"を子どもたちが過敏に受け止めた結果なのか．いずれにしても外観（appearance, looks）に対する過剰な意識（excessive, oversensitive consciousness）は，外見さえ良ければ内面はさほど重要ではないという見せかけ主義と，外見を良くするためには手段を選ばない（手術・絶食，fasting など）という考えが色濃く影を落としている．
>
> 　拒食症（anorexia nervosa）[16]の頻度は中高女子200人に1人．神経性無食欲症・思春期やせ症・心身症（psychosomatic disorder, psychosomatic illness）の1つとみなされている．患者は空腹を感じないために知らず知らずのうちに，1日の摂取カロリーが200〜300にまで落ちている（Daily intake drops to as low as 200-300 calories.）場合がある[17]．
>
> 　一方，過食症（bulimia nervosa）の頻度は高・大学生（拒食症より発症年齢が高い）の100人に1人[18]．神経性大食症ともいわれ，1食で5万5,000カロリーも食べる無茶食い（binge eating）の後に続く自己誘発性嘔吐（self-induced vomiting）や，下剤・利尿剤で排出させる（purge by means of laxatives）[19]などが一連の行動となる．

＊＊ 関連ワード ＊＊

児童館：青少年センター・ヤングプラザ・健康館など名称は自治体により異なるが，コンビニ（convenience store）やゲーセン（amusement place, game center）でたむろしている中・高生に，より健全な居場所を提供するための施設として全国に約4,300カ所ある．中・高生が設計を手がけたり，運営委員として積極的に参加している[20]．

避難場所・アジール（shelter）

Lesson 29 学校をめぐる問題

図29-1　いじめの態様

(case)

	elementary school	junior-high school	high school	school for mentally and physically handicapped	total
言葉の脅し　verbal threat	2,659 (15.4)	5,216 (18.1)	841 (20.8)	51 (21.7)	8,767 (17.4)
からかい・冷やかし　mock	5,040 (29.3)	8,399 (29.1)	879 (21.8)	44 (18.7)	14,362 (28.5)
持ち物を隠す　conceal one's belongings	1,418 (8.2)	2,229 (7.7)	202 (5.0)	30 (12.8)	3,879 (7.7)
仲間はずれにする　oust from a group	3,533 (20.5)	3,791 (13.1)	329 (8.1)	24 (10.2)	7,677 (15.2)
集団による無視　disregard in a group	1,023 (5.9)	1,759 (6.1)	153 (3.8)	6 (2.6)	2,941 (5.8)
肉体的暴力　physical violence	2,229 (12.9)	4,591 (15.9)	930 (23.0)	48 (20.4)	7,798 (15.5)
ゆすり・たかり　blackmail	259 (1.5)	922 (3.2)	353 (8.7)	11 (4.7)	1,545 (3.1)
執拗なおせっかい　excessive meddle	247 (1.4)	349 (1.2)	82 (2.0)	10 (4.3)	688 (1.4)
その他　others	815 (4.7)	1,608 (5.6)	271 (6.7)	11 (4.7)	2,705 (5.4)
合　計　total	17,223 (100.0)	28,864 (100.0)	4,040 (100.0)	235 (100.0)	50,362 (100.0)

(注) カッコ内は構成比を表す.
(資料) 時事通信社『教育データブック2000-2001』2000年，p.74.

隠れ場・逃げ場 (refuge)
縄張り (sense of territory, turfing)
学校安全 (school safety)
表面的付き合いの友達 (superficial friend)
親友を見つけるのは難しい (hard to find best friend)
好奇心 (sense of curiosity)
同質 (homogeneous)
葬式ごっこ (mock funeral)
クラスの雰囲気 (classroom atmosphere, classroom climate)
親ばか (blind parental love)
やせすぎは健康的でもないし美しくもない (too thin is not healthy nor beautiful)
ぜい肉 (excess fat)
ダイエット食品 (diet food)：on the diet でダイエット中. diet は名詞としては「食事」，動詞としては「食事規制する」の意味がある．
肥満体児 (overweight child, fat boy(girl), obese child)：ずんぐりした・肥満型は pyknic type.

Chapter 9　教育の病理現象

Lesson 30　防衛規制とカウンセリング
defense mechanism and counseling

＊　キーワード　＊

不満　frustration
不安　anxiety
危険　danger, risk
脅威　menace, threat
敵意　hostility
スケープゴート　scapegoat
防衛規制・適応規制　defense mechanism
抑圧　repression
否定　denial
投射　projection
置き換え　displacement
反動形成　reaction-formation
同一化　identification
合理化　rationalization
逃避　escape
来談者　client
カウンセリングする人　counselor
パラ・カウンセリング　para counseling
ライン・カウンセリング　line counseling
スクール・カウンセラー　school counselor
スクール・カウンセリング　school counseling
非指示的カウンセリング　non-directive counseling
指示的カウンセリング　directive counseling
来談者中心療法　client-centered therapy
支持的療法　supportive therapy
真実性　genuineness
一致性　congruence
共感的理解　empathic understanding

Lesson 30 防衛規制とカウンセリング

ラポート　rapport
無条件に肯定的な関心　unconditional positive regard

　私たちは通常，**不満**(frustration)・**不安**(anxiety)をもたらす**危険**(danger, risk)や**脅威**(menace, threat)が生じてしまったが合理的に解消できないとき，心の安全を保つために（根本的解決ではなく，あくまで）一時的にそれらを解消する**防衛規制・適応規制**（defense mechanism）の能力を持っている[21]．主な規制を以下紹介するが，規制はあくまで無意識的・自動的に働くため，解決ではない非合理的・非現実的な適合をもたらすものであるので，その結果，かえって不満・不安を歪め，**攻撃的**（aggressive）要素を増す危険性があることに留意しなければならない．

Defense Mechanisms

規制（mechanism）	特徴（characteristics）
repression 抑圧	Blocks threatening ides, impulses, or feelings from conscious awareness. 脅迫的考え・衝動・欲求などを意識の外に締め出すことで不安を解消する．
denial 否定	Reinforcing one's strength or importance by denying failings and weaknesses. 自分の失敗や弱点（劣等性）を否定することにより，優れているところや重要性など望ましい特性を誇示する．
projection 投射	Attributing to other people one's own "bad" characteristics. 自分の中にある"悪"の欲求・感情を他者の中にあると位置付けること[22]．
displacement 置き換え	Direct impulses or anger unconsciously felt toward one person at another (usually less powerful) person. 無意識のうちに感じている衝動・怒りを，他の目標（しばしば弱者）に置き換えることによって満足させること[23]．
reaction-formation 反動形成	Transformation of dangerous impulses or feelings into conscious, and socially acceptable opposites. 危険な衝動や感情を，社会的に受容でき得る意識に反転して抑制する[24]．

141

| identification | Overcoming one's own failings by emulating the personal characteristics and moral principles of others. |
| 同一化 | 他者の属性や道徳性を自分の目標として追求することによって自分の欠点を克服する[25]。 |

出典(Source): Adopted from Willerman, L., & Cohen, D. B. *Psychopathology*. McGraw-Hill. 1990. 岸本弘・柴田義松編『教育心理学』学文社，1988年，120-125頁[26]。

　健全な人格発達のためには防衛規制で対処するのではなく**カウンセリング**(counseling)などにより，できるだけ合理的に解決することが望ましい。カウンセリングとは**来談者**(client)のとらわれている悩みを**カウンセリングする人**(counselor)[27]がシェアすることであり，たとえ悩み，それ自身は解消することができなくても，クライアントとその悩みへのかかわり(角度や距離)を変えることを狙いとする[28]。

　カウンセリングには，専門家ではないが周辺の関係者が行う**パラ・カウンセリング**(para counseling)[29]，先輩―後輩，上司―部下といういわゆる縦関係にある者が行う**ライン・カウンセリング**(line counseling)，**スクール・カウンセラー**(school counselor)が生徒・教員・父兄に対して行う**スクール・カウンセリング**(school counseling)などがある[30]。

　カウンセリングの代表的なものに，**非指示的カウンセリング**(non-directive counseling)と**指示的カウンセリング**(directive counseling)がある。非指示的カウンセリングとは，カウンセラーのクライアントに対する直接的指示や忠告は極力抑制され[31]，クライアントの潜在的能力を最大限に信頼し，彼(女)らが自ら始動できるよう触発を図る**来談者中心療法**(client-centered therapy)である。

　指示的カウンセリングは，カウンセラーがクライアントのために解釈・暗示・訓戒・批評・賞賛・激励・指示・忠告を適宜行う[32]。カウンセラーの気持ち・言葉・態度が一貫していることが大切である。クライアントはカウンセラーの**真実性**(genuineness)・**一致性**(congruence)を感じ取り，しだいにお互いに**共感的理解**(empathic understanding)が生まれ**ラポート**(rapport)が築けるようになることを導く治療法である。

Lesson 30 防衛規制とカウンセリング

図30-1 青少年が悩み・心配事を相談する相手

order country	1	2	3	4	5
Japan	neighbor and friend at school 近所や学校の友達 (52.4)	mother 母 (45.9)	father 父 (21.9)	boy/girl friend 恋人 (20.9)	sibling きょうだい (19.3)
America	mother (56.2)	father (32.9)	boy/girl friend (32.6)	sibling (30.2)	neighbor and friend (27.3)
England	mother (64.3)	father (39.4)	boy/girl friend (37.4)	sibling (33.8)	neighbor and friend (25.4)
Germany	mother (59.3)	father (38.9)	neighbor and friend (31.4)	boy/girl friend (25.4)	sibling (21.4)
France	mother (53.0)	neighbor and friend (39.9)	boy/girl friend (37.0)	sibling (28.0)	father (21.4)
Sweden	mother (60.3)	neighbor and friend (50.3)	father (34.8)	sibling (34.3)	boy/girl friend (31.7)
Korea	neighbor and friend (68.2)	mother (38.4)	sibling (29.5)	father (16.8)	boy/girl friend (14.3)
Philippines	mother (75.7)	father (47.9)	sibling (39.6)	neighbor and friend (36.6)	grand parent・relative 祖父母・親類 (20.4)
Thailand	mother (66.3)	father (48.5)	sibling (24.6)	neighbor and friend (20.2)	spouse 配偶者 (19.9)
Brazil	mother (60.3)	father (33.0)	sibling (20.8)	spouse (16.1)	neighbor and friend (15.2)
Russia	mother (55.6)	neighbor and friend (23.7)	colleague in an organization * (22.3)	boy/girl friend (21.9)	father (21.8)

(注) カッコ内は構成比を表す．＊団体・グループなどの仲間．
(資料) 総務庁「第6回世界青少年意識調査」1999年．時事通信社『教育データブック2000-2001』2000年，p.95.

＊＊ 関連ワード ＊＊

反抗的 (rebellious)
相談する (ask for advice)
我慢する (bear)
罠に仕掛けられると感じる (feel trapped)
学校心理士 (school psychologist)
テスト不安 (test anxiety)
情報提供者 (インフォーマント, informant)：定量研究 (quantitative research) やサーベイ (survey) のための被験者 (subject) を含む．
児童相談所 (child guidance center)

Chapter 9 教育の病理現象

図30-2 青少年の休日の過ごし方(各国比較、%)

		Japan	America	England	Germany	France	Sweden	Korea	Philippines	Thailand	Brazil	Russia
テレビ、雑誌 TV・magazine		55.3	51.9	58.9	48.2	33.6	65.1	57.8	53.5	56.3	33.4	39.4
友人と共に with friend		69.7	67.8	78.4	63.6	73.3	90.2	68.8	44.8	46.3	39.3	61.1
恋人と共に with boy/girl friend		30.3	48.8	51.9	36.5	50.6	47.5	24.6	13.4	5.5	26.6	38.8
家族と共に with family	男 (boy)	18.7	42.6	38.0	10.3	41.9	42.7	32.9	59.6	25.0	53.5	39.2
	女 (girl)	38.7	56.5	58.9	17.3	61.6	56.5	48.2	73.6	42.9	70.5	56.2
読書、音楽 book・music		35.5	38.1	45.8	46.8	39.6	54.2	33.9	42.8	31.4	21.1	35.3
ショッピング shopping		41.9	42.3	49.1	23.2	26.3	50.3	20.9	15.4	13.1	3.6	20.3
スポーツ、映画、演劇鑑賞 watch sports, movie, play		28.8	50.0	45.3	52.7	33.7	49.0	38.0	23.0	14.7	11.6	6.6
スポーツ play sports		21.4	32.5	34.4	33.3	33.3	43.5	22.1	19.0	26.1	21.3	11.5
ディスコ、カラオケなど discotheque, karaoke, etc.		23.4	17.8	62.8	47.5	41.5	62.0	22.5	9.7	1.6	9.8	23.7

(資料)総務省「第6回世界青年意識調査」1999年.総務庁『平成11年度青少年白書』2000年,p. 108.

電話相談(telephone counseling)
心の教室(カウンセリングルーム,counseling room):余裕教室を利用して心の教育(education for emotional well-being)を行う心のオアシス(oasis).カウンセラーはできる子できない子という二元的基準によらないで子どもたちと向き合うことができ,また,子どもたちにとってはカウンセラーが学校外部の人であるので何でも話やすいという利点がある.
チャイルド・ライン(child line):学校の外(24時間体制)でボランティア相談員が子どもの相談に応じる.イギリスの民間団体が発祥.
キャップ(Child Assault Prevention, CAP):子どもをいじめ・虐待など心理的・肉体的(性的)暴力から守る方法を考える,子どもへの暴行防止プログラム.1970年代後半より米国で開発された.日本でも現在,百余りの市民団体が活動している[33].

Lesson 31　アメリカ事情　things American

＊　キーワード　＊

怠慢さ　negligence
過干渉　excessive meddling, interference
過保護　over-protection, excessive protection
溺愛　blind love
被虐待児症候群　battered child syndrome
幼児殺し　infanticide
骨折　fracture of bone
熱傷　burn
打撲傷　bruise
窒息死　suffocated, choked to death
溺死　be drown to death
絞殺　strangulation
餓死　death from hunger, starvation
頭蓋骨骨折　facture of skull
アルコール中毒　alcoholism
アルコール症　alcohol addicted
胎児性アルコール症候群　fetal alcohol syndrome, FAS
コカイン・ベイビー　cocaine babies
ブラディー・アクト　Brady Act
銃規制法　the gun control laws
全米ライフル協会　National Rifle Association, NRA
家庭内暴力　domestic violence, family violence, violence in the family
十代の妊娠　teenage pregnancy
性的虐待　sexual abuse, sexual assault
スラム　slam
ゲトー　ghetto
福祉　social welfare
公共資金　public funds

145

Chapter 9 教育の病理現象

生活保護世帯　families on welfare（social welfare, relief）
経済的・社会的制限　economic and social restrictions

　アメリカと日本は共に先進資本主義主要国であるが，抱えている教育問題は異なった面持ちを呈している．両国の教育は，アメリカにおける自由という名の，親の教育無関心と**怠慢さ**（negligence）・子育て放棄，日本における愛情という名の，親の管理と**過干渉**（excessive meddling, interference）[34]に集約することができ，少年犯罪の劣悪化が招かれているところで共通している以外は，いわば対極的様相を示している．

　近年，米国事情で気にかかるのは，親子(母子)関係が血生臭くなってきていることである．バタード・チャイルド（**被虐待児**）**症候群**（battered child syndrome）と呼ばれ，原因不明の**骨折**（fracture of bone）・**熱傷**（burn）・**打撲傷**（bruise）などの症状を呈する子どもたちが増え，保険金獲得のため故意にわが子を**餓死**（death from hunger, starvation）させるなどの**幼児殺し**（infanticide）が進行しているのである[35]．

　また**アルコール症**（alcohol addicted）の母親からは，顔貌（しばしば小頭症・短い眼瞼裂・耳の異常・長く平坦な中心顔面・下顎後退・低形成の鼻）・低い身長・精神／運動性障害や奇形を持った赤ちゃん[36]，**麻薬乱用**（drug abuse）[37]の母親からは**コカイン・ベイビー**（cocaine babies）が生まれている[38]．

　アメリカの抱えているもう一つの問題を如実に表わすものは，学校での<u>銃乱射事件</u>（school shooting）である．初めて22口径の銃を撃ったのは，ほんの子どもの時だったというクリントン大統領は，**ブラディー・アクト**（Brady Act）[39]に加え，新たな**銃規制の法律**（the gun control laws）を検討した．法律案には今後，銃を購入する場合に州政府発行の顔写真付き免許証[40]の取得を義務付ける，銃を所持できる最少年齢を現行の18歳から21歳へ引き上げる，新規に販売されるすべての銃を成人しか解除できない安全装置(暗証ボタンや鍵でロックするなど)付きのスマートガン[41]とする，少年期に重罪を犯した者の銃購入を生涯禁止する等の規定が盛り込まれている[42]．

　もともと米国には開拓時代から<u>自衛のために銃を持つことが必要</u>(need guns for protection)とする考えがあり，市民が銃を所持することは<u>第2次憲法修正案</u>（The Second Amendment to the Constitution, 1971年制定）第2条では"規律ある民兵は自由な国家の安全にとって必要であるから，人民が武器を保有し携帯する権利はこれを侵害してはならない"("A well-regulated

Lesson 31 アメリカ事情

図31-1

児童虐待に関する相談処理件数

year	1990	91	92	93	94	95	96	97	98
number of child abuse	1,010 〈100〉	1,171 〈106〉	1,372 〈125〉	1,611 〈146〉	1,961 〈178〉	2,722 〈247〉	4,102 〈373〉	5,352 〈486〉	6,932 〈630〉

(注)〈 〉内は1992年度を100とした伸び率(指数)。

児童虐待の経路別相談件数

	total 総数	family 家族	relative 親戚	neighbor 近隣知人	victim 犠牲者本人	welfare office 福祉事務所	member of child committee 児童委員	health center 保健所	medical institution 医療機関	child welfare facility 児童福祉施設	police 警察	school 学校	others その他
1997	5,352 (100%)	1,557 (29%)	188 (3%)	431 (8%)	103 (2%)	783 (15%)	140 (3%)	183 (3%)	250 (5%)	284 (5%)	311 (6%)	687 (13%)	431 (8%)
98	6,932 (100%)	1,861 (27%)	224 (3%)	616 (9%)	159 (2%)	939 (14%)	142 (2%)	292 (4%)	395 (6%)	324 (5%)	415 (6%)	895 (13%)	670 (9%)

児童虐待の内容別相談件数

	total 総数	physical assault 身体的暴行	negligence 怠慢	sexual assault 性的暴行	psychological assault 心理的虐待	forbid to attend school 登校禁止
1997	5,532 (100%)	2,780 (51.9%)	1,728 (32.3%)	311 (5.8%)	458 (8.6%)	75 (1.4%)
98	6,932 (100%)	3,673 (53.0%)	2,109 (30.4%)	396 (5.7%)	650 (9.4%)	104 (1.5%)

(資料)日本子どもを守る会『子ども白書2000』2000年,p.163.

militia, being necessary to the security of a free state, the right of the people to keep and bear arms shall not be infringed.")と保障している[43]．また"すべての銃は良い銃であり，悪い銃など存在しない．銃が人を殺すのではなく，人が人を殺すのだ"を標語とする，銃規制反対の急先鋒である**全米ライフル協会**(National Rifle Association, NRA)[44]の抵抗も強力である．現在，人口にほぼ匹敵する数の2億243万の銃が私有されているアメリカで，銃規制の問題は底深い局面に瀕している[45]．

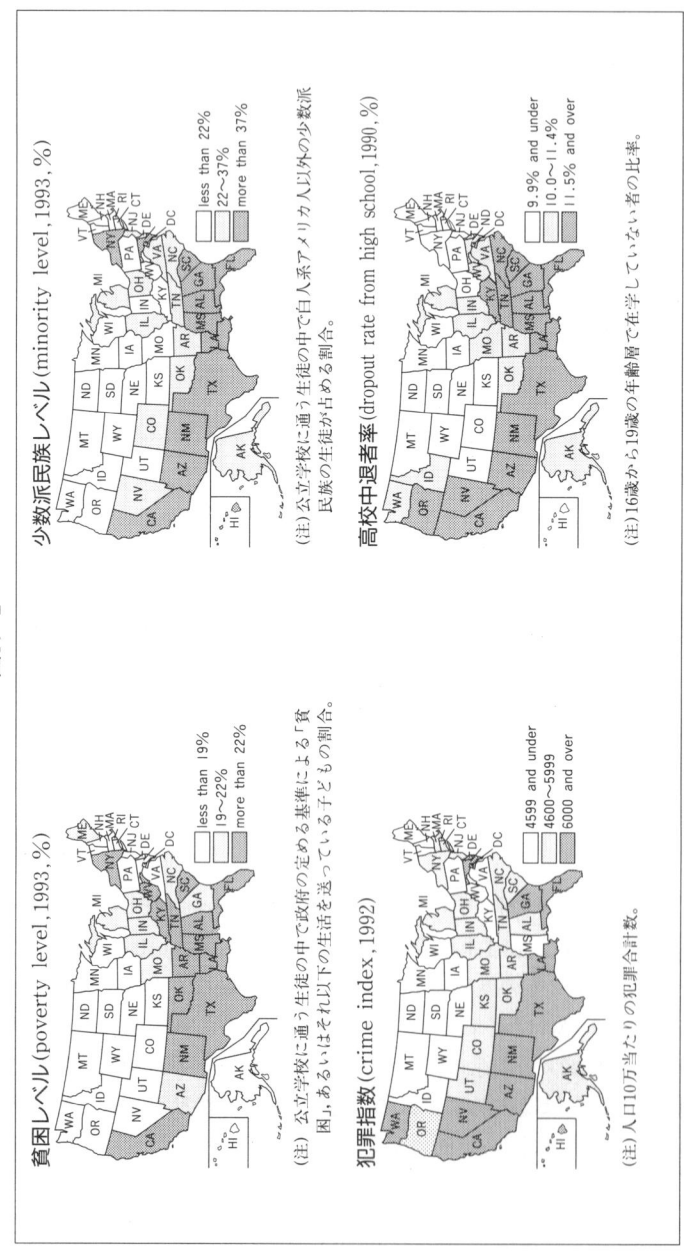

Chapter 9 教育の病理現象

図31-2

貧困レベル(poverty level, 1993, %)
- less than 19%
- 19〜22%
- more than 22%

(注) 公立学校に通う生徒の中で政府の定める基準による「貧困」、あるいはそれ以下の生活を送っている子どもの割合。

少数派民族レベル(minority level, 1993, %)
- less than 22%
- 22〜37%
- more than 37%

(注) 公立学校に通う生徒の中で白人系アメリカ人以外の少数派民族の生徒が占める割合。

犯罪指数(crime index, 1992)
- 4599 and under
- 4600〜5999
- 6000 and over

(注) 人口10万当たりの犯罪合計数。

高校中退者率(dropout rate from high school, 1990, %)
- 9.9% and under
- 10.0〜11.4%
- 11.5% and over

(注) 16歳から19歳の年齢層で在学していない者の比率。

(資料) Education Week in Collaboration with the Pew Charitable Trust, Quality Counts, 1997. Center for the Study of Social Policy, the Challenge of Change, 1992. Federal Bureau of Investigation, Crime in the United States, 1992. エイデル研究所『季刊教育法』2000年、第123号 p.57.

Lesson 31 アメリカ事情

ミニ知識：少数派民族と貧困 (minority and poverty)

　一般的に，貧しい地区に住む子どもたちは両親がそろってアルコール中毒(alcoholism)・薬物中毒 (drug addict) に侵されていたり，家庭内で暴力 (domestic violence, family violence, violence in the family)[46]を受けている割合が高い．一歩外に出ればわいせつな風俗業や犯罪がはびこり(prevalent crime)[47]，普通の人なら近づきたくないようなスラム街[48]での生活を日常風景として受け止めている．このような環境の中で，家に本が1冊もなかったり，親が教育へ関心を示すどころか自分の犯罪の片棒を担がせている．子どもの学校での成績がおぼつかなくなり，やがて中退(leave school halfway, drop out from school)へと進展するのはほぼ必然的なことである．女子の場合，多くは十代で妊娠(teenage pregnancy)して未婚の母となり，後々貧困にあえぐことになる．すなわち，彼らは人間としての底辺をさまよい続ける渦に転落し，そしてそこで人生を終えることになるのである．

　一方，裕福な地区の子どもはといえば何ら深刻な問題 (serious problem) を抱え込むこともなく，家では親からの強い支援と理解を受け，同質の仲間が集う品質保証の学校に通っている．難なく高校を卒業し，大学へ進学，大学卒業後は社会へ順風満帆の出航ということになる．こうした観点で見ると，学校が社会における不平等(不公平)を再生産する下請け機関となっていると考える学閥[49]の主張も，もっともらしく聞こえてくる[50]．

　このように身分階級の差が著しいアメリカにおいて，上層階級[51]の側では，自分たちが山の頂上に君臨する限り，下の裾野はどのような状態であろうとも構わない．ただし，境界線ははっきりと引くという態度を示す．下層階級に属する人々のことを考えれば，彼らが立ち直れるように経済的自立を促す救済がなされるべきである．しかし，実際には上層部では下層部が引き起こす犯罪から身を守るための防犯を確実にすることや，上層部から税金という"おこぼれ"を与え，下層部を一生生活保護に依存させる"福祉(social welfare)"により，貧困者の自立を妨げる[52]という形で対処されてきた感が強い．

　もとより，多人種の衆の継ぎ合わせにより構成されていることこそアメリカ合衆国のお国柄である．最高の生活を追い求める上層部と，最低の生活に甘んじる下層階級の織り成す人生模様は，豪華絢爛に今をときめくハリウッド界の背後に横たわる，貧困と犯罪の充満するロサンゼルスのゲトー (ghetto)[53]に縮小することができる[54]．

＊＊ 関連ワード ＊＊

虐待の世代間連鎖(generational cycle of child abuse)：子どもの時，虐待を受けていた者 (people who experience abuse in childhood) が親になり，子どもを虐待してしまうこと．

気まぐれで子どもを叱る (scold children according to one's whims)

母子相姦(incestuous relations between mothers and sons, mother-son incest)

149

Chapter 9 教育の病理現象

罪悪感(guilt feeling)
配偶者虐待 (spousal abuse)：wife beating など．
浮浪者 (tramp, vagrant)：homeless ではない．
黒人固有英語(Black English Vernacular, BEV)
人種差別 (racial discrimination)
ヘイト・クライム (hate crime)：米国司法省のガイドラインでは「被害者が人種・肌の色・宗教・出身国・民族・言語・性別・心身的な障害・その他外見的な特徴のために憎悪 (hate) の標的とされた破壊・放火・暴行・殺人などの犯罪行為」と定義している[55]．
黒人と白人の間の緊張状態 (tension between black and white people)：例えば，南部では夏になると長椅子で涼んでいる黒人が多いことからポーチ(長椅子)の猿 (porch monkey)，アフリカの野蛮人という発想から茂みに住む黒ん坊 (bush boogie)，タールのように真っ黒な人 (tar baby)など，いまだに黒人卑語が顕在している[56]．
白人の巻き戻し(white backrush)：黒人に対する優遇措置を逆差別(reverse discrimination) と受け止める白人による反動．
大学警備ガードマン (campus police, security police, campus guard, security guard)：パトカーで巡回しながら大学キャンパス内の警備・取り締まりを行う[57]．
銃の圧力団体 (the gun lobbies)

---

1) 石山宏一『新現代用語を英語にする辞典』グロビュー社，1985年，332頁．
2) 豊かで便利な国になると，適当にやっていれば生活していけるという危機感ゼロの状況の中で，人間活力・諸能力の退化（労働意識・創意工夫意欲の低下）・モラルの低下に引き換え，エゴの拡大傾向を示すようになる．
3) 家庭(home)とは家族(family)が生活を営んでいるところで，house は"住所"的意味をもつ．子どもがどのような人間になるかを方向づける家族として，子どもが生まれ育つ家庭のことを family of orientation という．
4) 家庭は何でも思い通りのサービスを受けられるホテルで，自分たちは皆，お客様と思い込んでいる家族のこと．それぞれが自分の要望を満たす部屋を持ち，自分本位に暮らすことができる．特に話もしないし，食事も各自時間がずれて，みんなばらばらに暮らしている．安部信太郎・他編『なるほどワイド現代社会』東京学習出版社，1998年．
5) 甘やかす親は overindulgent parent, doting parent．
6) 欠損家族(broken family)だと差別的・ネガティブな語感がある．**単親家族・世帯**(single

head family, single-parent households) とも表現できる.
7) 父子家庭は single father family.
8) 親に依存されている子どもにとって,このことがいかに耐え難い重荷であろうか.子離れできない親が多い (There are many parents who cannot be independent from their children.).
9) 新井郁男『教育社会学──人間の発達と教育』放送大学教育振興会,1990年,78頁.
10) 同上,78頁.
11) 異年齢集団 (multi-age group) の解体.
12) 自分と異なる者を尊重できなかったり,一人で居ることが気楽で,他者とのかかわりを面倒に感じてしまう.
13) いじめ加害者(**いじめっ子**,bully)は「気持ち悪いデブを殴ってスカッとする.反応が面白い.逃げ回る姿を見てると楽しい.いじめられる奴にはオーラがある」などと,**いじめられっ子**(victim of bulling, persecuted children, tormented youngsters)にこそ非があるとして自分たちを正当化している.江川紹子.NIIK 少年少女プロジェクト編『証言十代』1998年,132頁.
14) 江川攻成・他編『最新教育キーワード137(第8版)』時事通信社,1999年,260頁.
15) 子どもたちのいじめを世界的にみると,男子は肉体的攻撃(リンチする,服を脱がせて皆の前でマスターベーションをさせるなど),女子は社会的ダメージ(仲間はずれにする,ゴシップを流すなど)を加える傾向がある.森田洋司監修『世界のいじめ』金子書房,1998年,54頁.
16) anorexia だけだと食欲不振・食欲減退の意味になる.拒食は food refusal,**偏食**は food capriciousness.
17) Leon G. R. Anorexia nervosa: The question of treatment emphasis. In M. Rosenbaum, C. M. Franks, & Y. Jaffe(eds.), *Perspectives on Behavior Therapy in the Eighties* (Vol.9.). Springer. 1983. pp.363-377.
18) 友久久雄編著『学校カウンセリング入門』ミネルヴァ書房,1999年,215頁.
19) Johnson, C. L., Stuckey, M. K., Lewis, L. D., & Schwartz, D. M. Bulimia: A descriptive survey of 316 cases. *International Journal of Eating Disorders,* Vol.2, 1982, pp.3-16.
20) 「朝日新聞」(東京,朝刊) 2000年1月29日.
21) 岸本弘・柴田義松編『教育心理学』学文社,1988年,120-125頁.
22) 例:相手に競争心を持っている人が,(自分ではなく)相手の方が自分に競争心を向けているととらえる.
23) 例:攻撃を向けると,危険な者への**敵意**(hostility)を他の比較的弱い者(**スケープゴート**,scapegoat)に向け発散する.
24) 例:相手に対する憎しみを抑圧し,それとは反対の友好的な態度を示す.
25) 例:マンガ・小説・映画の主人公 (hero, heroine) になり切る.
26) 他に Rationalization(**合理化**:本当の原因ではなく自分に好都合な理屈で自分自身を正当化する)や Escape(逃避:不満・不安の原因となる現実から非現実の世界へ逃げ込む)などがある.

27) カウンセラー：心の問題に関し，高度の知識と経験を持つ専門家．
28) 前掲14），136頁．
29) Para は周辺，近接領域の意味．
30) 前掲21），140-146頁．何の苦しさも経験してこなかった受験優等生や医師がスクール・カウンセラーになることが多く，学校という現場で役に立たないどころか，来談者の問題をたらい回しにすることで，かえって彼らを惑わせているケースがある．
31) **無条件に肯定的な関心**(unconditional positive regard)：カウンセラーが自分の価値観から批判せずに，どのような条件においてもクライアントに対し肯定的に応答し関心を向けること．
32) カウンセラーがクライアントの話をよく聞き，適切な助言・激励をする場合を**支持的療法**(supportive therapy) という．前掲書21），140-146頁．
33) 「産経新聞」(東京，朝刊)，2000年5月1日．
34) **過保護**だと over-protection, excessive protection, **溺愛**は blind love.
35) 子どもが比較的幼少である場合には，**窒息死**(suffocated, choked to death, 喉にタンポンを深く押し込み，死後引き抜く)・**溺死**(be drown to death, 風呂場で)・**絞殺**(strangulation, コードで)・**頭蓋骨骨折**(facture of skull, 床に落とす)などの嬰児殺しが行われている．I. F. Brockington（ブロッキントン），*Motherhood and mental health.* 岡野禎治監訳『母性とメンタルヘルス』日本評論社，1999年，303頁．
36) アルコールの影響を受けて生まれる赤ちゃん（alchole-addicted babies）は**胎児性アルコール症候群**（fetal alcohol syndrome, FAS）と呼ばれる．同上，328頁．
37) 近年，安くしかも気軽に服用できる（注射器を用いる必要がない）クラック（コカインの粉末に重曹と水を加え，熱し固めた物）の中毒者とその予備軍が急増している．
38) 良い面（技術の進歩）でも悪い面（モラルの低下・犯罪数の増加）でも，アメリカの5年後を追っているといわれる日本にとって，これらの状況を対岸の火として見逃すことはできない．
39) 銃規制法（1994年発効）．81年レーガン大統領銃撃事件で大統領をかばおうとして撃たれ半身不随となったブラディ報道官（当時）の名にちなむ．同法では短銃の購入に際し5日の待機期間を設け，その間に購入希望者を審査すること．重罪の犯罪歴者（禁固1年以上）・精神的疾患のある者・麻薬中毒者や売人・不法滞在の外国人や合衆国の市民権を放棄した者への販売を禁止することを定めている．朝日新聞社編『朝日キーワード2000』2000年，290頁．
40) 身元調査に合格し，銃の安全使用のための訓練を受けたことを証明する免許証．
41) すべての銃に指紋を付け，どの銃から発射されたかわかるようにすることもできる．
42) 「Newsweek」2000年3月15日号，18頁．
43) 伊村元道編『英語何でも情報事典』研究社，1995年，221頁．
44) George Bush 前大統領もこの協会の終身会員である．伊村元道編『英語何でも情報事典』研究社，1995年，220頁．
45) 地球カルテ制作委員会『地球カルテ』青春出版社，2000年，134頁．
46) しばしば**性的な虐待**（sexual abuse, sexual assault）が行われている．
47) Layton, H. Donald, "Religion and the Politics of *Education,*" *Education and Urban Society,* Vol.28, No.3, 1996, pp.275-278.

Lesson 31 アメリカ事情

48) **スラム** (slam) など，都市部で多くの人が住む劣悪な環境の地域 (an area of a city in very bad condition, where many people live) のこと．宮本倫好『変貌するメディア英語』三修社，1999年，171頁．
49) 批判的理論主義と呼ばれる派．性別・人種・支配／非支配・強者／弱者の関係に着目し，学校教育は政治的・経済的優位に立つ者(男性・白人・政治家・資本家など)を利することに貢献しているとする考え．代表的な思想家として Paulo Freire, Michael Apple, Henry Giroux などがあげられる．
50) アメリカの公立学校(public schools)は主に各州の郡(学校区, school districts)レベルにおける税金が資金源となって成り立っているため，貧しい地区(一般的に都市部, poor urban areas)と裕福な家庭の集まる地区(都市近郊)の公立学校では格差が生じている．貧しい地区の学校では，壊れたトイレを修理することや新版の教科書(up-to-date textbooks)を購入する資金もなく，教員が自分の専攻以外の教科を教えている場合が多いという状況に対し，裕福な地区の学校では設備も行き届き，学校側が高い給料を支払うことができるため良質の教師をそろえている．子どもを良い公立学校に通わせたいと望む親が，同じ州の中でも裕福な学校区へ引越しをするというケースが多々見かけられる．Education week, Quality Counts: A Report Card on the Condition of Pubic Education in the 50 States. Vol.xvi, January 22th, 1997.
51) U. S. Dept. of Commerce, Bureau of the Census (合衆国商務省センサス局編), *Statistical Abstract of the U.S.*, 1997. 日本語では鳥居泰彦監訳『現代アメリカデータ総覧』(東洋書林，1997年，470頁)によれば，アメリカにおける総人口の20%を占める"最も裕福な層"が得た所得の比率は全体の46.5%．一方，総人口の20%を占める"最も貧しい層"が得た所得の比率は全体の4.8%となっている(1995年)．世界の他の工業国に比べてみても，大変不平等な所得分布 (distribution of income, wealth) である．
52) 公共資金から貧困者への定期的支払い (a regular payment to the poor from public funds) を受けている家庭は**生活保護世帯** (families on welfare, social welfare, relief) と呼ばれる．Townsend, T., School Effectiveness and Restructuring Schools: What Does the Research Tell Us? (Presented at the 9th International Congress for School Effectiveness and Improvement, 1996).
53) 黒人やプエルトリコ人など**経済的・社会的制限** (economic and social restrictions) のある少数派民族 (minority group) が住むお粗末な地区．前掲書48)，171頁．
54) 小向敦子「日本の学校教育への警鐘：米国公立学校における教育改革の教訓」，『季刊教育法』123号，2000年，55-64頁．
55) 前掲書39)，291頁．
56) 前掲書48)，171頁．
57) 藤井基精・熊沢佐夫編『アメリカ社会常識辞典』日本英語教育協会，1984年，40頁．

Chapter 10　青少年と犯罪
youngster and crime

Lesson 32　世界の青少年　boys and girls in the world

* キーワード *

栄養不良　mal nutrition
子どもの権利宣言　Declaration of the Right of the Child
児童福祉　child welfare
基礎教育　fundamental education
環境衛生　environmental hygiene
精神衛生　mental hygiene
プライマリ・ヘルスケア　primary health care
国連児童の権利条約　Convention on the Rights of the Child
ポルノ解禁　liberalization of porno regulations, restrictions
ポルノ映画　porno, obscene, sex film
性雑誌　sex magazines
ノーパン喫茶　bottomless coffee shop, no panty tea parlor, seminude coffee shop
性を商品化する　consumerize sexuality, consumerization of sexuality
売春ツアー　sex tours
少女に売春させる　Force girls into prostitution.
需要と供給の関係が成立する　Where there is a demand, there is a supply.
簡単にお金もうけができる　You can make money easily by prostitution.
被害者なき犯罪　crime without victims
識字教育　literacy education
非識字者　illiterate

Lesson 32 世界の青少年

先進国　developed country, advanced country
発展途上国　developing country, less advanced country
機能的識字　functional literacy
機能的非識字　functionally illiteracy

　世界に約190の独立国があるが，先進工業国に分類されるものは30カ国足らずに過ぎない．発展途上の国々を中心に，世界で2億5,000万人の子どもが過酷な（しばしば危険をともなう），または彼（女）らの性的尊厳を搾取する屈辱的な状況の下で酷使され，1億9,300万人の子どもが**栄養不良** (mal nutrition) に苦しみ，1億3,000万人の子どもは学校へ行くこともできない[1]．"5歳未満で死亡する子どもの97%が**途上国** (developing countries) の子どもである"という数字から見ても"世界はひとつ"というスローガンが，掛け声だけではなく現実のものとなる必要性を痛感する[2]．

　20世紀は国家や民族がそれぞれの権利確立を目指した喧騒の中で，世界史的に見てかつてない大規模な戦争や内乱が頻発した世紀だったと振り返ることができる．そんな中で，殊のほか大きい痛手を被ったのは子どもたちであった．とりわけ1980年代には武力紛争の犠牲で156万人の子どもが死に，400万人が障害を負い，数百万人が孤児になった経緯があり，20世紀が正しく"児童受難の世紀"であったと称されることにもうなずける[3]．

　国連では1959年，子どもにとっての特別保護・機会，および健全かつ正常な発展の権利を守る目的で，**子どもの権利宣言**(Declaration of the Right of the Child, 児童の権利宣言としても同意)を総会で採択した．この条約は子どもの最低生活を保障するために，児童の尊重・権利擁護を基本姿勢とする**基礎教育** (fundamental education)・**環境衛生** (environmental hygiene)・**精神衛生** (mental hygiene)・**栄養** (nutrition) など**児童福祉** (child welfare) を法的義務にしたものである．

　子どもの**プライマリ・ヘルスケア** (primary health care) を保障する**福祉** (welfare) にとどまらず，更に一歩進んで彼らが**よりよい存在** (well-being) になれることを目指し，1989年には**国連児童の権利条約**(Convention on the Rights of the Child, 児童の権利に関する条約としても同意)が国連総会で採択，制定された[4]．この条約は子どもの社会的弱さを認め，彼らの人権を規定するとともに難民・障害児・**少数者** (minority) の一員である子に特別の注意を払う"権利"条約である[5]．

以上は地球儀の"南"を中心に分布する途上国の問題であるが，北半球に陣をとる**先進国**（developed country）である日本では質の異なる"北"の問題を抱えている[6]．1980（昭和55）年，大蔵省税関当局による**ポルノ解禁**（liberalization of porno regulations, restrictions）を皮切りに，**ポルノ映画**（porno, obscene, sex film）[7]・**性雑誌**（sex magazines）[8]・**ノーパン喫茶**（bottomless coffee shop, no panty tea parlor, seminude coffee shop）など**性を商品化する**（consumerize sexuality, consumerization of sexuality）セックス産業が横行した．こうした大人が先駆けとなった文化は，思春期に膨れ上がる感情をもてあましていた青少年たちを誘惑し翻弄させた．

またわが国ではバブル期を通じて，全てお金でケリをつけようとする大人の拝金主義が子どもに浸透した．時を同じくして急増した援助交際とは，大人にとっては簡単なもの（お金）を子どもの前につる下げ，大人が手づるになることで成立する関係である[9]．**需要と供給の関係が成立**し（Where there is a demand, there is a supply.），両者納得のうえで締結されることから，**被害者なき犯罪**（crime without victims）の１つである[10]．

売春ツアー（sex tours）に飽き足らない大人たちが手近な少女に"**簡単にお金儲けができる**"（You can make money easily by prostitution.）として誘発したかどうかは知らないが，いずれにしても風俗に走る大人たちの姿が，少女たちに"自分たちは商品価値の高いものである"と発想させたことは間違いない．少年犯罪といえば少年の側が悪者に聞こえるがその実，子どもたちは陰で糸を操る大人社会に扇動される無力な受難者かもしれない．

ミニ知識：識字教育（literacy education）

非識字者（illiterate）とは15歳以上で初歩的な読み書き計算ができない人のことをいう．**機能的識字**（functional literacy）とは社会人として日常生活に必要な文章表現の読み書き計算能力（小学４年生程度）のことであり，これらの能力に欠けることを**機能的非識字**（functionally illiteracy）[11]という．

1995年，非識字者の占める割合は**先進国**（developed country）では1.3％，**発展途上国**（developing country, less developed country）では29.6％（アフリカでは43.8％）であった[12]．日本では非識字率が限りなくゼロに近いが，世界的には７〜８人に１人（そのうち３人に２人は女性）が非識字者である[13]．

Lesson 32 世界の青少年

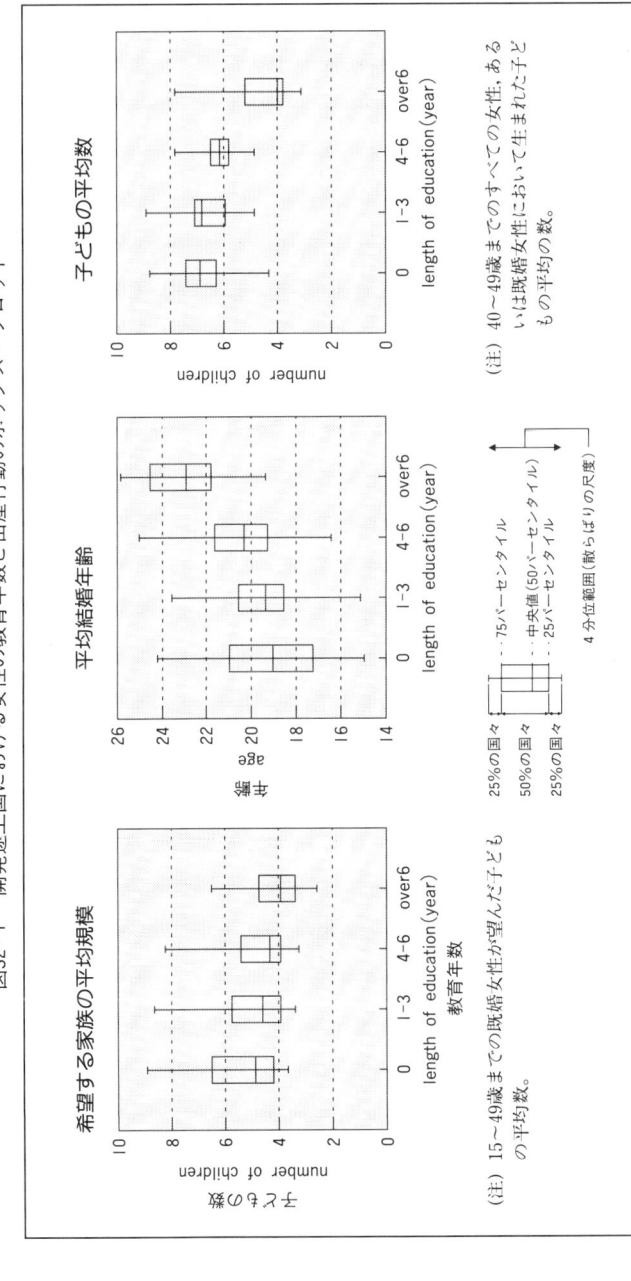

図32-1　開発途上国における女性の教育年数と出産行動のボックス・プロット

(注)　調査対象はサハラ以南のアフリカ・アラブ諸国・ラテンアメリカ/カリブ・東アジア/オセアニア・南アジアにおける開発途上国および中国・インド。
(資料)　United Nations, "Fertility behavior in the context of development", Evidence from the world fertility survey, 1987, p. 224-33. ユネスコ編『世界教育白書1996』1997年、p. 27.

Chapter 10 青少年と犯罪

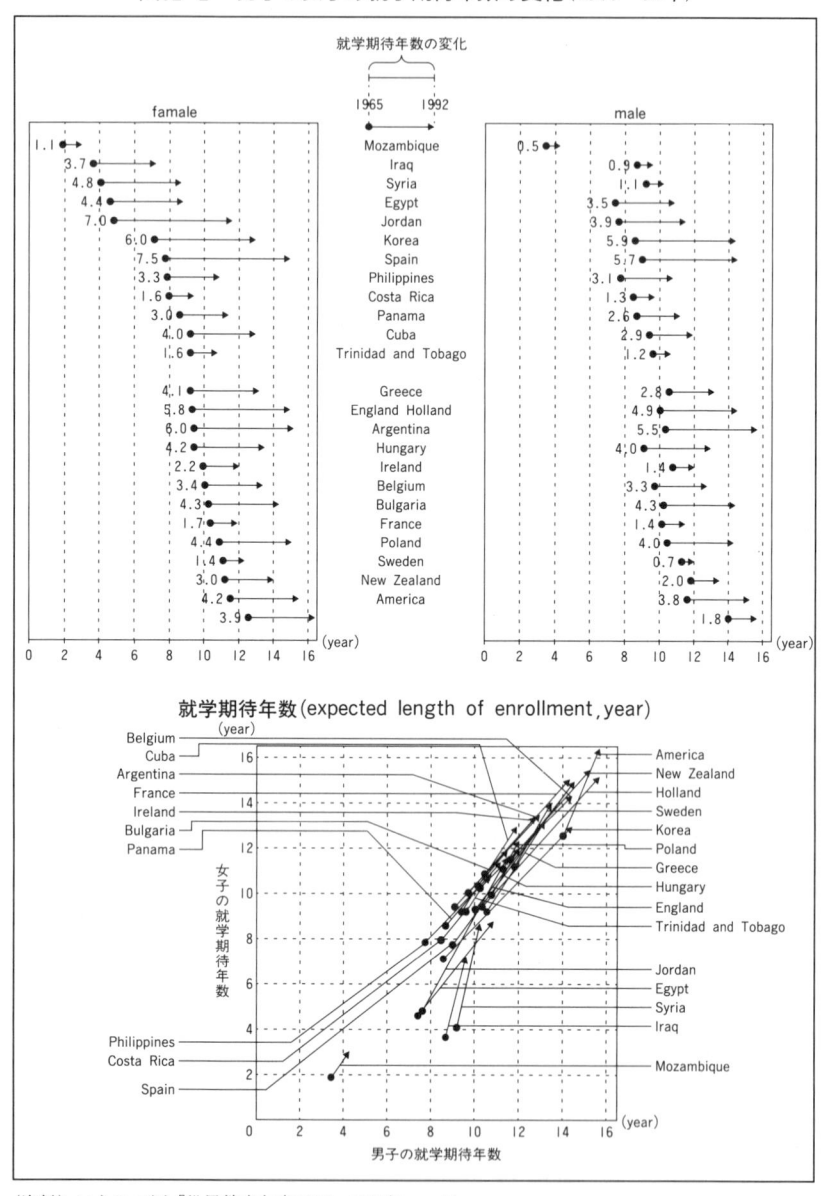

図32-2 男子と女子の就学期待年数の変化(1965～92年)

female		male
1.1 →	Mozambique	0.5 →
3.7 →	Iraq	0.9 →
4.8 →	Syria	1.1 →
4.4 →	Egypt	3.5 →
7.0 →	Jordan	3.9 →
6.0 →	Korea	5.9 →
7.5 →	Spain	5.7 →
3.3 →	Philippines	3.1 →
1.6 →	Costa Rica	1.3 →
3.0 →	Panama	2.6 →
4.0 →	Cuba	2.9 →
1.6 →	Trinidad and Tobago	1.2 →
4.1 →	Greece	2.8 →
5.8 →	England Holland	4.9 →
6.0 →	Argentina	5.5 →
4.2 →	Hungary	4.0 →
2.2 →	Ireland	1.4 →
3.4 →	Belgium	3.3 →
4.3 →	Bulgaria	4.3 →
1.7 →	France	1.4 →
4.4 →	Poland	4.0 →
1.4 →	Sweden	0.7 →
3.0 →	New Zealand	2.0 →
4.2 →	America	3.8 →
3.9 →		1.8 →

就学期待年数(expected length of enrollment, year)

(資料) ユネスコ編『世界教育白書1996』1997年, p.41.

Lesson 32 世界の青少年

図32-3 児童労務者の推計値(estimated number of child laborer, 1996)

国 (alphabetical order)	総人口 (million)	児童労働調査 対象年齢	対象年齢人口 (million)	児童労働者 推計値 (thousand)	対象年齢に占める児童労働者の割合(%)
Bangladesh	122	5－14	34.5	6,584	19.1
Brazil	161	5－14	33.9	4,349	12.8
Egypt	59	6－14	10.9	1,309	12.0
Guatemala	11	7－14	3.7	152	4.1
India	945	5－14	210.0	11,285	5.4
Kenya	27	10－14	3.8	1,558	41.3
Mexico	93	12－14	6.6	1,137	17.3
Nepal	22	5－14	6.2	2,596	41.7
Nicaragua	5	10－14	0.6	60	9.9
Pakistan	134	5－14	40.0	3,313	8.0
Peru	24	6－14	4.8	196	4.1
Philippines	72	5－14	17.5	1,863	10.6
South Africa	38	10－14	4.6	200	4.3
Tanzania	30	10－14	3.9	1,523	39.5
Thailand	60	6－14	5.6	1,495	12.6
Turkey	63	6－14	11.9	1,495	12.6

(資料) U.S.Department of Labor, *By the sweat and toil of children*, vol.V, 1998. 時事通信社『教育データブック2000-2001』2000年, p.261.

図32-4 1990年に生まれた世界の子どもに何が起こるのか

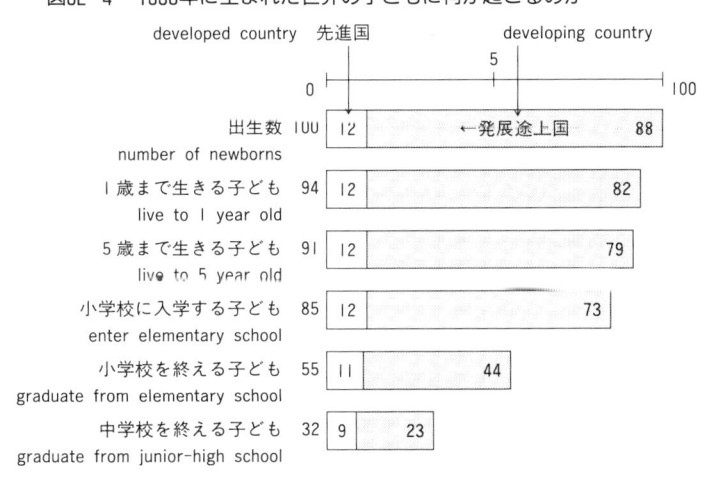

	developed country 先進国	developing country
出生数 number of newborns	100	12 / 88 (←発展途上国)
1歳まで生きる子ども live to 1 year old	94	12 / 82
5歳まで生きる子ども live to 5 year old	91	12 / 79
小学校に入学する子ども enter elementary school	85	12 / 73
小学校を終える子ども graduate from elementary school	55	11 / 44
中学校を終える子ども graduate from junior-high school	32	9 / 23

(注) 世界で1990年に生まれた1億4200万人の子どもに今後10年間何が起こるか、子どもの総数を100としてユニセフが推定した。
(資料) 阿部信太郎・他編『資料・現代社会1998』1998年, p.186.

Chapter 10 青少年と犯罪

図32-5　15歳以上の推定非識字率および非識字人口
Estimated illiteracy rate and illiterate population aged 15 years and over

continents, major areas and groups of countries 大陸、主要地域および国集団	year 年	population aged 15 years and over 15歳以上の人口					
		illiteracy rate 非識字率(%)			illiterate population 非識字人口(000 000)		
		total	male	female	total	male	female
World total 世界	1970	37.0	28.5	45.2	854	326	528
	1980	30.6	22.8	38.2	880	327	553
	1990	24.8	18.1	31.4	882	322	560
	1995	22.8	16.4	29.0	884	318	565
	2000	20.6	14.7	26.4	876	313	563
Africa アフリカ	1970	71.6	60.6	82.2	141	58	83
	1980	61.8	50.0	73.1	159	63	96
	1990	51.0	40.2	61.5	174	68	107
	1995	45.6	35.6	55.4	179	69	110
	2000	40.3	31.3	49.1	182	70	112
America アメリカ	1970	14.7	12.7	16.7	49	20	28
	1980	11.7	10.3	13.0	58	21	27
	1990	9.0	8.1	9.9	45	20	25
	1995	8.2	7.5	8.9	45	20	25
	2000	7.3	6.7	7.9	44	20	24
Asia アジア	1970	49.1	36.7	61.9	629	239	390
	1980	39.4	28.2	50.9	648	236	412
	1990	30.5	21.2	40.1	648	230	418
	1995	27.7	18.9	36.7	648	225	423
	2000	24.9	16.8	33.2	641	220	421
Europe ヨーロッパ	1970	6.9	3.5	9.9	34	8	26
	1980	4.2	2.3	5.9	23	6	17
	1990	2.3	1.4	3.0	13	4	9
	1995	1.6	1.2	2.1	10	3	6
	2000	1.3	0.9	1.5	8	3	5
Oceania オセアニア	1970	10.7	8.2	13.2	1.4	0.5	0.9
	1980	7.9	6.0	9.8	1.3	0.5	0.8
	1990	6.0	4.5	7.4	1.2	0.4	0.7
	1995	5.2	3.9	6.5	1.1	0.4	0.7
	2000	4.6	3.4	5.8	1.1	0.4	0.7
Developed countries 先進国	1970	5.7	3.1	8.0	42	11	31
	1980	3.4	2.0	4.7	29	8	21
	1990	1.9	1.3	2.5	17	6	12
	1995	1.4	1.1	1.7	13	5	9
	2000	1.1	0.9	1.3	11	4	7
Developing countries 発展途上国	1970	51.9	39.8	64.2	812	315	497
	1980	41.8	30.9	52.9	851	319	532
	1990	32.6	23.5	41.9	865	316	549
	1995	29.5	21.0	38.1	870	314	557
	2000	26.3	18.6	34.2	865	309	556

(注) 2000年度は予測値。
(資料) ユネスコ編『ユネスコ文化統計年鑑1999』2000年, p.25.

Lesson 32 世界の青少年

＊＊ 関連ワード ＊＊

テレクラ (telephone dating club)
救済・軽減 (relief)
格差 (difference of rank, distinction)：南北隔差は north-south gap.
交通遺児 (children of traffic victims)
過疎化 (depopulation)
国際連合児童資金 (United Nations Children's Fund, UNICEF)[14]：少女の人権順守など途上国における子どもの保護・生存・成長を図るための生活改善プログラムを支援している。国連教育科学文化機関 (United Nations Educational, Scientific and Cultural Organization, UNESCO)：UNICEF・UNESCOの働きにより，過去30年の間に，開発途上国全体で子どもの死亡率を半減，栄養不足を3分の1に減少，就学率を4分の1上昇させることができた[15]。
植民地教育 (colonial education)
徴兵制 (military draft system)
国際児童年 (International Year of the Child)：1979年に成立。
児童憲章 (Children' Charter, Children's Charter)
遊びの権利 (child's right to play)
児童労働 (child labor)
教育水準 (level of education, educational standard)
教育人口 (school population, pupil population)
社会リテラシー (social literacy)：生徒を良き市民にするための教育で，社会的・道徳的な発達の重要性を強調する[16]。
国際労働機関 (International Labor Organization, ILO)
青年海外協力隊 (Japan Overseas Co-operation Volunteers)
非政府組織 (non-governmental organization, NGO)：民間援助団体・民間公益団体としてもほぼ同意。
非営利組織 (non-profit organization, NPO)
国際協力事業団 (Japan International Cooperation Agency, JICA)
経済協力開発機構 (Organization for Economic Co-operation and Development, OECD)
セリ，OECD教育研究改新センター (Center for Educational Research and Innovation, CERI)

Chapter 10 青少年と犯罪

世界保健機構(World Health Organization, WHO):"保健憲章"(1948年)の前文に「健康は身体的・精神的かつ社会的に完全に良好な状態にあり、単に疾病または虚弱でないことではない」と記述されている.

Lesson 33 少年非行と犯罪
juvenile delinquency[17]

* キーワード *

自己防衛　self-defense

条件付きの愛情　conditional love, affection

無条件の愛・愛情　unconditional love, affection

浮遊する若者　drifting youth

未成長の大人　immature adults

成熟した子ども　premature child

犯罪を思いとどまらせる　deter crimes

虞犯(ぐはん)　pre-delinquency

少年犯罪者　juvenile delinquent

盛り場　place of public resort

アノミー　anomie

無秩序・無法状態　lawlessness

フロント・ランナー　front runner

ゲーセン　amusement center

ブランド品を購入する　buy designer goods

お小遣い　monthly allowance

万引　shoplifting

スリ　pickpockets

残虐なゲームやテレビ番組　violent games and TV programs

番組選択装置　viewer-control chip, violence chip, viewer chip, V-chip

良いことと悪いことを区別する能力　ability to distinguish between right and wrong

少年保護　protection of youth

Lesson 33 少年非行と犯罪

少年法改正　revision of juvenile law
法的に禁止された薬物　illegal drug
合法薬物　legal drug
麻薬の恐ろしさ　the horrors of drugs
幻覚剤　hallucinogens, psychedelic drugs
LSD　lysergic acid diethylamide-25
マスカリン　mescaline
大麻　marijuana
興奮剤　stimulants, stimulant drugs
コカイン　cocaine
カフェイン　caffeine
睡眠剤・麻酔剤　opiates, narcotics
阿片　opium
ヘロイン　heroin
モルヒネ　morphine
鎮静剤　depressants, tranquilizers
酒　alcohol
ニコチン　nicotine

　一人っ子が増えている核家族では，子どもが親とけんかすると家の中で孤立することになる。子どもたちが親に嫌われまいと良い子を演じるのは，**自己防衛** (self-defense) の手段であり，**内面の良い子**（うちづら）（**外面の悪い子**（そとづら））が増えている。親はそんないたいけな子どもたちに対し，良い子になるためのハードル（勉強ができること，世間体の悪いことをしないことなど）をどんどん高くしている。親から子への"期待"という**条件付きの愛情** (conditional love, affection)[18] は，子どもにとって"自分を条件なしでは愛してくれない"という親への不信感につながっている[19]。

　今を生きたい子どもと，立派な将来のために今を犠牲にして生きてほしいと願う親とは，2つのベクトルに引き裂かれている。現在に生きられず，やがて来るであろう将来のためだけにも生きられず，その狭間で少年たちは**浮遊する者** (drifting youth) となる。

　青少年は自分の中で，**未成長の大人** (immature adults) と**成熟し過ぎた子ども** (premature child) の部分を**ボーダレス** (borderless) にさまよい，混

在する善と悪の部分を内沸させながら，その日その日を送っている．彼らが，正常と狂気とその間のグレーゾーンを右往左往していると考えると，社会に適応していたはずの者が突然犯罪を犯してしまうことも説明できる[20]．彼らは**犯罪を思いとどまらせる**（deter crimes）ための**制限装置**（limiter）がはずれる，俗に"切れた"状態に至って，事件を起こしてしまう．

家でも学校でも自分の居場所を確保できない少年たちは，そこから逃げ惑うかのように**盛り場**（place of public resort）をさまよっている．彼らが発する若者文化は，その特徴として公共空間（電車・バス・駅・道路など）での**携帯電話**（cellular phone, portable phone）等による**とりとめのない話**（chat）や，辺り構わずの地べたに座り（ジベタリアン）・飲食（カップラーメンが好き）・**化粧**（put on make-up）直しなど[21]．

これらは世の大人たちから見れば聞くに忍びない，目に余る言動であり，それらはもう常識の枠を逸脱した**アノミー**（anomie）**状態**[22]ということになる．しかし人類の歴史がいつの時点でもさらなる進化により塗り替えられてきたことを踏まえると，青少年たちこそが我々の進化（退化）先導する**フロント・ランナー**（front runner）であることは間違いない．

青少年の行動はさらにエスカレートすると，**少年犯罪**（crimes committed by juveniles, juvenile delinquency）へとたどり着く．**ゲーセン**（amusement center）で遊んだり，**ブランド品を購入する**（buy designer goods）ために親からの**お小遣い**（monthly allowance）から足が出ると，資金集めのために**万引**（shoplifting）・**スリ**（pickpockets）をする．イライラ・ムシャクシャすれば，集団・単独で社会的権威（親・警察・教師）や社会的弱者（高齢者・後輩）に暴力を加える．売れればよいという商業至上主義に突き動かされた**残虐なゲームやテレビ番組**（violent games and TV programs）を日々体感して成長した子どもたちにとって，この種の犯罪・暴行はもはや日常的な行為ですらある[23]．

これら青少年の**良いことと悪いことを区別できる責任能力**（the ability to distinguish between right and wrong）を問うにあたって，少年犯罪から市民を守るために少年により重い（あるいはより低年齢で）罪を償わせる立場を主張する厳罰主義に対し[24]，国が**少年保護**（protection of youth）の責任を負うという立場の保護主義派があり，両者の間で**賛否両論**（the pros and cons of a matter）が唱えられている．

いずれにしても昨今の子どもたちの荒れ方は，社会と家庭が機能不全に陥っ

Lesson 33 少年非行と犯罪

ている大人世界を映し出す鏡である．子どもたちは学歴主義という遺制や残照にしがみ付いている親に失望し，彼らの生き様に同意できないでいる．彼らにとって大人は"自分もこうなりたい"という目標となるモデルではなく，"こうはなりたくない"という反感の的になっている．

「今の若い者は全く……」と非難したり，「私の言う通りにやりなさい」(Do what I say.)というのが口癖になっている親たちは，「私のやるようにやりなさい」(Do what I do.)と言えない自らの生き方を顧みる必要がある．"親がやるべきことをしていないくせに，そんな親につべこべ言われたくない"と子どもたちが反感を強めないように[25]．

ミニ知識：薬物乱用 (drug abuse)

現実逃避に即効力を発揮する麻薬 (drug)[26]の需要と供給が急速に増えている．従来，暴力団とのつながりがなければ入手できなかったものが，インターネットで情報交換したり，受け渡しに携帯電話を利用することから，誰でも購入可能（摘発する側にとっては取り締まりが困難）になっている[27]．

手軽に服用できる錠剤タイプ（ペーパー）や，注射器は使用せずアルミホイルの上にのせて下から火であぶりその煙を吸引するタイプ，ナイロン袋に煙を集めてそれを吸うガンジャ（大麻樹脂）・草（大麻）・E(エクスタシー)・S(スピード)・L (LSD) などが売れ筋である．

麻薬の恐ろしさ (the horrors of drugs) は命という代償を支払う (cost them their lives) ことであるが，普段希薄な友好関係しか築けない青少年にとって薬物乱用 (drug abuse) という極秘事項を共有し，トリップ (trip, 使用者の幻覚状態) することから生まれる親密感・結束感が薬物からの脱出を困難にしている[28]．以下，薬物の主な4種を紹介する[29]．

1. 幻覚剤 (hallucinogens, psychedelic drugs)：LSD（正式には lysergic acid diethylamide-25)[30]・マスカリン (mescaline)[31]・大麻 (marijuana)[32]など．陶酔感が得られる．
2. 興奮剤 (stimulants, stimulant drugs)：コカイン (cocaine)[33]・カフェイン (caffeine) など．中枢神経を刺激・活発化する (activate the central nervous system)．
3. 睡眠剤・麻酔剤 (opiates, narcotics)：眠りを引き起こす (induce sleep, sedative) ものと，痛みを和らげる (relieve pain, analgesic) ものがある．3000年も前にエジプトで使用されていた (used in Egypt as much as 3,000 years ago) 阿片 (opium)[34]・ヘロイン (heroin)・モルヒネ (morphine) など．不快感（不安・苦痛など）を解消し多幸感 (euphoria) をもたらす．
4. 鎮静剤 (depressants, tranquilizers)：酒 (alcohol)・ニコチン (nicotine) など．しばしば興奮剤の一種と勘違いされている[35]．

Chapter 10 青少年と犯罪

図33-1 年齢層別にみる初交年齢の分布

	range of age		under 10	10-12	13-15	16-19	20-24	25-29	30-34	35-39
male	18-24	(131)	0.0	0.8	18.4	79.4	100.0	100.0	100.0	100.0
	25-34	(290)	0.0	0.0	6.2	61.4	93.8	99.3	100.0	100.0
	35-44	(378)	0.0	0.0	3.7	52.9	89.9	97.4	99.2	100.0
	45-54	(471)	0.0	0.0	1.7	43.7	85.6	98.3	99.8	100.0
	55 and over	(216)	0.0	0.0	0.9	29.6	70.0	95.4	99.6	100.0
famele	18-24	(120)	0.0	0.0	13.3	79.2	100.0	100.0	100.0	100.0
	25-34	(341)	0.0	0.0	4.6	51.6	93.3	99.5	100.0	100.0
	35-44	(365)	0.0	0.0	0.6	36.7	85.3	98.4	99.8	100.0
	45-54	(468)	0.0	0.0	0.0	16.2	82.3	97.6	99.6	100.0
	55 and over	(243)	0.0	0.0	0.4	10.7	77.8	97.1	99.6	100.0

(注) カッコ内は性交体験者の数.
(資料) 日本子どもを守る会『子ども白書2000』2000年, p.127.

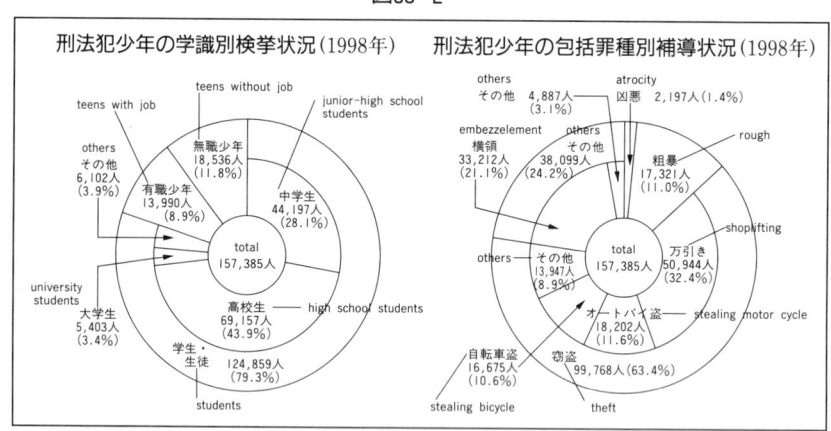

図33-2

刑法犯少年の学識別検挙状況 (1998年)
刑法犯少年の包括罪種別補導状況 (1998年)

(資料) 総務庁『青少年白書』1999年. 時事通信社『教育データブック2000-2001』2000年, p.77.

** 関連ワード **

ナルコティックス・アノニモス (narcotics anonymous, NA):米国で1953年,薬物依存者(匿名,anonymous)が自ら回復支援活動を進める自助グループとして結成.日本でも80年発足[36].narcoticsとは,ここでは麻薬中毒・常用者のこと.

依存 (addiction):それなしで生きていけない状態のことで,例えばアルコール依存はaddicted to alcohol.薬物依存はdrug addiction, drug dependence.

少年法（juvenile law）
青少年保護条例（juvenile protection ordinance）
少年院（detention center, reform school）
少年鑑別所（detention home, juvenile detention and classification center）
少年刑務所（juvenile prison）
刑事処分（criminal punishment）
違法行為（misconduct）
再犯・常習的犯行（recidivism）：再犯者・常習者は recidivist.
落書きする（write graffiti）
シンナーを吸う（sniff thinner, sniff glue）
保護監察（probationary supervision）
暴走族（motor cycle gang）
強姦・性的いじめ（rape）
恐喝（sexual threat）
脅し（intimidation）：脅すのは intimidate.
痴漢（masher, sexual molester）：見知らぬ女性を性的に誘惑する男（a man who makes sexual advances especially to a strange woman）のこと[37]。
いやがらせ電話（nuisance, irritating calls）
いたずら電話（prank call）
パチンコ店（pachinko parlors）
通り魔（phantom killer）：phantom は幽霊の意味。
家出（leaving home, running away from home）

Lesson 34　校則と体罰　inner school law and punishment

＊ キーワード ＊
懲戒　discipline
正座　sit upright

Chapter 10 青少年と犯罪

拳骨(げんこつ)　fist, Punch
平手打ち　cuff, paddle
お尻を打つ　spank
鼓膜が破裂する　have one's eardrum split
傷害罪で逮捕される　be arrested on a charge of infliction of bodily injury
暴力は暴力を生む　Violence breads violence.
権威的態度　authoritarian attitude
服装規定　dress code, dress rules
私服　ordinary clothes
制服　school uniform
スカートの長さ　lengths of skirts
角刈り　crew cut
丸刈り　close cropped hair, close-clipping
お河童　bob
金髪　blond
アフロ髪　afro
ピアス　pierced earring
身体装飾　body ornament

　青少年から発信された非行 (misdeed, misconduct) というメッセージに対し、学校側が専ら校則と体罰 (corporal punishment, bodily punishment, penalty) で対処しようとすると、そこでさらに問題が拡大する[38]。

　過去には体罰が辛いという理由で首つり自殺したり、体罰を受けた生徒が骨折 (fracture of bone)・鼓膜が破裂する (have one's eardrum split) などの報道があった。今でも、生徒に教室や廊下で正座 (sit upright) させたまま、そのことを忘れて帰宅してしまう先生や、**げんこつ** (fist, Punch)・**平手打ち** (cuff, paddle)・**お尻を打つ** (spank) 先生がいる。養護学校や特殊学校では教師が「お前は生きていても仕方ない」「一生結婚できない」など言葉の暴力を加えていた例や、寄宿制のところでは夕方6時に生徒に睡眠薬を飲ませ(翌朝まで眠らせ)て睡眠薬依存症にしてしまった事件など、体罰から転じて虐待に発展しているケースもある[39]。

　建前としては、教育効果を期待する、あるいは生徒を思うが故の愛のむち、と公言され、行使される体罰であるが、その本音の部分には管理体制維持、権

Lesson 34 校則と体罰

力堅持のためにかかわる教員の**権威的態度**（authoritarian attitude）がないとは断言できない．学校の外では人が，他の人の態度が気に入らないという理由により暴力行為に及ぶと，それはもれなく**傷害罪で逮捕される**（be arrested on a charge of infliction of bodily injury）のに対し，学校の中で教員が生徒に同じ行為をすると，それは教育と呼ばれる（もちろんこれが逆転して，生徒が教員に体罰を加えれば処分の対象となる）[40]．このように矛盾が明らかであるのに，どこまで生徒を封じ込むことができるのか，その限界は目に見えている．

一方，度の過ぎた校則（school regulation, school code）を「四の五の言うな」と（生徒の意思が反映されていない形で）押し付けることも，学校側の都合に生徒を合わせるための強制的行為であり，一種の暴力である．**暴力は暴力を生む**（Violence breeds violence.）のみであり，このことにより派生する生徒と学校の隔絶は深刻である．

情報社会の住人として生徒たちは垂れ流しになっている文化，例えば**金髪**（blond）や**アフロ髪**（afro），**ピアス**（pierced earring）をはじめとする各種様々の**身体装飾**（body ornament）をまとう海外の中・高生の状況を目の当たりにしている．そんな彼らに**角刈り**（crew cut）や**丸刈り**（close cropped hair, close-clipping）[41]・**お河童**（bob）を規定したり，**制服**（school uniforms）の**スカートの長さ**（lengths of skirts）[42]，週末の**私服**（ordinary clothes）まで指定する**服装規定**（dress code, dress rules）は時代錯誤といえよう．

親や先生の言うことをその通り聞いた子が果たして本当に良い子なのか，それ以外の考えを持つ者・行動を起こす者は悪い子なのか．21世紀は指示を受けて従うより，ゼロから創造できる能力が求められる世紀になるといわれながら，優秀な成績で大学院に入っても，自主的な研究ができずに指導教官の指示を逐次待つタイプの日本型の秀才は，果たして他国の若者と肩を並べていけるのか．大人にとって都合のよい子（勉強ができてコントロールしやすい子）を良い子と呼んできたのは，大人のエゴイズムではなかったのか．

既成の流れに呑み込まれることなく新しい流れをつくり出していける，日本の明日を担う次世代の能力は，競争・効率・管理・画一（4K）を強いるのではなく自由・主張の権利を与えられた環境の中でこそ開花できるものである[43]．

Chapter 10 青少年と犯罪

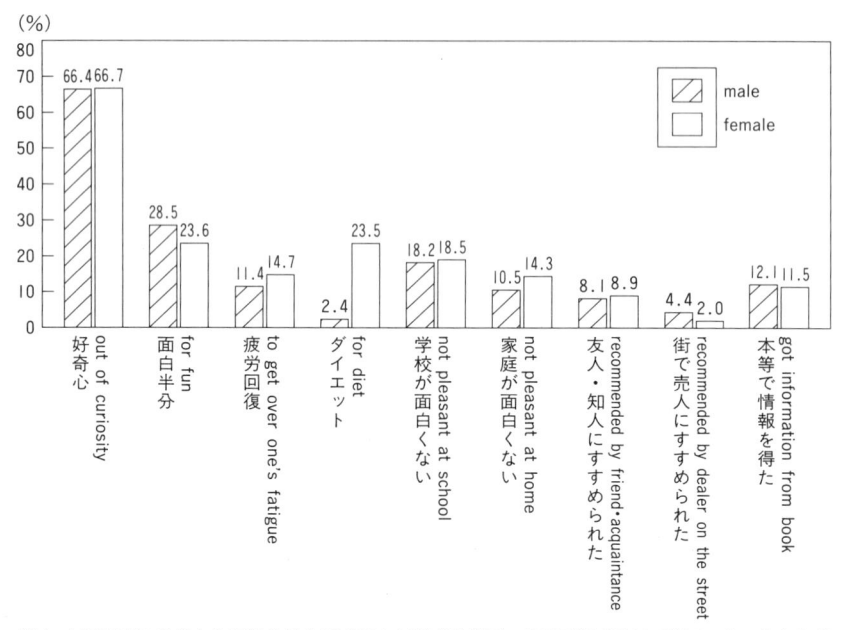

図34-1 薬物を使ってみたいと思った理由(1997年)

理由	male	female
好奇心 (out of curiosity)	66.4	66.7
面白半分 (for fun)	28.5	23.6
疲労回復 (to get over one's fatigue)	11.4	14.7
ダイエット (for diet)	2.4	23.5
学校が面白くない (not pleasant at school)	18.2	18.5
家庭が面白くない (not pleasant at home)	10.5	14.3
友人・知人にすすめられた (recommended by friend・acquaintance)	8.1	8.9
街で売人にすすめられた (recommended by dealer on the street)	4.4	2.0
本等で情報を得た (got information from book)	12.1	11.5

(注) 全国15市に所在する高校2年生25,902人が調査母集団. 有効回答率は90.7%で, その中から薬物を使ってみたいと答えた者を調査対象とする.
(資料) 総務庁『青少年白書』1998年. 時事通信社『教育データブック2000-2001』2000年, p.89.

＊＊ 関連ワード ＊＊

学内規定・規程 (school code)
学校法 (school law)
校訓 (school motto)
内規 (inner school law)
教育法規 (school legislation)
校章 (school badge)
しつけという名目で (in the name of discipline)
居残り (detention)
三つ編み (braid)
おさげ髪 (pigtail)
だらしなく見える (looks sloppy)
運動着 (truck suit, warm-up suit)

170

Lesson 34 校則と体罰

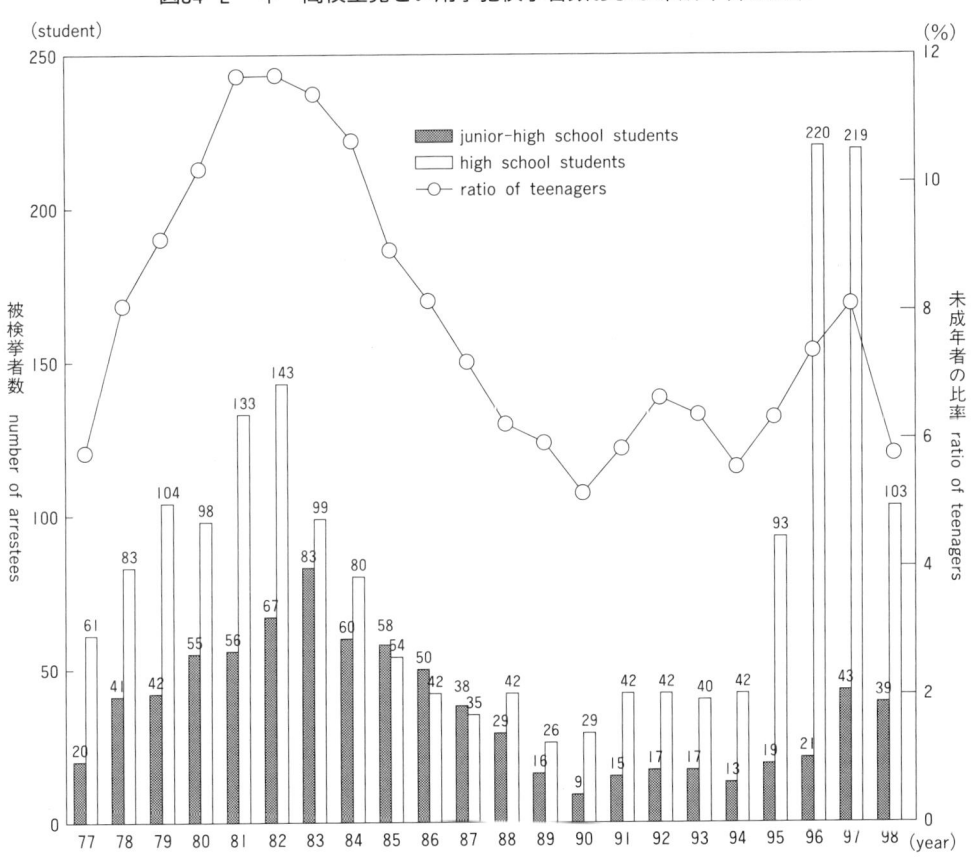

図34-2　中・高校生覚せい剤事犯検挙者数および未成年者の比率

(注) 未成年者とは、14〜20歳未満の者.
(資料) 総務庁『青少年白書』1999年. 時事通信社『教育データブック2000-2001』2000年, p.88.

---

1) 国際連合広報局・国際連合広報センター監訳 (*Basic Facts about the United Nations*)『国際連合の基礎知識』世界の動き社, 1998年, 209頁.
2) 以前は<u>途上国</u> (developing countries) を, <u>先進国</u> (developed countries, advanced country) に対置する意味で, 後進国 (less advanced countries) と呼んでいた.
3) 畠中宗一『子供家族支援の社会学』世界思想社, 2000年, 168-69頁.
4) 友久久雄『学校カウンセリング入門』ミネルヴァ書房, 1999年, 157頁.
5) 1959年に制定された子供の権利宣言を基盤とする, 子どもの権利を保障するための総合的

Chapter 10 青少年と犯罪

な条約であり、"人類が20世紀、子どもに送った最大のプレゼント"といわれている。浪本勝年『戦後教育改革の精神と現実』北樹出版、1993年、24頁。
6) 児童の権利条約採択(1989年)後の10年間、武力紛争で200万人以上の子どもが殺され(負傷者は600万人以上)、5歳未満の幼児が予防可能な病気などが原因で、毎日3万500人死亡する状況が進行している。「愛知新聞」(朝刊)、1999年12月14日。
7) ポルノは、家柄や地位(学位)が高く、お金さえ稼げれば人格や精神性はあまり問われなかった男たちのためのカンフル剤(kamferはオランダ語)であり、一種の文化として容認されてきた。石山宏一『新現代用語を英語にする辞典』グロビュー社、1985年、320頁。
8) 陰毛(pubic hair)の見えるものはわいせつ感を与えない限り、無修正で通関させることにした。同上、340頁。
9) 途上国では家族の借金返済などの理由により**少女に売春させる**(Force girls into prostitution.)のに対し、日本では少女が大人の世界への入場券としてのブランド品や最新のグッズを買うために援助交際する。
10) 援助交際は誰の後ろ盾もなく、見知らぬ男と少女(素人)が危機感を持たずに密室に入ることができる安全な社会においてのみ起こり得るという意味で、極めて日本的な犯罪である。鮎川潤「ティーンエイジャーの生活と教育」佐伯胖編『世界の教育改革〈12〉』岩波書店、1998年、200-221頁。
11) 世界で一番非識字率が低い日本では考えにくいことであるが、海外では商品の説明書などには複雑な表現は避け、できるだけ簡単な単語で簡潔に記述することがクレームを最小限にするための配慮として欠かせない。
12) 小澤周三編『教育学キーワード(新版)』有斐閣双書、1998年、15頁。
13) 地球カルテ制作委員会『地球カルテ』青春出版社、2000年、120頁。
14) ユニセフの活動はすべて政府および民間からの自発的拠出金で賄われている。前掲書1)、37頁。
15) 前掲書1)、131頁。
16) アン・ルイス、西田有紀訳『障害のある子と無い子の交流教育』明石書店、1999年、9頁。
17) 虞犯は pre-delinquency、少年犯罪者は juvenile delinquent という。
18) **無条件の愛・愛情**は unconditional love, affection.
19) 親の自己中心的で競争意識の強い愛情を受ける子どもは、親の虚栄心を見抜いている。
20) はっきりした動機から犯罪に走るというより、曖昧な(問題の一時的解決を図ろうとする現実逃避的・欲望発散的)動機から大胆な(無差別的・衝動的)行動を起こしている。「毎日新聞」(東京、夕刊)、2000年5月18日。
21) 教育現場では中学・高校の場合、授業中に机の上に大型手鏡を据え化粧に熱中したり、大学レベルでは講堂の後座席で寝て講義を聴講することをちゅうちょしない生徒・学生がいる。
22) 社会的道徳の退廃・無秩序・無法状態 (lawlessness)。
23) アメリカ・カナダなどでは、テレビで子どもが暴力・性的場面に遭遇するのを制限するために**番組選択装置** (viewer-control chip, violence chip, viewer chip, V-chip) がテレビに取り付けてある。放送番組が、一般向け (general, G)・親の承認を要する (parent guidance, PG)・13歳・15歳・18歳以下は視聴すべきでない (under 13, under15, under18

Lesson 34 校則と体罰

などに分類されている．

24) **少年法を改正**(revision of juvenile law)し，未成年犯罪者の名前は公開するべき(The names of junevile criminals should be made public.) との意見もある．
25) 子どもは自分が愛する人・失望させたくないと思う人と過ごす時間を通じて罪悪感・羞恥心・良心・共感を育む．そして，自分が尊敬する人の言うことに耳を傾ける．Newsweek, 1999, March, 15, p.21.
26) 法的に禁止された薬物 (illegal drug)．科学的構造を多少変更することで法的規制の網の目 (loophole of the law and regulation) をくぐり抜けたものは合法薬物 (legal drug)．
27) 『時事ニュースワード1999-2000』時事通信社，1999年，221頁．
28) 1回の使用量は大体5,000～1万円．通常ストロー状（ボールペンの芯など）のチューブの両側をつぶした形で売られている．尾木直木樹・宮台真司『学校を救済せよ』学陽書房，1998年，196頁．
29) Grinspoon, L., & Bakalar, J. B. *Psychedelic drugs reconsidered*. New York: Basic Books, 1979.
30) ライ麦・小麦に寄生する麦角菌から合成したもの．
31) ペヨテサボテン (peyote cactus) から採取する．
32) 麻・大麻の花や葉をつぶしたもの (crushed leaf and flower of the hemp plant)．マリファナ中毒は marijuana intoxication という．
33) 高木コカから採取する．
34) ケシの実 (poppy seed) から採取する．
35) Bushman, B. J., & Cooper, M. M. *Effects of alcohol on human agression*: An integrative research review, Psychological Bulletin, 107, 1990, pp. 341-354.
36) 江川攻成・他編『最新教育キーワード137(第8版)』時事通信社，1999年，249頁．
37) 女性の社会進出や地位が高まり，（男性ではなく）女性に認められなければ昇進できない社会構造になれば，セクハラ (sexual harassment) や痴漢行為が女性から男性に向け行われるようになるかもしれない．
38) 教育基本法第11条では「校長及び教員は，教育上必要があると認めるときには，監督庁の認めるところにより，学生，生徒及び児童に懲戒 (discipline) を加えることができる．ただし，体罰を加えることはできない」と体罰を禁じている．
39) 児玉勇二編『障害を持つ子どもたち』明石書店，1999年，102頁．
40) 前掲書27)，196頁．
41) 1999年度，夏の甲子園大会に出場した49校中，38校は部員全員が丸刈り．残る11校では丸刈りに加えてスポーツ刈りの選手が見られた．一方，全国大会に出場する高校サッカー部には長髪・茶髪・ピアスの選手が混在していた．「産経新聞」（東京，朝刊），2000年7月5日．
42) 長さは一斉に床上36cm(生徒の身長の差・足の長さの違いを全く考慮していない)と定めている学校もある．
43) かと言って生徒側は，自由・主張と無責任が同意ではないことを，また権利は義務を遂行することにより獲得できることを，深く理解しなくてはならない．

Chapter 11　家庭・地域・職場と教育の関わり
out of school education

Lesson 35　学校教育の終焉　the end of school education

* キーワード *

大学入学資格検定　university entrance qualification test
バイパス　by-path
脱学校論者　de-schooler
学校外教育　out of school education
学校恐怖症　school phobia
学校不適応　school maladjustment
登校拒否　refusal to attend school, school non-attendance
不登校　school refusal
学校への行き渋り　reluctance to attend school
学校をさぼる　be truant, skip school
クラスをさぼる　cut a class
引きこもり　withdrawal
非社会的行動　non-social behavior
反社会的行動　asocial behavior

　思い起こせば20世紀の教育は，経済面の未曾有の成長に引きずられる形で激動した．そして性急に過ぎたその百年は，学校教育に予期せぬ影を落とした．
　学校へ行くこと自体が誉れだった時代は百年を経過して，今や学校は文部省の定める指導要領（the course of study, curriculum guides for teachers）に則り，一律に優秀であると認められた先生によって，全国どこでも似たり寄ったりの授業が行われている，空間（一律にようかん型で灰色の校舎）におい

Lesson 35 学校教育の終焉

てもその授業の内容においても，息苦しい陳腐なところになってしまった[1]．情報技術 (information technology, IT) がもてはやされる現代では，子どもたちが自宅で自分専用の最新のグッズを私有し，基礎的な読み書きさえできれば自分のムードとリズムに従って勉強が進められるという環境を掌中にしている．

学校への不満・不信感は，もはや学校不要論にまで発展しつつある．小・中学時に全国にある適応所に通い[2]，高校時に高等専修学校[3]やサポート校などに行き（もちろんどこにも行かなくてよい），自由に青春を謳歌しても，**大学入学資格検定**（大検，university entrance qualification test)[4]という**バイパス**(by-path)[5]に合格さえすれば，各種・専門学校や大学への進学資格が得られる．しかも多くの者にとって最終学歴となる大学に入学するための試験対策の勉強ならば，従来の学校は塾 (cram school, after school, tutoring school) や予備校の敵ですらなくなっており，すでにその存在感・価値感を喪失している．

海外の事情を見てみると，欧米では1960年・70年代，ポール・グッドマン[6]・エバレット・ライマー[7]・ロナルド・ドーア[8]・イバン・イリッチ[9]などが，教育問題の解決の途を学校教育の構造的改革の中にではなく，学校そのものの解体に求める脱学校論 (de-schooling) を唱えた．

日本でも近年になり，鷲田小彌太[10]・里見実[11]などが**脱学校論者**(de-schooler)として**学校外教育** (out of school education) という形で教育の可能性を追求している．21世紀は，教育は学校において行われるべきであるという学校中心主義の通念から脱却し[12]，学校が主役から脇役になる，少なくとも学校教育が選択肢 (option) の1つでしかなくなる時代かもしれない[13]．

ミニ知識：不登校と引きこもり
　　　　　(school refusal and withdrawal)
　従来，長欠児童・生徒は家庭のやむない事情によるものが主であった．時代の流れとともに学校恐怖症 (school phobia) や学校不適応 (school maladjustment) の者が登校拒否 (refusal to attend school, school non-attendance) をするとの考えを経て，現代では長欠の者は不登校 (school refusal) と称されている[14]．不登校の原因についても生徒本人の精神的障害や，親の教育不熱心（または極端に威圧的・権威主義的な管理）によると考えられていたがしだいに，学校側にも責任の一端があるとみなされてきている．
　文部省の定めるところによれば，不登校の定義とは，病気などの明確な理由なしに（年間30日以上）学校へ行かない・行けないこと．保健室へ逃げ込む者（保健室登校は欠席で

175

Chapter 11 家庭・地域・職場と教育の関わり

図35-1 不登校となった原因と不登校状態が継続している理由との関係

(elementary school)

理由 reason	原因 cause	life style at school 学校での生活様式	truancy・delinquency さぼり・非行	spiritless 無気力	emotional confusion 情緒的混乱	intentional refusal 意図的な拒否	mixed feeling 入り混じった気持ち	other その他	total 計
学校 school	友人との問題 problem with friend	638	13	220	987	119	728	54	2,759(10.6)
	教師との問題 problem with teacher	152	6	31	140	56	144	17	546(2.1)
	学業の不振 underachievement in study	89	27	439	167	34	195	22	973(3.8)
	クラブ・部活動での不適応 maladjustment to club activity	5	0	7	24	3	12	0	51(0.2)
	学校のきまりをめぐる問題 problem with school rule	19	2	13	34	30	31	0	129(0.5)
	転・入学・進級時の不適応 maladjustment to new classroom environment	80	7	67	363	24	208	23	772(3.0)
家庭 family	生活環境の変化 environmental change	60	41	464	697	51	477	134	1,924(7.4)
	親との問題 problem with parents	75	57	806	1,722	139	1,090	193	4,082(15.8)
	家庭内の不和 family trouble	21	17	226	465	36	288	74	1,127(4.3)
個人 individual	病気による欠席 absence due to illness	81	4	419	671	42	546	253	2,044(7.9)
	その他 others	215	50	1,875	2,669	352	2,007	474	1,845(7.1)
その他 others		39	14	342	255	106	532	756	2,044(7.9)
不明 vague		45	6	243	429	67	578	477	1,845(7.1)
計 total		1,519 (5.9)	244 (0.9)	5,152 (19.9)	8,623 (33.3)	1,059 (4.1)	6,836 (26.4)	2,477 (9.6)	25,910 (100.0)

(junior-high school)

reason	cause	life style at school	truancy・delinquency	spiritless	emotional confusion	intentional refusal	mixed feeling	other	total
school	problem with friend	4,470	1,427	2,201	6,175	1,034	4,061	306	19,764(19.7)
	problem with teacher	335	229	197	335	219	336	32	1,683(1.7)
	underachievement in study	677	2,265	3,765	1,406	357	1,326	129	9,925(9.9)
	maladjustment to club activity	242	74	227	433	70	305	21	1,372(1.4)
	problem with school rule	166	1,576	314	150	271	312	22	2,811(2.8)
	maladjustment to new classroom environment	304	177	542	1,037	195	680	74	3,009(3.0)
family	environmental change	137	774	1,328	1,209	219	1,085	216	4,968(5.0)
	problem with parents	219	1,617	1,856	2,188	444	1,804	228	8,356(8.3)
	family trouble	145	869	942	962	206	827	149	4,100(4.1)
individual	absence due to illness	381	164	1,444	2,287	185	1,541	801	6,803(6.8)
	others	922	3,684	7,464	7,016	1,543	6,996	1,148	28,773(28.7)
others		114	323	571	387	272	751	689	3,107(3.1)
vague		126	229	1,106	1,198	356	1,694	822	5,531(5.5)
total		8,238 (8.2)	13,408 (13.4)	21,957 (21.9)	24,783 (24.8)	5,371 (5.4)	21,718 (21.7)	4,637 (4.6)	100,112 (100.0)

(注) カッコ内は比率(%)を示す.
(資料) 時事通信社『教育データブック2000-2001』2000年, p. 80.

はない)や登校回避感情を持ち，学校への行き渋り (reluctance to attend school) 傾向を見せる不登校の予備軍 (preparatory, preliminary group, reserve) が拡大している[15]．

さらに深刻な様相を呈しているのが引きこもり (withdrawal)[16]の問題である．少なく見積もっても数十万人とされているが，正確な数は把握できない．平均年齢は23歳くらいと推測されているが，10年以上引きこもり続ける長期化・高齢化が進んでいる．

典型的な症状としては自室に引きこもり，食事もそこでドアに施錠してとる．メモを用いたり，壁に物をぶつけたりして外部と交信するなど，非社会的行動(non-social behavior)をとる[17]．幼児期に自分の感情を押さえ込んで出さなかった者が，成長するとともに出せなくなる状態に発展したとの原因分析がある．また不登校の延長と考えられている部分があるが，不登校は学校へ行かない(いけないのではない．フリースクールや他の活動へは参加できる)だけであるのに対し，引きこもりは自室以外どこへも出られないので事態はより深刻である．

＊＊ 関連ワード ＊＊

学校への出・欠席 (school attendance)

認可欠席 (excused absence, lawful absence)

無断欠席・非認可欠席 (unexcused absence, truancy absence without permission, unlawful absence)

忌引き (absence from school due to a death in the family)

休学 (leave of school, temporary absence from school, temporary withdrawal from school)

出校停止 (suspension from school)

就学免除 (release)

ストップ・アウト (stop out, stopping out)：学生が仕事や旅行，その他何らかの理由により教育をうけることを任意（かつ故意）に一時的休止すること．規則違反や成績上の問題で中退する (drop out) 場合と区別する．

オルタナティブ・スクール (alternative schools)：チャータースクールのように公的に認可され，特殊な目的で設置された学校など．

ノンフォーマル・エデュケーション (non-formal education)：学校教育(formal education) 以外の計画的・組織的教育活動．

インフォーマル・エデュケーション (informal education)：メディア・家庭・仲間との日常経験を通した学習．

ランカスター・スクール (Lancaster school)：学校教育の始まり．19世紀初期，産業革命以降産出された労働者階級の子どもたちをパノプティコン原理[18]

に基づき，労働力として育成するために作られた．体育館のような空間で1人の**助教**(monitor) が椅子や台の上に立ち，数百人もの子どもを一斉に前向きに座らせ，指示を与える**助教法**(monitorial system) が用いられた[19]．

Lesson 36 親主導による教育 home based education

* キーワード *

宗教的な人　religious people
進化論　the theory of evolution, evolutionism, Darwinism
性教育　education for human sexuality, sex education
在宅学習　home schooling
在宅学習者　home schooler, home-schooler, home-schooled kid, a student schooled at home
アンスクール　unschool
脱学校　de-school
特許学校　charter school
教育のアカウンタビリテイ　educational accountability
教育消費者　educational consumer

在宅教育・**在宅学習** (home schooling) といえば，かつて子どもに独自の価値観を植え付けようとする**宗教的な人** (religious people) や[20]，学校教育を非難する反体制派の人が行うものだと思われてきた．現在は50州すべてでホームスクールが法的認可を受けている（学校と同じ学習の場として認められている）アメリカでも，わずか15年前の1985年に認可されていたのは5州だけであった[21]．

その米国で1990年には30万人であった**在宅学習者**・在宅独学者・自宅学習者・(home-schooler, home-schooled kid, a student schooled at home) が，10年足らずの間に200万人に増えている[22]．**アンスクール**(unschool)とは従来"無学の・教養のない (uneducated)"とほぼ同意で用いられてきたが，

近年では児童・生徒が自分で学校に行かないこと(**脱学校**, de-school)を選択する言葉として使われるようになった[23]. また彼らがスポーツや課外活動(extra-curricular activities)のときだけ学校に参加することができる, パートタイム制の受講を認めている学区もあり, そこには学校という制度にとらわれないで潤滑に学習を進めていく生徒の姿がある.

在宅教育・在宅学習とはつまり, 学校と先生が担っていた教育とそれにまつわる責任を, 家庭と親が自らの手元に引き取ることを意味するものでもあり, 父兄の学校教育への積極的参加・参画という傾向を同時にもたらしている. 従来の学校に満足できない先生と父兄が, 自分たちの希望を直接反映できる公立学校の新設を, 地元の教育委員会(local board of education, local school board)などに特別に認めてもらい運営する**特許学校**(charter school)[24]にも父兄の積極性がうかがえる[25].

ミニ知識：教育のアカウンタビリティ (educational accountability)

近年アカウンタビリティ(educational accountability, educational responsibility)の保護を求める声が高まっている. accountability とはもともと会計報告の責任を意味する言葉であるが, 1960年代米国で子どもの学力不振が問題となり, 親がその教育責任の所在を追及したことから始まった. アメリカでは多くの教育予算を市民が負担している(地元の固定資産税から拠出される)ので, 教育が果たして自分たちからの支出に見合うだけのものであるかについて関与する権利を有している. すなわち公立学校側は, 地元納税者である教育消費者(educational consumer)の期待に応える教育効果を達成する責任と, 彼らの納得できる教育成果をあげているかについて報告をする責任があるし[26], 教育消費者側にはそれを要求する権利がある[27].

学校が「アカウンタビリティを果たしている」ということは, 教育者の行いが正しく道理にかなったものであると親や住民に対して説明できること(accountable), またその説明が十分に行われている状況を指す[28].

** 関連ワード **

楽習 (edutainment)：学習に娯楽の部分を加える (education plus entertainment)こと. 子どもたちは楽しい内容を, 優しい態度で教えてもらわなければ学習意欲がわかない[29].

バウチャー (voucher)：行政当局が親へ交付する (教育のために使用できる) ある種の商品券・証書. 親は自分の子を通学させたいと望む学校に提出する.

(The state issues vouchers for parents to pay for a school of their choice.) 学校は親から受け取ったバウチャーに見合うだけの教育経費を行政当局から交付され，それを学校維持・運営費に充当する．経済学者フリードマン (Milton Friedman) が提唱．

教育の私営化 (privatization)

学校差 (disparity among schools, difference of academic levels among schools)

マグネット・スクール (magnet school)：磁石が鉄を引き付けるように生徒を引き付ける魅力のある学校．専門の先生をそろえ，特色ある授業を行うことで学校の個性化を促す．例えばニューヨークにあるマグネット・スクールではダンスや演劇，シリコンバレーではハイテクノロジーの学習に力を入れるなど[30]．

学区制・学区就学制 (district system)：住んでいる場所により決められた学校へ通わなければならない．(Children must go to a school designated according to their place of residence.)

区域外就学 (attendance to school outside the district)

日本ホームスクール支援協会 (Homeschool Support Association of Japan, HoSA)：2000年発足．ホームスクーラーは社会性が身に付かないことが懸念されてきたが，実際彼らはボランティア活動に参加したり，地域社会の中で異世代交流を通じ，尊敬・協力・感謝することを学んでいる．またHoSAでは，学習・問題意識が旺盛な生徒ほど学校を面白くないと思う傾向にあることを指摘し[31]，ホームスクーラーは自分で学習するという主体性・創造性を身に付けることができると主張する[32]．

画一性から個性を伸ばす学習へ (from uniformity to individuality-based learning)

20世紀式教育の限界 (the limitation of the 20th century-style education)

家庭教師 (private tutor)

Lesson 37 地域の教育　community education

* キーワード *

ベビーブーマー　baby boomer
15歳以下の人口割合　the proportion of the population aged under 15 years
高齢者　senior citizen
学校・家庭・地域社会の連携　collaboration between school, household and community
高齢化社会　aging society, senior citizens' society
少子化　decrease in the number of children born
少子化世代　baby buster
インテリジェントスクール　intelligent schools
公民館　citizens' public hall, public hall, community center
学習センター　learning center
メディアセンター　media center
情報センター　information center
資料センター　resource center
地域に根ざした教育　community-based education
大学公開講座　university extension programs
国立少年自然の家　National Children's Center
国立青年の家　National Youth House
生涯教育センター　lifelong education center
地域社会の教育力　educational functions of communities
地域の教育計画　local educational plan, community education plan

　戦後，**ベビーブーマー**(baby boomer)により膨れ上がった児童を収容してきた学校であったが，1998年5月5日を境として**15歳以下の人口の割合**(the proportion of the population aged under 15 years)と65歳以上 (over 65-year-olds) の高齢者人口の割合が初めて逆転し，少子・高齢化社会へ突入した[33]。

　日本の学校教育はいまだかつて経験したことのない少子化と高齢化が進んで

Chapter 11 家庭・地域・職場と教育の関わり

図37-1　年齢別(3階級)人口の構成割合

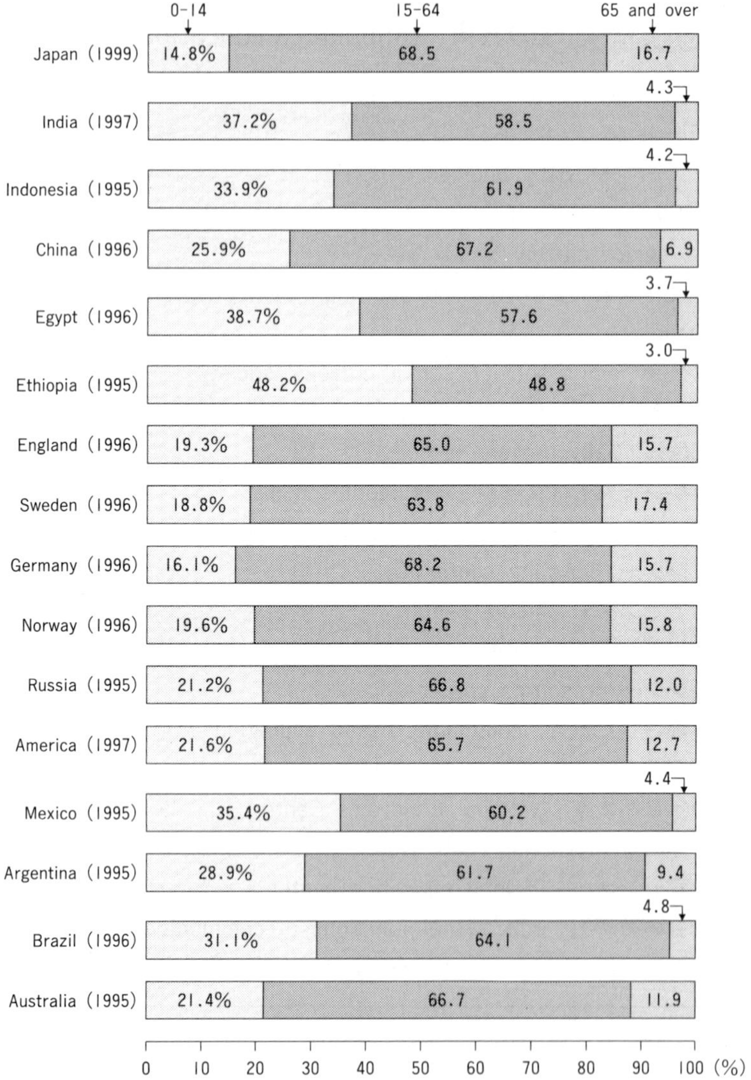

国名 (年次)	0-14	15-64	65 and over
Japan (1999)	14.8%	68.5	16.7
India (1997)	37.2%	58.5	4.3
Indonesia (1995)	33.9%	61.9	4.2
China (1996)	25.9%	67.2	6.9
Egypt (1996)	38.7%	57.6	3.7
Ethiopia (1995)	48.2%	48.8	3.0
England (1996)	19.3%	65.0	15.7
Sweden (1996)	18.8%	63.8	17.4
Germany (1996)	16.1%	68.2	15.7
Norway (1996)	19.6%	64.6	15.8
Russia (1995)	21.2%	66.8	12.0
America (1997)	21.6%	65.7	12.7
Mexico (1995)	35.4%	60.2	4.4
Argentina (1995)	28.9%	61.7	9.4
Brazil (1996)	31.1%	64.1	4.8
Australia (1995)	21.4%	66.7	11.9

(注) カッコ内は年次を表す.
(資料) (財)矢野恒太郎記念会『世界国勢図会』2000年, p.70.

Lesson 37 地域の教育

図37-2

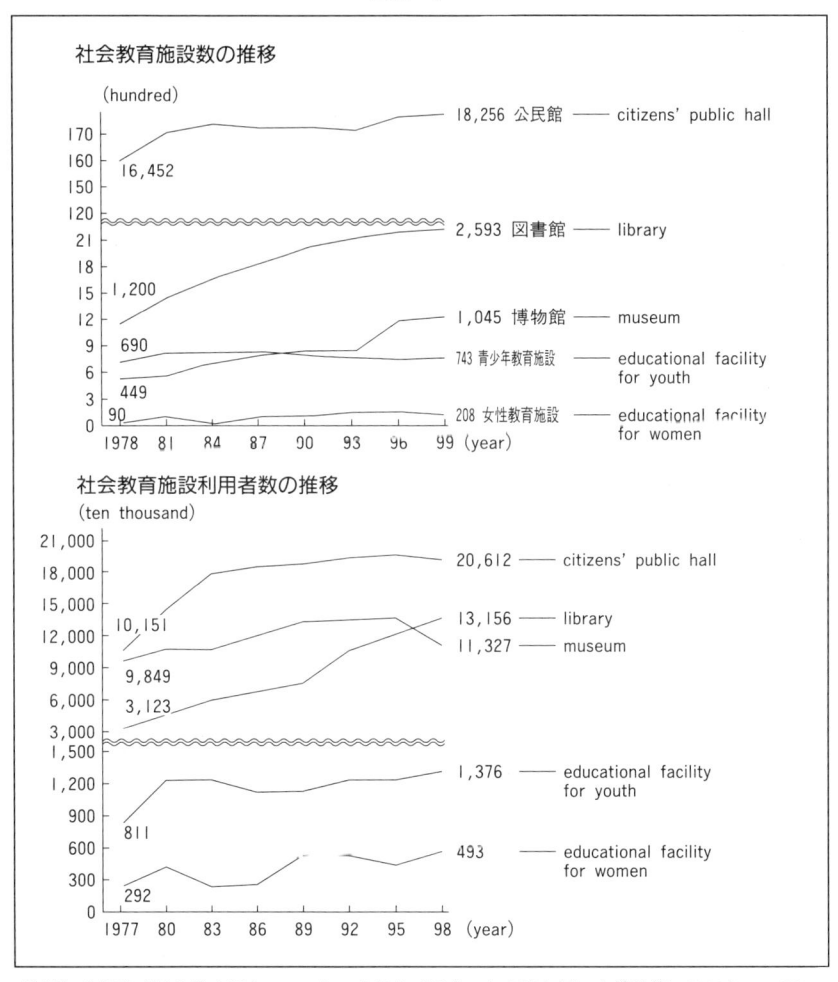

社会教育施設数の推移
(hundred)

- 18,256 公民館 —— citizens' public hall (1978: 16,452)
- 2,593 図書館 —— library (1978: 1,200)
- 1,045 博物館 —— museum (1978: 690; 449)
- 743 青少年教育施設 —— educational facility for youth
- 208 女性教育施設 —— educational facility for women (1978: 90)

1978　81　84　87　90　93　96　99 (year)

社会教育施設利用者数の推移
(ten thousand)

- 20,612 —— citizens' public hall (1977: 10,151)
- 13,156 —— library (1977: 9,849)
- 11,327 —— museum (1977: 3,123)
- 1,376 —— educational facility for youth (1977: 811)
- 493 —— educational facility for women (1977: 292)

1977　80　83　86　89　92　95　98 (year)

（資料）文部省「社会教育調査」1999年．文部省『平成12年度我が国の文教施策』2000年, p. 221.

いるが，その同時進行現象に着目し，子どもたちの通う学校と**高齢者** (senior citizen) の集う施設を合体させる，いわゆる統合教育に向け体質革新が図られている．実際，全国の公立小学校では2万4,000，中学校では1万2,000が空き教室になっている一方で，1万7,000の高齢者のデイケアセンター（福祉施設）の整備が緊急に必要とされている[34]．

統合教育は**学校・家庭・地域社会の連携** (collaboration between school,

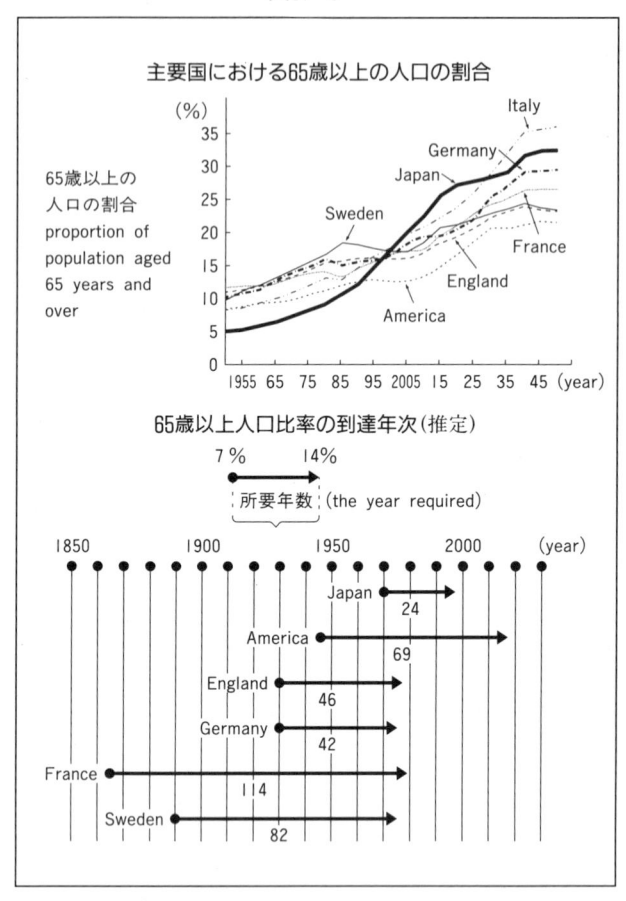

Chapter 11 家庭・地域・職場と教育の関わり

図37-3

主要国における65歳以上の人口の割合

65歳以上の人口の割合
proportion of population aged 65 years and over

(%) Italy, Germany, Japan, Sweden, France, England, America
1955 65 75 85 95 2005 15 25 35 45 (year)

65歳以上人口比率の到達年次（推定）

7% → 14%
所要年数 (the year required)

1850　　1900　　1950　　2000　(year)

Japan　24
America　69
England　46
Germany　42
France　114
Sweden　82

(注) 1995年以降は予測値．
(資料) 全国社会福祉協議会『図説高齢化白書』1997年．阿部信太郎・他編『資料・現代社会1998』1998年, p.265．

household and community) による[35]異年齢・異環境集団の統合を促すことができ，教育の対象がより広範になることで，双方にとって新鮮な教育（方法・内容）を行うことができる．また統合教育では，学校の空き教室やカフェテリアで生涯学習の講座が開かれるなど，生徒と地域成人の日常的交流が同じ空間を共用することを通じて穏やかに発生する混然一体な，かつ一方の余剰を他方のニーズに充当できるシステムでもある[36]．

Lesson 37 地域の教育

図37-4 学校と地域（公共）施設の複合化事例（東京都）
examples of school-community complex facilities in Tokyo

事例(examples)	複合施設の構造 (structure of complex facilities)
台東小・下谷中	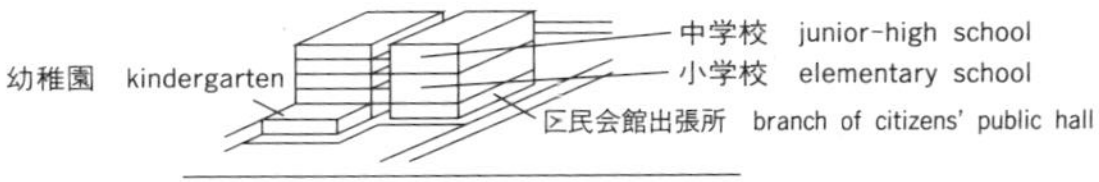 幼稚園 kindergarten／中学校 junior-high school／小学校 elementary school／区民会館出張所 branch of citizens' public hall
和泉小	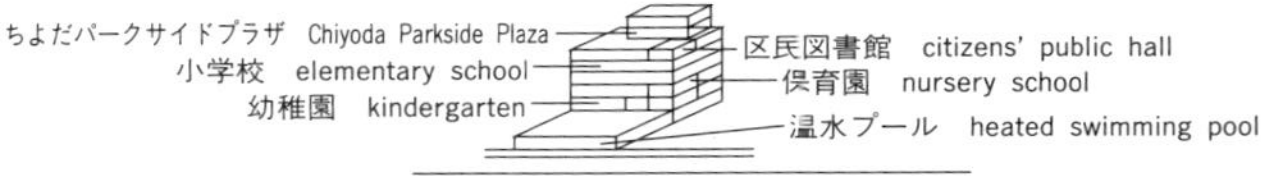 ちよだパークサイドプラザ Chiyoda Parkside Plaza／小学校 elementary school／幼稚園 kindergarten／区民図書館 citizens' public hall／保育園 nursery school／温水プール heated swimming pool
赤坂小	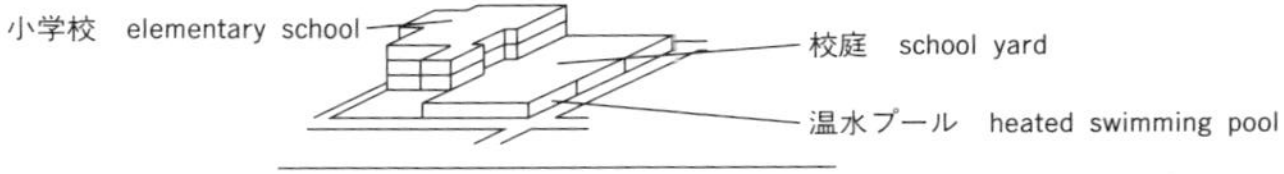 小学校 elementary school／校庭 school yard／温水プール heated swimming pool
晴海中	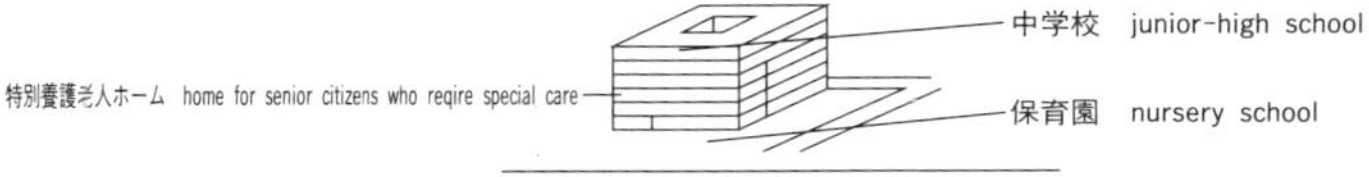 中学校 junior-high school／保育園 nursery school
湯島小	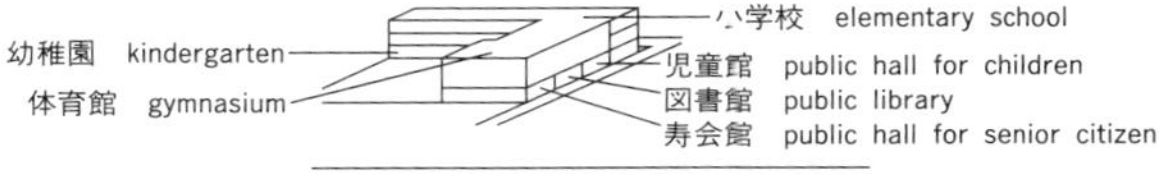 幼稚園 kindergarten／体育館 gymnasium／小学校 elementary school／児童館 public hall for children／図書館 public library／寿会館 public hall for senior citizen
根津小	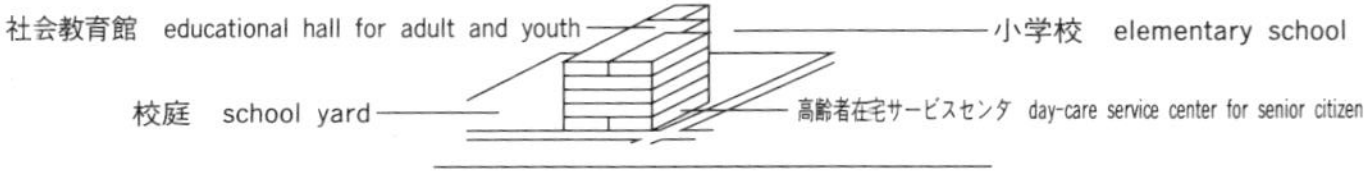 特別養護老人ホーム home for senior citizens who require special care／社会教育館 educational hall for adult and youth／校庭 school yard／小学校 elementary school／高齢者在宅サービスセンタ day-care service center for senior citizen
杉並第十小	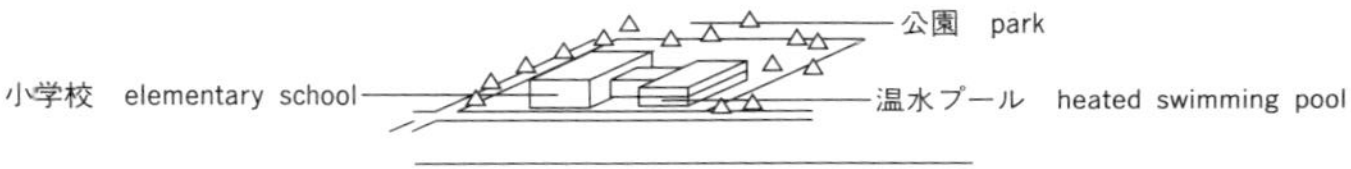 小学校 elementary school／公園 park／温水プール heated swimming pool

(資料) 上野淳『未来の学校建築』1999年, p. 131.

Chapter 11 家庭・地域・職場と教育の関わり

　高度の情報通信機能と快適な学習・生活空間を備えた**インテリジェントスクール** (intelligent schools) の創設も進められている．これらは学校・研究所・**図書館** (library)・**公民館** (citizens' public hall, public hall, community center)・**美術館**（art museum）・体育館などが一つの設備となり，地域共通の**学習センター**（learning center）・**メディアセンター**（media center）・**情報センター**（information center）・**資料センター**（resource center）としてその機能を最大限有効に活用されるべく（24時間体制，かつ誰でもが使用可）整備されたものである[37]．

　さらにコミュニティレベルでは，**国立少年自然の家**（National Children's Center）・**国立青年の家**（National Youth House）・**生涯教育センター**（lifelong education center）などの積極的活用を通じ，従来，社会規範を子どもたちに教えてきた**地域社会の教育力**（educational functions of communities）を取り戻し，**地域の教育計画**（local educational plan, community education plan）を充実化が図られている．そしてこれら学校と社会を隔てる障壁を取り除いた学習環境が，単なるカルチャーセンター的性質に終始しないために，最高学府である**大学も公開講座**（university extension programs）などを通じて，閉ざし続けてきたその扉を開放し，**地域に根ざした教育**（community-based education）に仲間入りしていくことが望ましい．

＊＊ 関連ワード ＊＊

学校と地域施設の複合化(school-community complex facilities)：同一建物・敷地内に学校・文教・福祉・集会などの施設を共存・融合させること[38]．
学社融合 (integration of schooling and out-of-school education)：学校教育と社会教育 (social education, education for youth and adults) の融合．out of school education は校外教育とも訳す．
学校開放：(school extension)
民間団体：(voluntary organizations)
自発主義 (voluntarism)
地域学習 (regional studies)
地域問題 (community affairs)
地域との関係 (community relations)
自治体教育行政 (local educational administration)
教育環境権 (right to educational environment)

エコスクール(eco-school)：地域・地球環境に対する生徒の意識を高めると同時に，それらと共生する学校．ecology は生物と環境の関係を研究する学問のこと．
地域社会学校論 (community school theory)
地域社会の疎外 (community alienation)
萌芽的コミュニティ生活 (embryonic community life)
新しい50代 (new fifties)：躍進する中高年のこと．21世紀は彼らに代わって退職生活を満喫するシルバー層が主役に踊り出しそうである．
長寿 (the longevity)
熟年(mature age, maturity)：思慮深く経験豊かで人生の中で最も活力にあふれている年齢層．
高齢者教育(education for the elderly, education for the aged)
社会保障 (social security)：米国で1935年に始まった，連邦政府(federal government)が支給する65歳以上のための老齢年金 (old-age pension, older peoples' pension)・障害者の年金と，連邦と州が支給する失業者のための手当制度．社会保障を受けるためには労働者と雇用主は給与の一部(7.7％程度)を毎月積み立て納税，自営業者はその双方(収入の15％程度)を納税しなければならない．
国民年金 (national pension fund)
寝たきり老人 (bedridden elderly, old people confined to bed)

Lesson 38　職場教育　on the job training

* キーワード *

就職面接・試験　employment interview, examination
青田買い　premature employment of students, earlier-than-usual employment of students
過労死　death from overwork
残業　overwork
モーレツ社員　fiercely working employee

Chapter 11 家庭・地域・職場と教育の関わり

バブル現象　"bubble" phenomena
不況　recession
失業率　unemployment rate
就職活動　job-hunting
終身雇用制度　lifetime employment system
年功賃金制　wage system based on seniority
年功序列制　promotion system based on seniority
勤務評定　meritocracy
能力本位任用制度　merit system
メリット・ペイ　merit pay
リストラ　employment adjustment, restructure
解雇　lay-off, layoff
男女雇用機会均等法　the laws about equality of sexes in hiring, gender equality in employment opportunity
産前・産後休暇　prenatal and postnatal leave
両親休暇　parental leave
母権休暇　maternity leave
父権休暇　paternity leave
育児休暇　maternal leave, child-care leave, unpaid leave of absence following maternity leave
現職教育　in-service education, on the job training, OJT
職場外訓練　off the job training, off-JT
レカレント教育　recurrent education
教育休暇　educational leave
インターンシップ　internship
進路の適性　aptitude for one's career

　1960年代に超高度成長という活況に沸いた日本の企業は，解禁日よりも前に**就職面接・試験**（employment interview, examination）を行う**青田買い**（premature employment of students, earlier-than-usual employment of students）をして人材を求めた．**過労死**（death from overwork）に至るまで**残業**（overwork）に追われる**モーレツ社員**（fiercely working employee）が社会的病理として取り上げられ，そのまま時代は80年代の**バブル現象**（"bubble" phenomena) に突入した.

　ところが90年代になり, そのバブルがはじけて(the "Bubble" burst), 情勢は好景気から不況(recession)へと一転した. 失業率(unemployment rate)が上昇し, 大学新卒者にとっても就職活動(job-hunting)は厳しい状態となった. 長年, 終身雇用制度(lifetime employment system)に基づき, 年功賃金制(wage system based on seniority)[39]を採ってきた企業の中には, 生き残りをかける戦略(strategy)として, 属性・職域(ascription)ではなく業績(achievement)を原理とする勤務評定(meritocracy)[40]とメリット・ペイ(merit pay)に切り替えるところが増えている. しかし, リストラ(employment adjustment, restructure)・解雇(lay-off, layoff)の対象となってしまった中高年(middle-aged men)にとって再就職の可能性は非道にもスリムである.

　不況という現実は, その一方で既存の社会構造を見直す契機ともなった. 繁栄期には国民の50％である男性労働力だけ（ホモセクシャル社会と呼ばれる）で世界の強国に対抗できた日本であったが, このままでは雲行きが怪しいと見当がついた. 雇用均等や産休などの制度改定の動きは女性の権利確立のためというよりは, 死活問題を抱えた日本の産業界が残りの50％である女性労働力欲しさから下さざるを得なかった決断であった.

　ところが実際, 男女雇用機会均等法(the laws about equality of sexes in hiring, gender equality in employment opportunity)が公布され, 産前・産後休暇(prenatal and postnatal leave)[41]・両親休暇(parental leave)・育児休暇(maternal leave, child-care leave, unpaid leave of absence following maternity leave)が支給されると, 育児の楽しさに目覚めた父親が増えている. 女性が育児と仕事のどちらか一つを選択するのではなく, どちらも選べるようになったことを皮切りに今後, ゆっくりとではあるが着実に(slowly but steadily), 女性が男性の下働きに従事し, また男性に認められなければ昇進できない従来型（封建的）社会から脱皮を遂げてゆくことに期待が寄せられる.

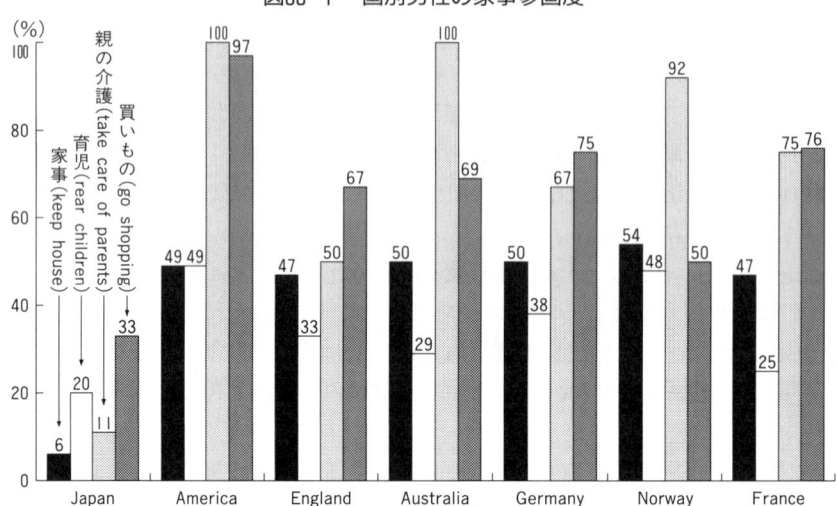

Chapter 11 家庭・地域・職場と教育の関わり

図38-1　国別男性の家事参画度

凡例：家事(keep house)／育児(rear children)／親の介護(take care of parents)／買いもの(go shopping)

国	家事	育児	親の介護	買いもの
Japan	6	20	11	33
America	49	49	100	97
England	47	33	50	67
Australia	50	29	100	69
Germany	50	38	67	75
Norway	54	48	92	50
France	47	25	75	76

（資料）総務庁『1999年度版男女共同参画白書』1999年．時事通信社『教育データブック2000-2001』2000年，p.199.

ミニ知識：英国の現職教育 (on the job training in England)

　現職教育 (in-service education, on the job training, OJT)[42] は学習者にとっての責任 (responsibility) がともなうことで、習得しようとする必要性 (need, necessity) が高まるため、動機が明確であり、また学習と実践が直結していることから、学習に最適の条件(optimal condition for study)をそろえている．本当に効果的な学びが成立するのは、「そのためにお金（授業料）を払うのではなく、そのことからお金（給料）をもらうのが一番」と昔から言われてきた所以でもある．

　イギリスでは使用者が被雇用者に毎週1・2日、全日就業免除を与えて主にパートタイム課程で学習させる制度 (day release) や、一定期間まとめて（数週間にわたる）勤務免除を与えて学習させる制度(block release)がある[43]．日本でも休日が権利として保障されてはいるものの、取りにくい職場環境を改め、いかなる年齢の者でも教育・仕事・余暇の間を自由に移動できるレカレント教育(recurrent education)推進のために、教育休暇 (educational leave) が積極的に活用されるべきである．また従来"社会人としての"教育は会社（雇い主）の側に一任されていたが、学校・大学でも生徒・学生に対し"社会人になるための"教育をインターンシップ (internship)[44]・研修制度などを通じて行う必要がある．

Lesson 38 職場教育

図38-2　年次別就職率

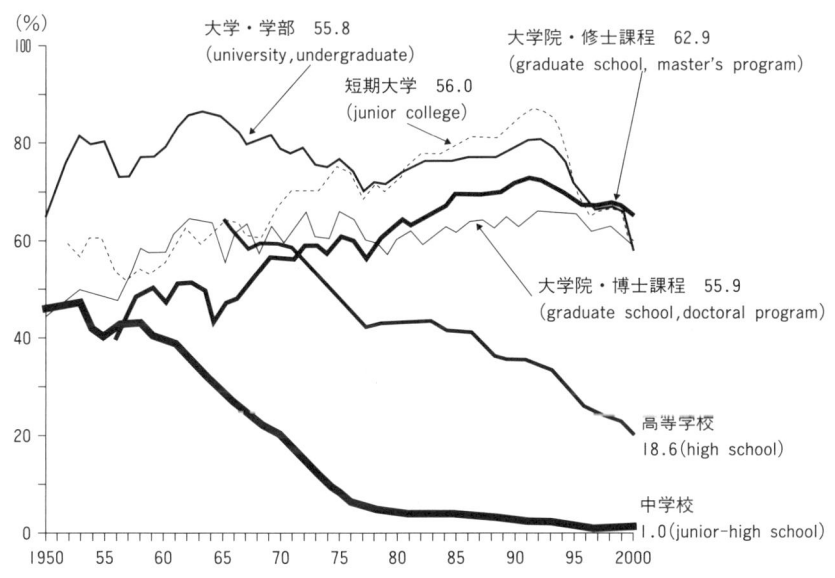

大学・学部 55.8 (university, undergraduate)
短期大学 56.0 (junior college)
大学院・修士課程 62.9 (graduate school, master's program)
大学院・博士課程 55.9 (graduate school, doctoral program)
高等学校 18.6 (high school)
中学校 1.0 (junior-high school)

(注) 就職率とは，各年3月卒業者のうち，就職者(進学者を含む)の占める割合のこと．
(資料) 文部省「学校基本調査」1999年．文部省『平成12年度我が国の文教施策』2000年, p.347．

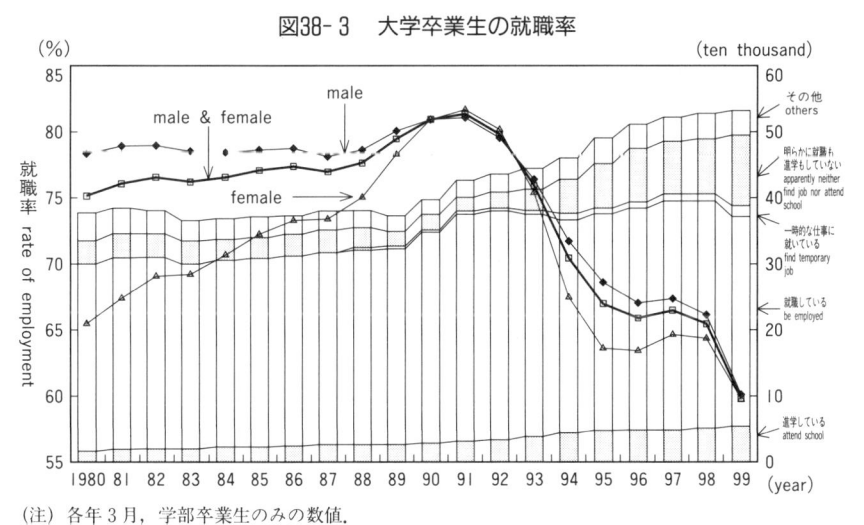

図38-3　大学卒業生の就職率

male & female
male
female

その他 others
明らかに就職も進学もしていない apparently neither find job nor attend school
一時的な仕事に就いている find temporary job
就職している be employed
進学している attend school

(注) 各年3月，学部卒業生のみの数値．
(資料) 文部省「学校基本調査」1999年．経済企画庁『国民生活白書』1999年, p.57．

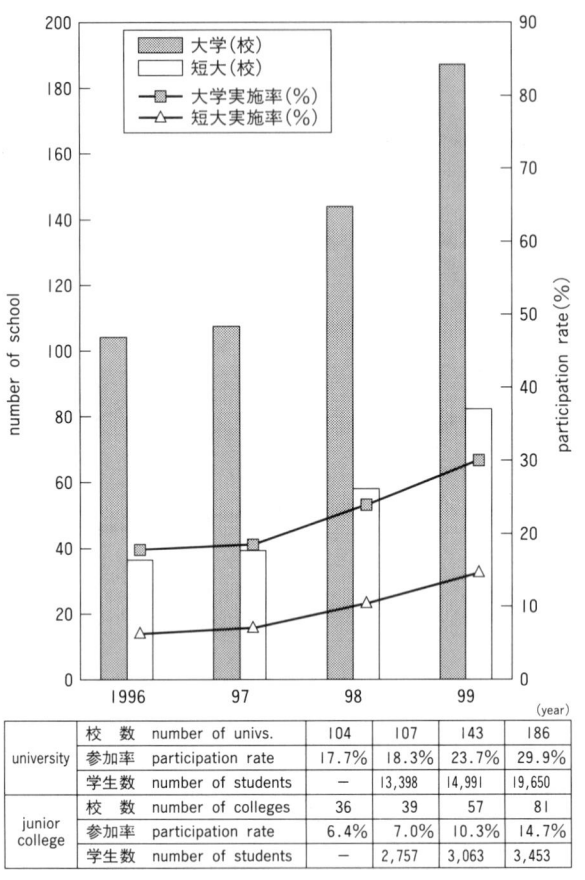

Chapter 11 家庭・地域・職場と教育の関わり

図38-4 インターンシップの実施状況

			1996	97	98	99
university	校数	number of univs.	104	107	143	186
	参加率	participation rate	17.7%	18.3%	23.7%	29.9%
	学生数	number of students	—	13,398	14,991	19,650
junior college	校数	number of colleges	36	39	57	81
	参加率	participation rate	6.4%	7.0%	10.3%	14.7%
	学生数	number of students	—	2,757	3,063	3,453

（資料）文部省『平成12年度我が国の文教施策』2000年，p.192.

Lesson 38 職場教育

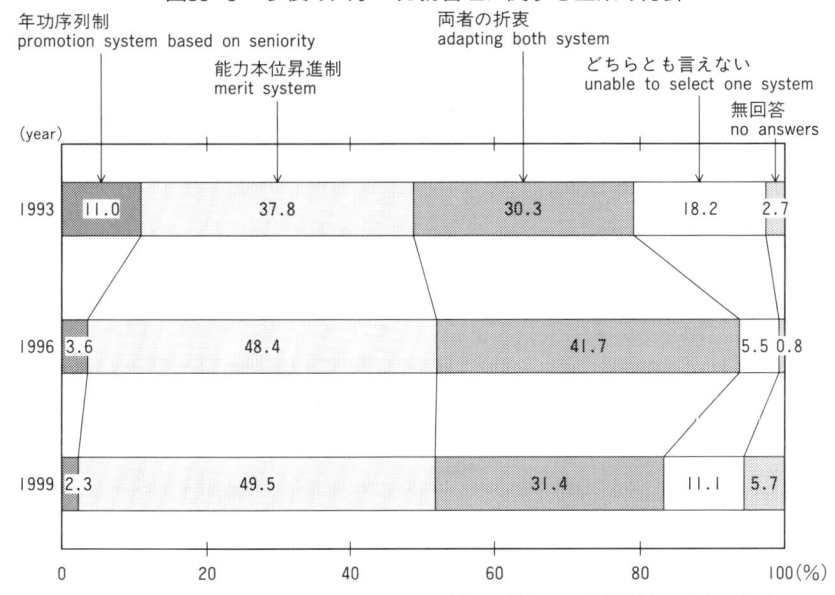

図38-5 今後の人事・労務管理に関する企業の方針

年功序列制　promotion system based on seniority
能力本位昇進制　merit system
両者の折衷　adapting both system
どちらとも言えない　unable to select one system
無回答　no answers

(year)
1993　11.0　37.8　30.3　18.2　2.7
1996　3.6　48.4　41.7　5.5　0.8
1999　2.3　49.5　31.4　11.1　5.7

(注) 常用・臨時・パートタイムの労働者,および取締役・理事などの役員(給与の支払いを受けている者)を調査対象としている.
(資料) 経済企画庁『国民生活白書』1999年, p.39.

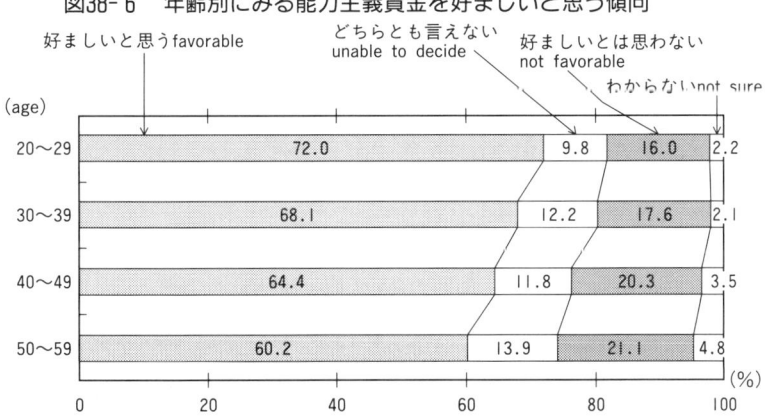

図38-6 年齢別にみる能力主義賃金を好ましいと思う傾向

好ましいと思う favorable
どちらとも言えない unable to decide
好ましいとは思わない not favorable
わからない not sure

(age)
20〜29　72.0　9.8　16.0　2.2
30〜39　68.1　12.2　17.6　2.1
40〜49　64.4　11.8　20.3　3.5
50〜59　60.2　13.9　21.1　4.8

(注)「最近,一部の企業では従来の年功序列中心の賃金制度から個人の能力を中心とする賃金制度に切り換えつつあります.あなたはこの賃金制度の切り換えについて,好ましい傾向だと思いますか.それともそうは思いませんか」という問に対する回答.
(資料) 経済企画庁『国民生活白書』1999年, p.40.

Chapter 11 家庭・地域・職場と教育の関わり

図38-7　専攻別高等教育在学者

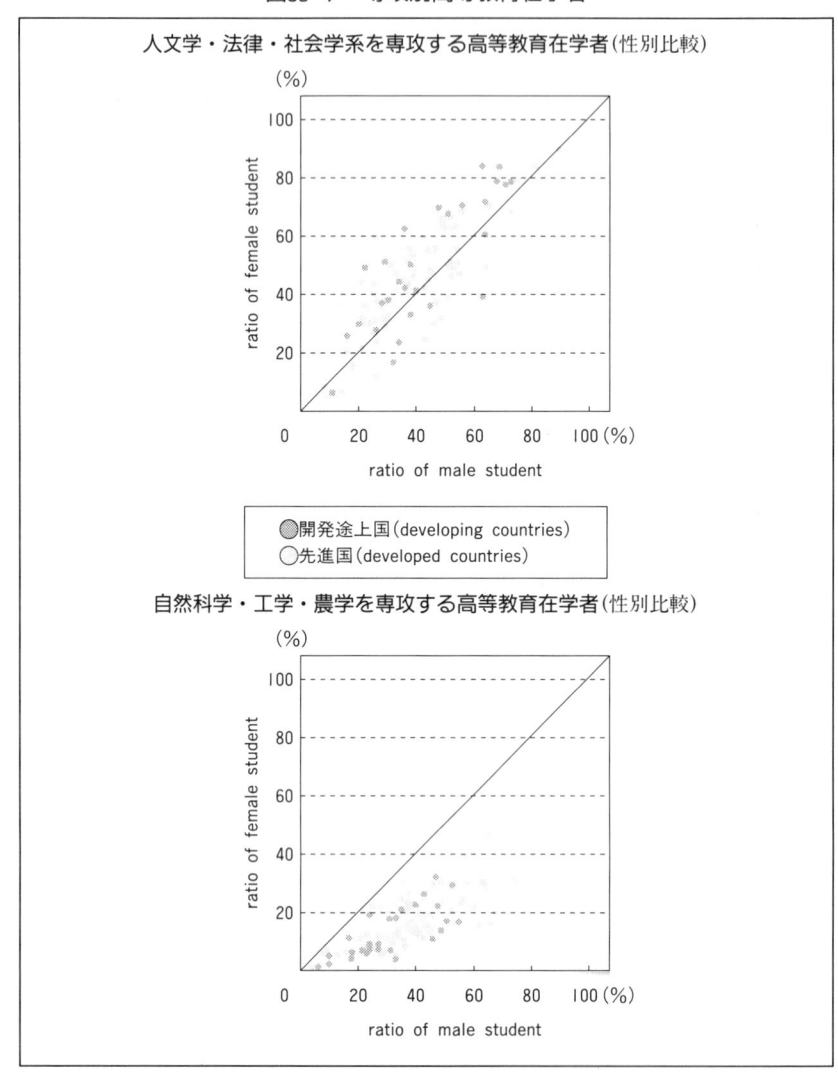

人文学・法律・社会学系を専攻する高等教育在学者(性別比較)

●開発途上国(developing countries)
○先進国(developed countries)

自然科学・工学・農学を専攻する高等教育在学者(性別比較)

(注)　●で示される調査対象国はサハラ以南のアフリカ・アラブ諸国・ラテンアメリカ／カリブ・東アジア／オセアニア・南アジアにおける開発途上国及び中国・インド。
(資料)　ユネスコ編『世界教育白書1996』1997年，p.57．

Lesson 38 職場教育

** 関連ワード **

実学 (empirical learning, practical learning)
企業実習 (jobsite training)
企業内教育 (company in-service training)
産学共同体 (educational-industrial complex)
職業保育所 (workplace nursery)
性別役割分業 (sex role specialization)
女性に対する偏見・差別 (discrimination against women)
敏感すぎる (overly sensitive)
トレッドミル・ワーカー (treadmill worker)：不安定で周辺的な（または，代替がきく安易な）労働力として追いやられている若者のこと．トレッドミルは歩いても歩いても前に進めない踏み車の意味[45]．
アルバイト (part-time job)：ちなみに arbeit はドイツ語．
タテ社会 (a vertical society, society with vertical organization)
残業手当 (overwork pay)
会社の仲間 (colleagues)
時間差通勤制度 (flex time system)
ラッシュアワーに混んでいる電車に乗る (take a crowded train at rush hour)
自己啓発 (self-development)
感受性訓練 (sensitivity-raising training)
管理者訓練 (management training program, MTP)
公共職業安定所 (public employment security office)

---

1) 鈴木敏恵『マルチメディアで学校革命』小学館，1997年，16頁．親に教養がなく自分の子どもを教育できなかった時代から，親の学歴が高くなり子どもの前で平然と先生を批判している時代へ移り，先生はかつての聖職権威を失った．
2) 全国770カ所にある適応指導教室で学べば，指導要領の上で出席扱いになる．
3) 高校に比べて，より自由な環境の中で専門的・実践的・技術的な学習が行われる．バブルと歩調を合わせて弾けた学歴主義と，それに替わるカリスマブーム(chrisma はドイツ語)の到来は，机上の空論に操られる者よりも技術を操る者 (technician) 者の強さを支持する傾向の表れである．"料理の鉄人" (Iron Chef) などのテレビ番組にもカリスマブームが象徴されている．
4) 現行の年1回を年2回実施にし，問題のレベルをやさしくするなど，受験者の負担を軽減していく方針を示している．

5) 抜け道のこと．by-pass だと迂回する (detour) の意味になるので注意が必要である．
6) ポール・グットマン：「そもそも若者たちが学校を続けなければいけない理由が本当にあるのか，大多数の若者にとって果たして学校に行くことが，その時期，最適の過ごし方なのか」と問いかけた．「ドロップアウトの持つ否定的概念を我々が捨て去ることこそが，むしろ賢明な選択だ」と提案している．Paul Gooodman. Compulsory miseducation.『不就学のすすめ』片岡徳雄訳，福村書店，1962年．里見実著『学校を非学校化する』太郎次郎社，1994年，20頁．
7) エバレット・ライマー：「貧しい個人や国家ほどその貧しさからの脱却を求めて，微小な収入の中の過大な部分を教育費に投入する傾向と，学校教育が人間事業の中で最も高価なものである」ことを指摘した．Everet Reimer. School is dead.『学校は死んでいる』松居弘道訳，晶文社，1985年．里見実著『学校を非学校化する』太郎次郎社，1994年，10頁．
8) ロナルド・ドーア：「学校教育は人間の思考能力を高めるという点において徹底的に非生産的であるが，それは特権的階級構造を再生産し，テクノクラート (technocrat) と受動的な大衆 (passive public) を二極分化する仕掛けであると考えるならば極めて効率的である」と述べ，「学校を社会の不平等を再生産する装置」と位置づけている．Ronald Dore. The diploma disease.『学歴社会——新しい文明病』松居弘道訳，岩波書店，1976年．里見実著『学校を非学校化する』太郎次郎社，1994年，11頁．
9) イバン・イリッチ：「産業社会下の学校教育は，国家や社会の要請に沿ったものを極めて効率的(子どもたちにとっては抑圧的で管理的)にこなす場で，人間的成長・発達の機能を弱めるものである」と主張．Ivan Illich. Deschooling society.『脱学校の社会』小澤周三訳，東京創元社，1977年．また「学校教育システムが社会の隅々にまで浸透し，人々の意識や行動を支配している状態を学校化社会 (schooled society) と表現した．苅谷剛彦他著『教育の社会学』有斐閣アルマ，2000年，268頁．
10) 鷲田小椰太(わしだこやだ)：『自分で考える技術』PHP 出版，1998年，80頁．「学校は一人で学ぶことの難しい，自発性のない子に一定の知識や技術を保証するシステムであるので，このことは同時に，学校が能力ある個性的な子をつぶす機関にもなり得る」と警鐘を鳴らしている．
11) 里見実『学校を非学校化する』太郎次郎社，1994年，30頁．「学校で子どもたちは，生徒という役割を受け入れ，それに順応していくことで自分自身を失い続けている．正解信仰のもと，何も知らない生徒が正解を知っている先生に管理され，その中で特にできない子が敗北感を鬱積させていくことの危険性」を示唆している．
12) **学校をさぼる** (be truant, skip school)・**クラスをさぼる** (cut a class) という言い方は学校至上主義に呑み込まれた考えに基づく表現で，学校へ行かないこと(者)に対し，悪いニュアンスを持つ"さぼる"が使われている．
13) 学校教育を良いか悪いかという二者択一の (alternative) 尺度で見るばかりではなく，学校や教育の再生を含め，それらの機能を考え直す時代の訪れである．
14) 不登校を school truants, truancy と訳すると怠慢によるずる休みという感が強まる．
15) 1999年度，全国の小・中学校で不登校の人数が全児童・生徒に占める割合は2.45%．中学では40人に1人(ほぼクラスに1人)が不登校というところまできている．「日本経済新聞」(朝刊)，2000年8月5日．

Lesson 38　職場教育

16) 回避性人格障害．精神病や自閉症とは違い脳機能の障害ではない．
17) **反社会的行動**だと asocial, antisocial behavior.
18) 監視者(先生)は闇の中で，囚人(生徒)だけがスポットをあてられ常に監視される，見られずに見る仕掛け．
19) 藤田英典・田中孝彦・寺崎弘昭『子どもと教育：教育学入門』岩波書店，1997年，106頁．
20) 例えば**進化論** (the theory of evolution, evolutionism, Darwinism) や**性教育** (education for human sexuality, sex education)など，公教育の学習内容に不満を持つ人々．
21) 在宅学習といっても完全な自由が与えられているわけではなく，理科では必ず実験を行うなど，基幹科目の学習には指定・規定がある．在宅学習の内容は詳細な書類にして，学校群の教育長に提出しなければならない．
22) 200万人はアメリカの学齢人口の約5％にあたる．「産経新聞」(大阪，夕刊)，2000年6月29日．
23) アンスクーリング(unschooling)は，生徒の自発的な学習意欲をおさえつけてしまいがちな学校とは違う方法・形式で，生徒みずからが主導する学習を行なうこと．
24) charter とは州から得る特別の認可，という意味．「毎日新聞」(東京，朝刊)，1999年，11月24日．
25) チャータースクールへは公立校と同じ教育費が税金から支出されるが，予算管理・授業内容は学校側が決めている．つまり本当にやる気のある教師と親が運営し，生徒の成績や財務などに結果責任を負う，公立であるが民営の学校である．全米で1999年度，1680校(生徒数は30万人)あり，日本でも導入を検討している．
26) 例えば州内テストスコア，中途退学者の数，クラスの定員数，スクールバスの管理・運営，教科書購入予算，教員人事の質など．
27) 渋谷憲一「教育評価の歴史100年」，『指導と評価』1999年8月号，38-41頁．
28) 江川攻成・他編『最新教育キーワード137(第8版)』時事通信社，1999年，56頁．
29) 中村悦二・小門裕幸『マルチメディアが教育をかえる』日刊工業新聞社，1995年，30頁．
30) 小澤周三編『教育学キーワード(新版)』有斐閣双書，1998年，250頁．
31) 「静岡新聞」，2000年1月25日．
32) ホームスクールの定着度は，今後一流大学がホームスクーラーを歓迎するかどうかにかかっている．「毎日新聞」(朝刊)，2000年8月2日．
33) **高齢化社会**は aging society, senior citizens' society. 一方，**少子化**は(decrease in the number of children born). **少子化世代**は baby buster （baby boomer の反対）．厚生省の発表(1998年)によれば，一国の総人口を維持するためには2.01の合計特殊出生率(1人の女性が生涯で出生する子どもの数)が必要であるが，現状は1.38まで低下している．「高齢者との連携を進める学校施設の整備について─世代を超えたコミュニティの拠点つくりを目指して─」文部省，1999年6月レポート．
34) 上野淳『未来の学校建築』岩波書店，1999年，139頁．
35) community とは地域性と共同性の二つの側面を持つ語で，地域社会・共同体・地域共同体・共同社会の意味で使用される．

Chapter 11 家庭・地域・職場と教育の関わり

36) 英国の地方小都市に在する公立統合性中学校・高等学校は (地域社会学校とも呼ばれている) ショッピングセンター (町の中心部) の中にあり, アイススケート場やボーリング場・アスレチック施設・ユースクラブ・高齢者のデイケアセンター・身障者のクラス・保育所(nursery school) などがあり, まさしく複合施設の中に学校が溶け込んでいる. 前掲書34), 123頁.
37) 前掲書34), 168頁. 生涯学習に問題がないわけではない. 各地のセンター・ホールなどの公的団体は事実上, 官僚 (officialdom, bureaucracy) や退職校長たちの定年後の再就職先として高給を保障する(公的予算で道楽を許す)団体となっている一方で, 外部講師への講師料を驚くべき低水準に下げるなど, 非常識が同居する場となっている.
38) 前掲28), 86頁.
39) **年功序列制**は promotion system based on seniority.
40) メリトクラシーには勤務評定に基づく実力社会の意味もある. merit system とは能力本位任用 (昇進) 制度のこと.
41) 詳しくは**母権休暇** (maternity leave) と**父権休暇** (paternity leave).
42) OJT を補助する形で, 仕事から離れて実施される**職場外訓練**を off the job training, off-JT という.
43) ブロック・レリース(年間数回とれる)とデイ・レリースをつないで活用することもできる.
44) 学生が企業や官公庁で一定期間, 就業体験する実習(field work, practical training) 制度. 学生が自分の進路について適性 (aptitude for one's career) を知ることにもなり, 欧米では早くから導入されていた. 日本では1998年度から本格的に導入開始. 「京都新聞」 (朝刊), 2000年6月29日.
45) 中西新太郎「周辺化される若者たち」, 『世界』2000年5月号, 87-94頁.

Chapter 12　新しい教育の動き
new development in education

Lesson 39　教育の新分野　new field of education

＊キーワード＊
使い捨てカメラ　disposable camera
プラスチック・トレイ　plastic tray
環境教育　environmental education
地球市民教育　global education
環境汚染　environmental pollution
天然資源　natural resources
ゴミの有効活用　better uses of garbage
徹底したリサイクル・システム　more decisive recycling system
省エネ　conserving energy, energy efficiency, save energy
国際人　citizen of the world, cosmopolitan, global person
国際的視野　international perspective, global awareness
相互依存の　interdependent
国境をこえた　transnational
開発教育　development education
ジェンダー・フリー教育　gender-free education
肉体的特徴　physical characteristics of an individual
精神的特徴　psychological characteristics
（文化的・社会的につくられた）性差　sex difference
生物的男女差　malefemale
体質的男女差　masculinity-femininity
社会的男女差　virility-womanliness

199

Chapter 12 新しい教育の動き

　20世紀という百年に私たちは"人類の生活が便利になるのが良い"という開発至上主義精神[1]に突き動かされ、未曾有の成長・発展を遂げてきた。しかしその開発は、一方では地球の温暖化（温室効果現象）・森林の減少・オゾン層の破壊・ダイオキシン（化学物質）・環境ホルモン（内分泌攪乱化学物質）・遺伝子組み換え食品・原子力・核物質などという問題を生み出してきた[2]。**使い捨てカメラ**（disposable camera）や**プラスチック・トレイ**（plastic tray）などの発明・頻用により一見豊かになった社会は、換言すれば資源・環境を浪費し破壊する社会でもあったことを、20世紀は私たちに気付かせてくれた世紀でもあった。

　21世紀にはそんな私たちを取り囲む環境について、教育で取り扱っていかなければならない。**環境教育**（environmental education）では全球的地球観を養うための**地球市民教育**（global education）[3]や、地球を汚染したり人に害を与える（pollute the earth and deteriorate our lives）**環境汚染**（environmental pollution）の問題。そして**天然資源**（natural resources）を守るために生ごみから肥料を作るなど、**ゴミの有効活用**（better uses of raw garbage such as compost）・もっと**徹底したリサイクル・システム**（more decisive recycling system）・**省エネ**（conserving energy, energy efficiency, save energy）について考えを深める必要がある[4]。

　また新世紀は、昔シルクロードを経て何ヶ月もかかって渡来してきた情報や物品を、世界の裏側にいても瞬時に、目の当たりにできる情報社会となる。これにともない私たちは、自己を世界の座標軸の中に位置付け、統合的視野を持てる**国際人**（citizen of the world, cosmopolitan, global person）として、**国際的視野**（international perspective, global awareness）を備え持つことが必須である。これは言語に堪能であることにとどまらず、異文化・異習慣を理解し、それらに協調・共感できる技量を有する人材になるということである。

　相互依存の（interdependent）、**国境をこえた**（transnational）グローバル化など、地球は1つとする考えや動きが眼に止まるものの、世界の東と西側諸国の間には文化や宗教による差異があり、赤道を境とする発展途上国と先進国の間は目に見えないが確実に存在するバリアで隔てられている。地球に生きる人間を隔てるあらゆる障壁を越えるために、**同情**（sympathy）以上の**共感**（empathy）を持ち、共存・共生できる関係づくりや南北問題を考える**開発教育**

(development education)[5]にも力を注ぎたい．

ミニ知識：ジェンダー・フリー教育（gender-free education）

　性を表現する言葉としてセックス（sex）とジェンダー（gender）が混合されがちであるが，セックスとは人類再生（human reproduction）のために各性が備えている肉体的特徴（physical characteristics of an individual）を意味する．生物学的には（biologically speaking）睾丸の有る者を男性（a person with testes is a male），卵巣の有る者を女性（a person with ovaries is a female）とみなすことができる．

　一方，ジェンダーとは個人や社会がとらわれている精神的特長（psychological characteristics）を指す．すなわちそれは，生物的・体質的な性[6]ではなく文化的・社会的につくられた性差（sex difference）で，いわゆる女らしさ，男らしさを意味するものである[7]．

　国や民族・時代によって異なるが，女性がジェンダーによって不公平な役割を押し付けられてきた世界的な歴史がある．今後は男女という性的枠を超えた，個性の発揮が社会の発展にとり不可欠な時代である．子どもたちが男女の新しいパートナーシップを未来のビジョンとして描けるように，教育現場が先頭に立って志向していくことが望まれる[8]．実際，少数の学校では名簿・整列の順・下駄箱の位置・運動着のデザイン・グループ編成などを男女の性差にかかわりなく混合にしたり，全員を"さん"で呼ぶよう指導しているところがある[9]．

** 関連ワード **

地球規模の協力（global cooperation）
国際交流（international exchange）
海外交流（interchange between Japan and other countries）
国際理解教育（education for international understanding, education to promote international understanding）
国際比較（international comparison）：ややもすると各国の差異を単純化し典型的に類別するきらいのある国際比較は，各国の共通点に焦点をあてステレオタイプ（stereotype）を取り除く観点を持つこと，つまり国際理解のための国際比較であることを念頭に置くべきである．
異文化教育（intercultural education）
多文化教育（multicultural education）
多文化主義（multiculturalism）

Chapter 12 新しい教育の動き

図39-1　大学・短期大学・男女別進学率(浪人を含む)

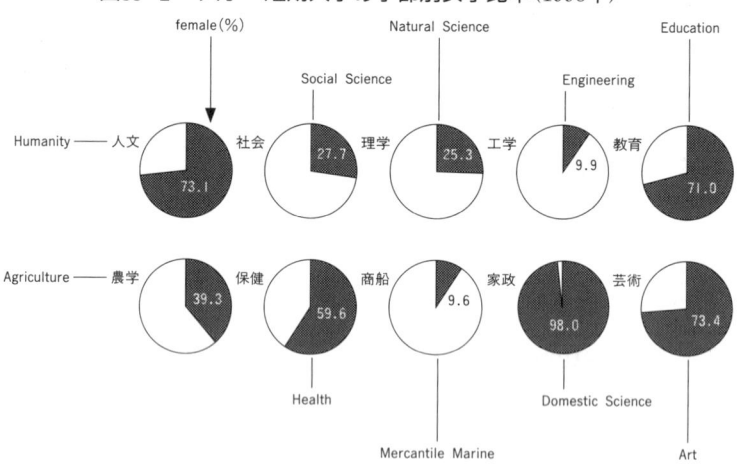

図39-2　大学・短期大学の学部別女子比率(1998年)

(資料)文部省『文部統計要覧』1999年．苅谷剛彦・他『教育の社会学』2000年，pp.190,192.

<u>多民族教育</u>（multiethnic education）
<u>(少数)民族教育</u>（ethnic) minority education）：<u>民族</u>（ethnicity, ethnic group）とは言語・文化（習慣・宗教）・祖先からのつながりを共有するグループ．
<u>文化的葛藤・摩擦</u>（cultural conflict）
<u>異文化間心理学</u>（cross-cultural psychology）

Lesson 39 教育の新分野

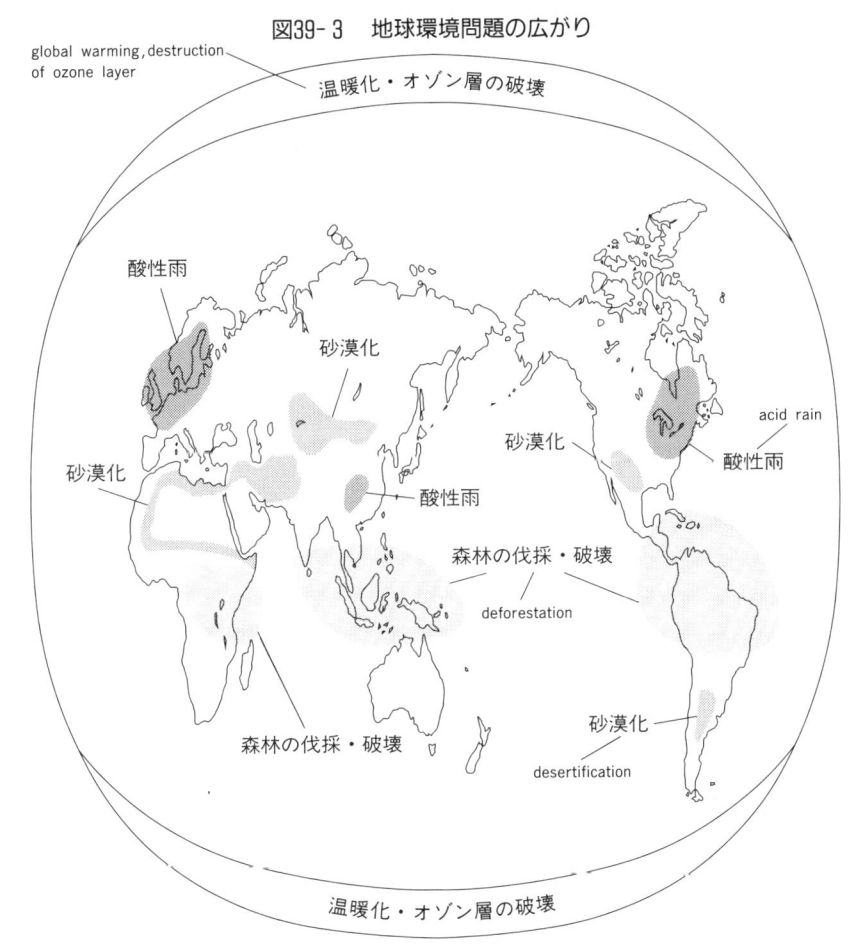

図39-3 地球環境問題の広がり

global warming, destruction of ozone layer
温暖化・オゾン層の破壊
酸性雨
砂漠化
砂漠化
酸性雨
砂漠化
酸性雨　acid rain
森林の伐採・破壊　deforestation
森林の伐採・破壊
砂漠化　desertification
温暖化・オゾン層の破壊

(資料) 阿部信太郎・他編『資料・現代社会1998』1998年, p.24.

異文化体験 (cross-cultural experience)
異文化理解 (cross-cultural understanding)
文化剝奪 (cultural deprivation)
文化伝播 (cultural diffusion)
文化変容 (acculturation)
文化多元主義 (cultural pluralism)
自民族中心主義 (ethnocentrism)：自分の所属する集団の文化に同調すること

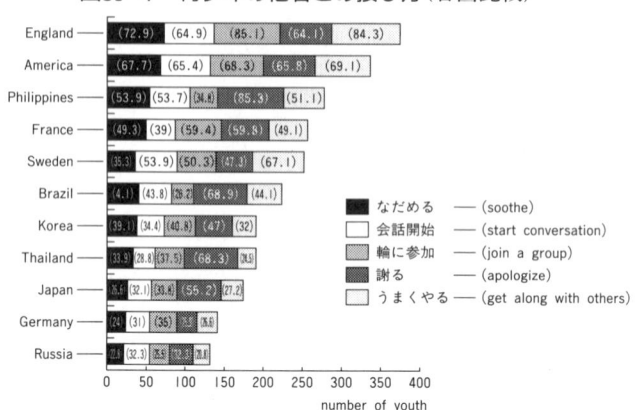

Chapter 12 新しい教育の動き

図39-4　青少年の他者との接し方（各国比較）

なだめる	— (soothe)
会話開始	— (start conversation)
輪に参加	— (join a group)
謝る	— (apologize)
うまくやる	— (get along with others)

England (72.9) (64.9) (85.1) (64.1) (84.3)
America (67.7) (65.4) (68.3) (65.8) (69.1)
Philippines (53.9) (53.7) (34.6) (85.3) (51.1)
France (49.3) (39) (59.4) (59.8) (49.1)
Sweden (35.3) (53.9) (50.3) (47.3) (67.1)
Brazil (4.1) (43.8) (28.2) (68.9) (44.1)
Korea (39.1) (34.4) (40.8) (47) (32)
Thailand (33.9) (28.8) (37.5) (68.3) (26.5)
Japan (26.4) (32.1) (30.4) (55.2) (27.2)
Germany (24) (31) (35) (3.8) (26.0)
Russia (20.4) (32.3) (25.5) (22.3) (26.1)

number of youth

（注）カッコ内は「いつでもそうすることができる」と答えた者の割合（％）を示す．
（資料）総務庁「第6回世界青年意識調査細分析報告書」1999年．日本子どもを守る会『子ども白書2000』2000年，p. 232.

を求めたり，それが絶対的尺度であるとして他の集団に憎悪や蔑視の念を持つ．

ゼノフォビア (xenophobia)：異文化を持つ人々に対する極端な嫌悪．反対に外国人に対する病的なまでの愛好はゼノフィリア (xenophilia) という．外国人に対する感情を左右する基盤として一般的に日本人は，欧米人に対する劣等感とアジア人に対する優越感を持っている[10]．

同和教育 (education against discrimination, education to eliminate discrimination)

平和軍縮教育 (education for peace and disarmament)

人権教育 (education of human rights)

学際教育 (interdisciplinary education)

宗教教育 (religion education)：価値判断を含む宗教的情操 (religious sentiment) を養う．

人口教育 (population education)

公害問題教育 (education of public nuisance)

ローマ・クラブ(the Club of Rome)：地球の有限性という共通の問題意識を持つ世界各国の有識者100名から成るクラブ．

緑の消費者 (Green Consumer, environmental-friendly consumer)：環

境に配慮し環境負荷の少ない消費生活を営もうと商品の購入や廃棄・リサイクルなどに工夫を凝らす消費者のこと．英国でグリーン・コンシューマー・ガイド (Green Consumer Guide) の出版 (1988年) に伴い発展した[11]．

消費者教育 (consumer education)

ジェンダー・バイアス (gender bias)：性に関する因習 (a long-continued custom, convention)・偏見 (prejudice).

ジェンダー・トラッキング (gender tracking)：性的役割観に基づいて周囲(社会)がふさわしいとみなす進路を選ぶ潜在的傾向．ジェンダーにかかわる行動様式 (gender-related behavior patterns) の一例である[12]．

開放された女性 (liberated woman)：過去の耐える女性というイメージに対比する．

Lesson 40 死の教育　death education

* キーワード *

死に対する恐怖　fear of death
直系家族の死　death in the immediate family
命の持つ重み・大切さ　the value of life
生死学　education for life and death

"必ず死ぬ"という大前提を持って生まれてきた私たちにとって，自分に与えられた有限の時間の中で"死ぬまでをどう生きるか"について，葛藤を繰り返すことが，人間としての試練の一つであるのかも知れない．例えばの話だが，私たちにとって身近なペットや家族の者が亡くなったときに[13]，その死を脈拍と心臓が停止し，瞳孔が開いたからという，物理的に死を肯定する理由だけで納得し受け入れることができるだろうか．そして日々押し寄せる自分自身の**死に対しての不安や恐怖**(fear of death)を，払いのけきれずにいるのではないだろうか．

命は有限である(植物も動物も有機体は全て分解されて土になる)という，命あるものに対する基本的考えは，小学2・3年時に身につくと考えられている

205

が，子どもたちは18歳になるまでの多感な時期に，約1万8,000の"死ぬシーン"に遭遇している[14]．彼らはテレビの俳優が演じたり，ゲームの中で美化された死を繰り返し目撃・体感するうちに，しだいにそれらを軽視・客観視するようになる．日常の生活において彼らが，例えばいじめに遭遇したとき，その出口として自殺へエスケイプするのは，彼らが"生きる"ことや**"命"の持つ**本当の**重み・大切さ**（the value of life）を十分に理解できていないからではないだろうか．

より生き生きと生きるために，死について考える**生死学**(education for life and death)[15]が学校でもっと取り上げられるべきではないか，と思われる．死を理解することは，私たち人間が自分の意志でどれだけ自己の人生を創造していけるかを考える力に連結している．日々をどう生きるのか考え出す，死への準備教育は生の教育に他ならない．

また，生の教育は性の問題も含め伝授されなければならない．今までなぜか声を潜めて語られたり，子どもは知らなくてもよい部分として取り残されてきた，タブーな領域であった性の教育こそ，子どもたちが生きていく上で明確に説き明かされなければならない分野である．生と性，そして生と死についての教育の発展に期待したい．

＊＊ 関連ワード ＊＊

民間療法（folk medicine）
ホスピス（hospice）
心安らかに死にたい（I want to die with peace of mind.）
糖尿病がある（I have diabetes.）
自覚症状がない（There are no subjective symptoms.）
定期検査（regular checkups）
末期症状（terminally ill）
安楽死を手助けする（assist euthanasia）
自殺予防教育（education for preventing suicide）：米国カリフォルニア州の高校で，1984年にスタート．自殺の実態・兆し，危険とどう向き合うのか，カウンセリングを行う地域の関係機関などについても学ぶ[16]．
性教育（education for human sexuality, sex education）：子ども向けの性教育は"the birds and the bees"と呼ばれる．高校には"family planning"という性について学ぶ教科がある[17]．

性道徳（sexual morality）
エイズ教育（AIDS education）：エイズ・後天性免疫不全症候群（Acquired Immuno Deficiency Syndrome, AIDS）はヒト免疫不全ウイルス（Human Immuno deficiency Virus, HIV）の感染により引き起こされ，細胞性免疫不全を主な病態とする[18]．エイズの感染ルート・感染しないための予防法・南北問題についても学び，無知から起こる差別・偏見をなくす"bridging the gap"のための教育．
性病（venereal disease, Sexually Transmitted Diseases, STD）：自分とはかけ離れた病気と思いがちだが，性交渉を行う以上，私たちにとって最も身近な病気である．

Lesson 41 マルチメディア教育 multi-media education

* キーワード *

　教育放送　educational broadcasts
　通信教育　correspondence education
　遠隔教育　distance education, tele-education
　BBC　British Broadcasting Company
　NHK　Nippon Hoso Kyokai
　テレビ教育　televised education
　郵便システム　the postal system
　電子通信の発達　development in electronic communication
　通常大学　conventional university
　遠隔教育大学　distance-education university
　3次元　three dimensions
　仮想現実感覚　virtual reality
　リモコン操作による手術　telesurgery
　遠隔地の患者に対する医療的ケア　telemedicare
　バーチャル・スクール　virtual school
　仮想教室　virtual classroom

Chapter 12 新しい教育の動き

仮想学習環境　virtual learning environments
情報化社会の時代　the age of information-oriented society
テレショッピング　teleshopping
電子通信　electronic communication
在宅で仕事をする　teleworking
学習スタイル　learning style
学習ペース　learning rate, learning pace
訪問教師　visiting teacher, itinerant teacher
（病気や傷害を持つ子どものための）訪問教育　education at home for children under medical treatment

---

　21世紀はマルチメディアが教育を変える世紀といわれているが，そのメディア教育の根源はおそらく**教育放送**（educational broadcasts）や**通信教育**（correspondence education）・**遠隔教育**（distance education, tele-education）にたどることができる．教育放送を世界で最も早く行ったのは**BBC**（British Broadcasting Company）で1924年のことである．日本では**NHK**（Nippon Hoso Kyokai）東京テレビ局による**テレビ教育**（televised education）が1953（昭和28）年スタートした．

　かつて通信・遠隔教育といえば，孤立した個人（isolated individuals）が**郵便システム**（the postal system）を用い，教員からのコメント（feedback from tutors）を頼りに学位を取得しようと，地道に健闘する姿を連想させるものであった．ところが情報社会が訪れ，**電子通信の発達**（development in electronic communication）にともない，いつでもどこでも学習者の需要に応じて学習できる（study on demand）という便利さが高く評価されるようになってきた[19]．

　特に働きながら学習できる利点は，最も顕著に**MBA**（Master of Business Administration）のコースにみられる．**IBM**（International Business Machines Corp.）などの大企業では自社社員の教育を**通常大学**（conventional university）のコースではなく，遠隔教育で行うよう後援して（sponsor）いる．多忙に働きまわる社員にとっても遠隔教育の融通制（フレキシビリティ，flexibility）が魅力となっている[20]．

　遠隔教育大学（distance-education university）では医学部の場合，コンピュータのスクリーン上で**三次元**（three dimensions）が視覚化でき，説明・

Lesson 41 マルチメディア教育

理解がより容易に行えるという利点がある．**外科医**(surgeon)を育成するために**仮想現実感覚**（virtual reality）で手術の実習を行ったり，医療現場では**リモコン操作による手術**（telesurgery）を行い，手術後に**遠隔地の患者に対する医療的ケア**（telemedicare）をすることが可能となっている．

長期の入院を強いられている子どもたちや在宅障害児が，病院や自宅のコンピュータ上で**バーチャル・スクール**（virtual school）の**仮想教室**（virtual classroom）へ通うことができる．仮想教室では生徒がお互いの声を聞けるので，同じ教室で授業を受けている仲間との交流・団結が生まれる．また**仮想学習環境**（virtual learning environments）の中では，寝たきりの子どもが自分の分身を通して走る体験をすることもできる[21]．

情報化社会の時代(the age of information-oriented society)では，人とのネットワークづくりのうまい人が有利になるといわれる一方で，コンピュータ・電話を使って自宅で買い物ができる**テレショッピング**（teleshopping）など，他者と面と向かい合う接触（face-to-face contact）を必要とせずに，**電子通信**（electronic communication）で成立する関係が増える．また**在宅で仕事をする**（teleworking）ことが普及すれば，各自が家へとどまることから生活体系の個別化がさらに進み，人格形成の遅滞を生じる一因となったり，バーチャルな世界だけに自分を局在化させることから個人の現実対処能力が低下する危険性を含んでいる[22]．

またマルチメディアによる教育には，高品質の機材を備える豊かな国と貧しい国，高額の設備使用料を支払う余裕のある者とない者を分け隔ててしまう[23]というダウンサイドもある．さらに，民間の教育ソフト企業などが教材メーカーになることにより，教育が企業への営利を導くために利用されたり，教育目的の重点が経済界が求める人材の育成に置かれるのではという懸念も拭い切れない[24]．

＊＊ 関連ワード ＊＊

仮想大学（virtual university）：インターネット上の大学ホームページに"登校"すると，あたかもそこに存在するかのような臨場感（telepresence）あふれる大学の立体映像が現れ，その中で自分の顔をした"分身"がキャンパスを歩き回り，学友と（内蔵スピーカーを通じて）カフェテリアで話をしたり研究室の教授に質問ができる．日本では2000年，埼玉県に人間総合科学大学が開学した[25]．

ネット校 (internet school)：生徒は学校側に学習成果をインターネット上でレポートにまとめ提出することで卒業できる．アットマーク・インター・ハイスクールなど海外の高校と提携している学校では，海外高校から卒業資格が得られる[26]．

テレビ文字多重放送 (teletext broadcasting)：テレビの映像電波のすき間を利用してニュース・天気予報などの文字情報を送ること．または聴覚障害者 (hearing impaired, deaf) 向けに画面の音声に合う文字をテロップ (telop) で流すこと[27]．

情報化社会 (information-oriented society)：脱工業社会 (post-industrial society) としてもほぼ同意．"物の生産"自体よりそれを支える科学的知識・技術という"情報"の生産が重要な社会[28]．

教育機器 (educational equipment)：OHP (over head projector)・VTR (video tape recorder) などの教育用機器・器具の総称．

教具 (teaching aids)：地図・実験器具など．

視聴覚教室教育 (audio-visual room education)

コンピュータの教育利用 (computer uses in education)：コンピュータ支援の授業 (computer aided instruction, CAI)・コンピュータ主導の授業 (computer directed instruction)・コンピュータ管理の授業 (computer managed instruction, CMI)・コンピュータにより強化された授業 (computer augmented instruction)・コンピュータを利用した授業 (computer based instruction, CBI) など．

コンピュータにより統合された学習環境システム (computer integrated learning environment system)：コンピュータを道具というより，学習者にとっての環境として受け止める．

相互作用的学習環境システム (interactive learning environment system)：interactive は双方向性の意味．

コンピュータ・リテラシー (computer literacy)：心理的抵抗感なしにコンピュータで情報検索 (information retrieval)・データ・プロセス (data processing) をしたり，日常的ツールとして使いこなすことができる能力．"He is highly computer-literate."と言えば，彼はコンピュータに精通しているということ．

情報格差・メディア（デジタル）デバイド (media divide, digital divide)：情報通信技術の知識を持つ者と持たない者との差が（経済的）格差を生むこ

と.
メディア解読能力(media literacy)：メディアが発進する無尽蔵な情報をそのまま受け入れるのではなく分析・批判，そして活用できる能力.
情報処理能力 (information processing ability)：情報活用能力 (information literacy) としてもほぼ同意.
コンピュータ狂 (chip head, wire head, mouse potato, computer geek)
インターネット中毒 (internet addict)
コンピュータ恐怖症 (cyber phobia)
コンピュータ利用者に生じるストレス (technostress)
人工頭脳研究 (cybernetics)：コンピュータを人間の思考に近づける研究. 語源となった cabernet は灯台の灯を情報源として舵を制御する, の意味. cyborg とは人造人間のこと[29].
ネット・ユーザー (net users, netizen, net citizen)
ネット乱用 (net abuse)：netiquette を破る人など.
cybarian（コンピュータを使う図書館司書）：従来の図書館司書は librarian.

Lesson 42 外国人教育　education for foreign students

＊ キーワード ＊

外国人労働者　legal foreign workers
犯罪率　crime rate
不法入国者　Illegal aliens
外国籍の子どもに対する教育　education of foreign children
教科書無償制　free distribution of textbook
国際学校　international school
国際バカロレア　international baccalaureate
帰国子女教育　returned child education, education for returning children
留学生　Japanese students who study abroad
帰国子女　Japanese students who return home from abroad

Chapter 12 新しい教育の動き

頭脳流出　brain drain
海外勤務　overseas assignment
親に同行する海外(在住)子女(children overseas, Japanese children abroad)
日本人学校(school abroad for Japanese, full-time schools for Japanese, government supported Japanese school)
補習授業校（supplementary school)
海外子女教育(education at foreign country, education for children overseas)

　政府の経済審議会は，日本が現状の経済水準を維持していくためには近い将来，毎年60万人の外国人労働力が必要であると指摘したが，実際に**外国人労働者**（legal foreign workers）を受け入れることにより引き起こされるであろう問題は数多い．例えば，彼らは言語が不自由な理由で（あるいは自国のアクセントを堅持する場合），専門知識・技術を持ちながら，それらとは無縁の，危険で汚い作業に従事することを余儀なくされる[30]．

　もし仮に彼らの能力が認められ，社会で活躍するようになれば，彼らにより職場を奪われることになり得る本国人との摩擦や対立という問題が生じる．また，外国人による**犯罪率**（crime rate）や**不法入国者**（illegal aliens）の数が急増するであろうことも予測するに容易である[31]．

　1997年度末の時点で，外国人登録者数は148万人に及んだ．そのうち，圧倒的多数を占めるのは韓国・朝鮮人（65万人）であるが，近年では東南アジアや南米諸国から職を求めて来日する人たちの増加が目立ってきている．今後も外国人登録者が増え，日本の学校はかつて経験したことのない多様な文化的・言語的背景を持つ子どもたちを収容する場となることが見込まれる．

　外国籍の子どもに対する教育（education of foreign children）は，日本では就学義務は課せられていない．彼らは在日外国人学校か日本の公立・私立学校のどちらかへ通うが，公立小・中学校へ就学を希望する子どもに対しては，日本人と同様に授業料は不徴収，教科書は無償で給付する[32]．日本の学校に在籍している外国籍の子どもの多くは在日韓国・朝鮮・中国人である．また，独自の学校を持たないブラジル・フィリピン・ペルーからの子どもも多い[33]．

　在日外国人学校は，自国の子女のために自国のカリキュラムに基づく教育をする民族系の学校と[34]，どこの国籍の子どもも受け入れる**国際学校**(international school)に大別される．民族系の学校は各種学校とみなされるため，大学入学のためには大検を受けなければ入学資格が認められない[35]．一方，国際学校では

Lesson 42 外国人教育

欧米系学校のカリキュラムに準ずる教育を英語を用いて行う．在校生は**国際バカロレア**(international baccalaureate)[36]が受けられるなど，外国人教育の中ではエリートである[37]．

今後日本の学校，とりわけ高等教育のレベルでは，外国人（留学生や外国人登録者の子女）教育・**帰国子女教育**(returned child education, education for returning children) を行い得る体制・性質があるかないかが，学校・大学の将来の明暗を分けるといっても過言ではない．

世界的に見ても，英語で授業を行う大学が増えることが一つの動向となるであろう．事実アメリカでは，大学教育が大衆化している（就学率60％）にもかかわらず[38]世界的標準を保っているのは，授業が英語で行われているために海外から優秀な留学生を集めることができ，彼らが在学中にトップを競う形勢で大学の水準をつり上げる構図になっている[39]．

いずれにしても教育とは，様々な文化・言語的背景・異なった人生経験や職業を持った異世代の生徒・学生たちが，<u>ユニバーサル</u> (universal) かつ<u>バリアフリー</u> (barrier-free) に<u>出会い交流する</u> (meet and mingle) 機会を提供するものでなければならない．

ミニ知識：留学生・帰国子女（Japanese students who study abroad, and who return home from abroad）

高校を中退して行き場のない者や，過度の受験勉強から逃れようとする者，あるいは海外留学で履歴に箔を付けようとする者など志望動機は様々であるが，海外の高校・大学へ編入・転入（transfer）を希望する者の数が確実に増えてきている．その中で注目すべきは，女性が海外の大学院で学位を取得し，そのままより良い職場（workplace）を求めて帰国せずに海外にとどまる，<u>頭脳流出</u>(brain drain)の傾向である[40]．彼女たちは，安い労働力として海外進出を図る女性とは違い，自己の可能性を阻んできた日本の社会を見限り，海外でのチャンスに賭ける者たちである．

また日本企業の海外進出にともない，<u>海外勤務</u>（overseas assignment）の親に同行する<u>海外（在住）子女</u>(children overseas, Japanese children abroad)の数は1998年度で約5万人に上っている[41]．彼（女）たちは現地校へ通うか，<u>日本人学校</u>（school abroad for Japanese, full-time schools for Japanese, government supported Japanese school）[42]・補習授業校（supplementary school）[43]に通学し<u>海外子女教育</u>（education at foreign country, education for children overseas）を受けている．

Chapter 12 新しい教育の動き

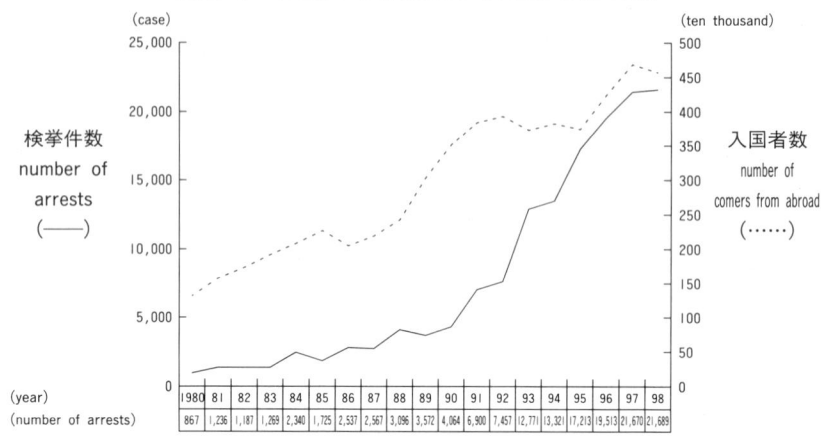

図42-1　外国人入国者数および外国人検挙件数

(注)　入国者数とは正規に入国を認められた外国人の数.
(資料)　総務庁『平成11年度青少年白書』2000年, p. 78.

＊＊ 関連ワード ＊＊

日本語を母語としない子どもたち (non-Japanese-speaking children)：母 (国) 語は mother tongue.

限られた日本語運用能力 (limited Japanese proficiency)

二重国籍 (dual nationality)：主にアメラジアンと呼ばれる, 駐留の米軍人と地元女性の間 (アメリカ人とアジア人の間) に生まれた子どもたち (ハーフだと差別的要素が強いことから, ダブルとも呼ばれる). 彼らは外国人学校に通うことが可能だが, 交通不便や高学費のため日本の学校へ通う場合, 容姿の違いによるいじめや日本語・英語が十分に話せないという劣等感に悩んでいる.

国際結婚 (inter-racial marriage)

公用語 (official language)

留学生指導担当者 (international student advisor)：履修課程・進路・生活指導を担当する. 外国人留学生 (international student) に対して"international (国際の)"のかわりに"foreign (外国の)"を用いて呼ぶと, 多少疎外感が強くなる.

国費留学生 (foreign student at government expense)

私費留学生 (foreign student at his/her own expense)

Lesson 42 外国人教育

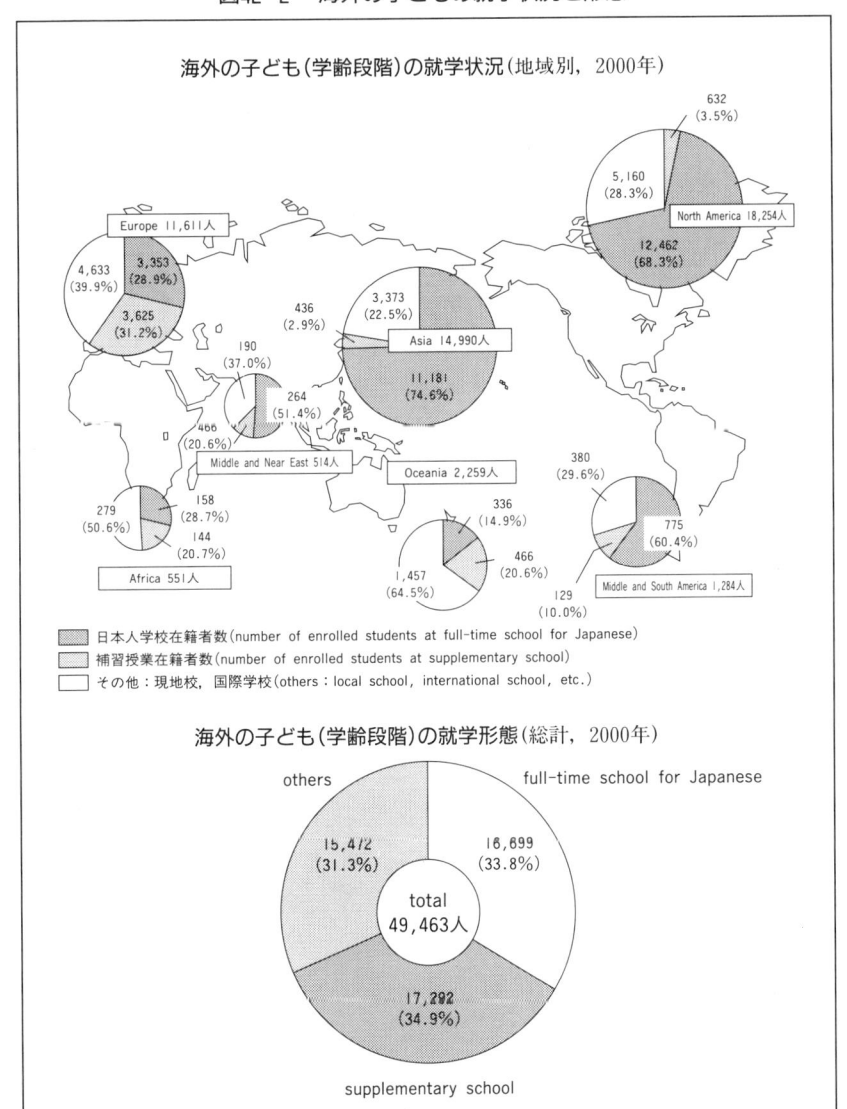

図42-2 海外の子どもの就学状況と形態

海外の子ども(学齢段階)の就学状況(地域別, 2000年)

North America 18,254人
- 632 (3.5%)
- 5,160 (28.3%)
- 12,462 (68.3%)

Europe 11,611人
- 4,633 (39.9%)
- 3,353 (28.9%)
- 3,625 (31.2%)

Asia 14,990人
- 436 (2.9%)
- 3,373 (22.5%)
- 11,181 (74.6%)

Middle and Near East 514人
- 190 (37.0%)
- 264 (51.4%)
- 466 (20.6%) [注: 列挙値]

Africa 551人
- 279 (50.6%)
- 158 (28.7%)
- 144 (20.7%)

Oceania 2,259人
- 336 (14.9%)
- 1,457 (64.5%)
- 466 (20.6%)

Middle and South America 1,284人
- 380 (29.6%)
- 775 (60.4%)
- 129 (10.0%)

凡例:
- 日本人学校在籍者数 (number of enrolled students at full-time school for Japanese)
- 補習授業在籍者数 (number of enrolled students at supplementary school)
- その他:現地校, 国際学校 (others: local school, international school, etc.)

海外の子ども(学齢段階)の就学形態(総計, 2000年)

total 49,463人
- full-time school for Japanese: 16,699 (33.8%)
- supplementary school: 17,292 (34.9%)
- others: 15,472 (31.3%)

(注) カッコ内は構成比を示す。
(資料) 外務省「管内在留邦人子女数調査」2000年. 文部省『平成12年度我が国の文教施策』2000年, p.293.

Chapter 12 新しい教育の動き

図42-3 海外留学先別にみる日本人留学生の数(1999年)

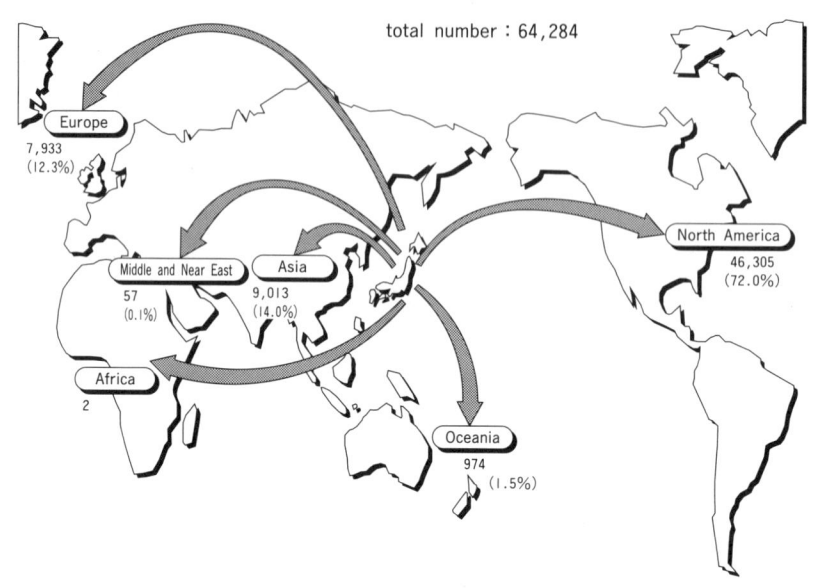

total number：64,284

- Europe 7,933 (12.3%)
- Middle and Near East 57 (0.1%)
- Asia 9,013 (14.0%)
- Africa 2
- Oceania 974 (1.5%)
- North America 46,305 (72.0%)

（注）カッコ内は構成比を示す．
（資料）時事通信社『教育データブック2000-2001』2000年，p.216．

図42-4 出身地域別にみる外国人留学生の数(1999年)

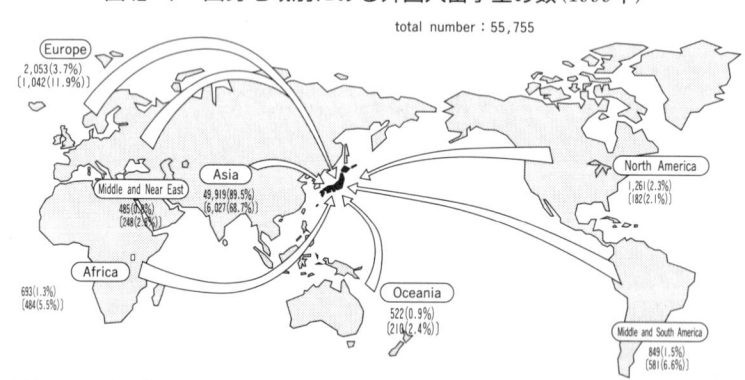

total number：55,755

- Europe 2,053 (3.7%) (1,042 (11.9%))
- Middle and Near East 485 (　%) (248 (2.　%))
- Asia 49,919 (89.5%) (6,027 (68.7%))
- Africa 693 (1.3%) (484 (5.5%))
- Oceania 522 (0.9%) (210 (2.4%))
- North America 1,261 (2.3%) (182 (2.1%))
- Middle and South America 849 (1.5%) (581 (6.6%))

（注）カッコ内は構成比を示す．キッコウ内は国費留学生の数(8,774人)．
（資料）文部省『平成12年度我が国の文教施策』2000年，p.296．

Lesson 42 外国人教育

図42-5

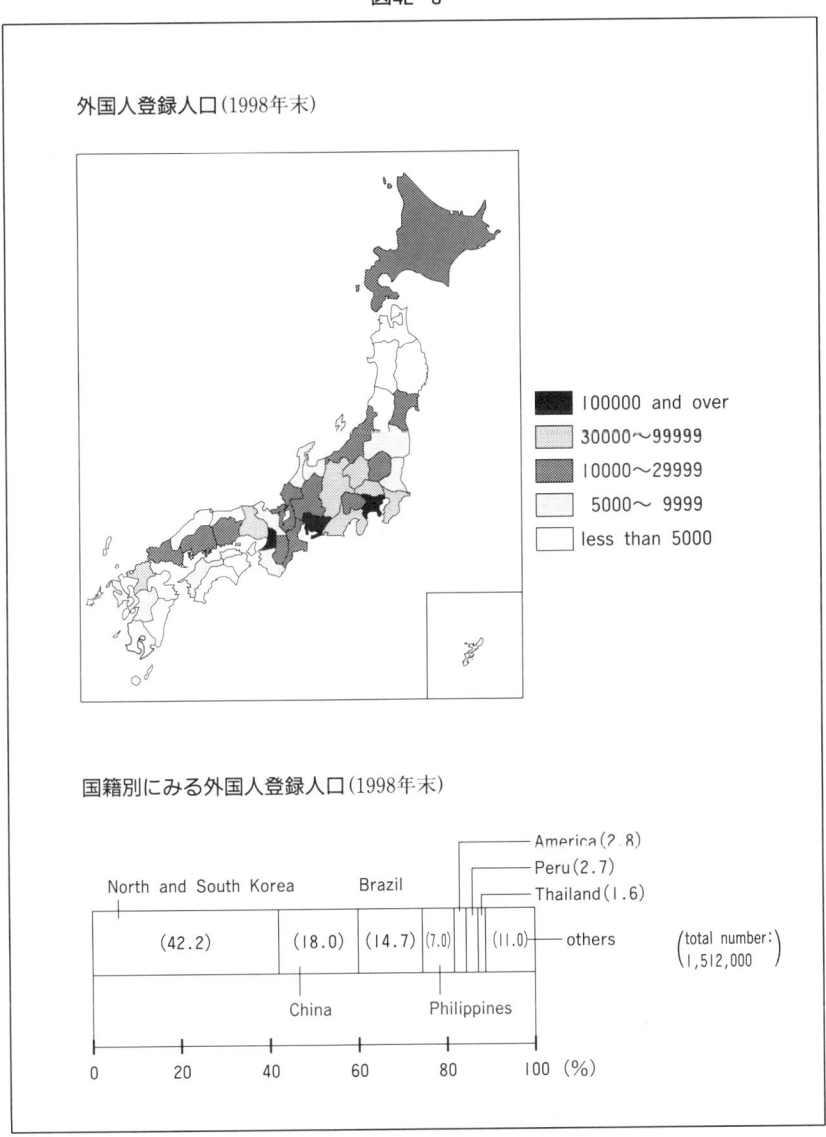

外国人登録人口(1998年末)

■	100000 and over
▨	30000〜99999
▦	10000〜29999
░	5000〜 9999
□	less than 5000

国籍別にみる外国人登録人口(1998年末)

North and South Korea (42.2) | China (18.0) | Brazil (14.7) | Philippines (7.0) | America (2.8) | Peru (2.7) | Thailand (1.6) | others (11.0)

(total number: 1,512,000)

(注) カッコ内は構成比を表す．外交官とその家族，および軍人・軍属とその家族は外国人登録の対象とはならない．
(資料) (財)矢野恒太郎記念会『日本国勢図会2000-2001』2000年，p.51．

Chapter 12 新しい教育の動き

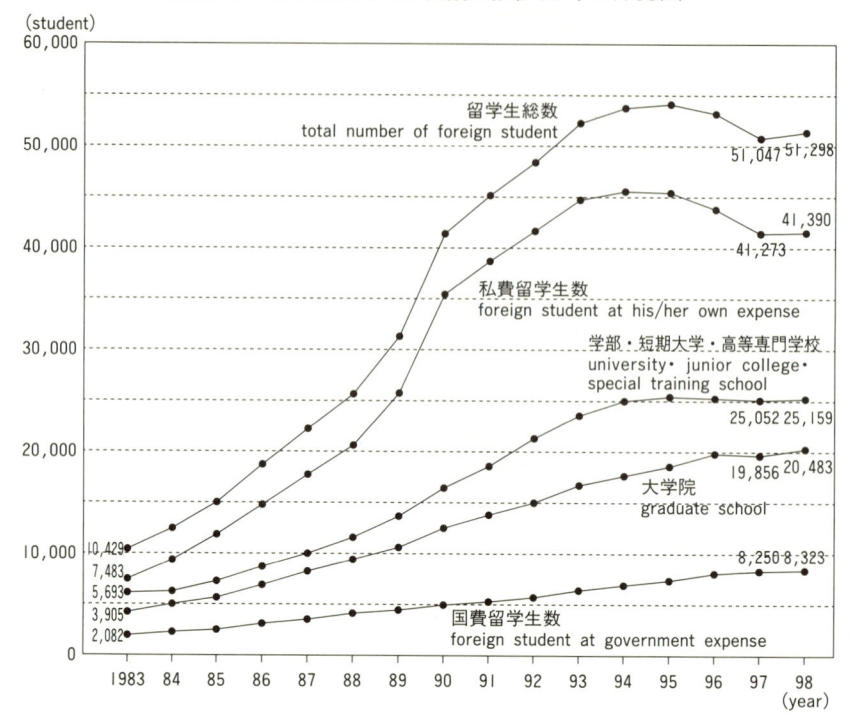

図42-6 留学生数と在学段階の推移（各年5月現在）

(student) 縦軸、1983〜98 (year) 横軸のグラフ。以下の数値ラベルが示されている：

- 留学生総数 (total number of foreign student)：51,047　51,298
- 私費留学生数 (foreign student at his/her own expense)：41,273　41,390
- 学部・短期大学・高等専門学校 (university・junior college・special training school)：25,052　25,159
- 大学院 (graduate school)：19,856　20,483
- 国費留学生数 (foreign student at government expense)：8,250　8,323

初期値（1983年）：10,429／7,483／5,693／3,905／2,082

（注）留学生とはわが国の大学・大学院・短期大学・高等専門学校・専修学校（専門課程），および大学に入学するための教育課程において教育もうける外国人学生のこと．
（資料）文部省『平成12年度我が国の文教施策』2000年．時事通信社『教育データブック2000-2001』2000年，p.209．

姉妹校 (sister school)
バイナショナル・スクール (binational school)：例えば日本と米国の学校で，設立の経緯・経営・生徒構成においてほぼ対等に貢献・参加することにより成立している学校．
難民教育 (education for refugee)
移民教育 (immigrant workers' education)
季節労働者教育 (migrant education)：季節労働者 (migrant) およびその家庭の（中途入学する）子どもたちへの教育．
二語併用教育・バイリンガル教育 (immersion program, bilingual education)

Lesson 42 外国人教育

<u>海外学校</u>（oversea school）

<u>海外不適応</u>（overseas maladjustment, maladjustment in foreign countries）：<u>適応</u>（adjustment）とは，個人または集団が諸欲求の充実を図りながら，物理的ないし心理的に社会的環境と調和した状態である．これに対し，調和しない状態を<u>不適応</u>（maladjustment）という．一般的には<u>帰国子女</u>（海外に1年以上在留して帰国した児童・生徒，expatriate Japanese children, young Japanese return from abroad, Japanese children returning home from abroad）の適応・不適応とは，日本の環境への<u>再社会化</u>（resocialization）がスムースに行われるか否かを意味する[44]．

---

1) 進化主義・利益至上主義・経済発展至上主義・科学技術万能主義に基づく
2) 田丸美寿々「メディアからみた世紀末」，筑紫哲也編『自由の森で大学ごっこⅡ』112-150頁．
3) グローバルな教育（マクロ視点）とは対照的に，地域に根ざした問題や民族の特殊性を重視する教育（ミクロ視点）についても同時に考慮されなければならない．
4) 小澤周三編『教育学キーワード（新版）』有斐閣双書，1998年，234頁．
5) 世界は一つといわれながら，世界の貧困の差は拡大している．最富裕層20％と最貧困層20％の所得比は1960年では30：1であったが，98年では61：1とほぼ2倍に拡がっている．前掲書4），222頁．
6) **生物的男女差**（male-female），**体質的男女差**（masculinity-femininity）．
7) **社会的男女差**（virility-womanliness）．
8) 例えば小学校では女性教諭率が高い（沖縄県77.2％，高知県75.6％，大阪府75.3％など）が，校長・教頭などの管理職の多くは男性が務めていることに矛盾はないか．「徳島新聞」（朝刊），2000年9月6日．
9) 「毎日新聞」（大阪，朝刊），2000年4月17日．
10) 新井郁男『教育社会学Ⅰ』放送大学，1992年，132頁．
11) 『朝日キーワード2000』朝日新聞社，2000年，176頁．
12) 江川玟成・他編『最新教育キーワード137（第8版）』時事通信社，1999年，289頁．
13) <u>直系家族の死</u>（death in the immediate family）．
14) 多くの場合，他人事（3人称）としてとらえられている死は，自分にかかわる者・愛する者（2人称）の死を通じて，自分（1人称）にもかかわるものとして認識できるようになる．「朝日新聞」（名古屋，朝刊），1999年，12月6日．
15) <u>脳死</u>（brain death, cerebral death）・<u>臓器移植</u>（transplantation of internal organs, organ transplants）・<u>人工受精</u>（artificial insemination）・<u>遺伝学</u>（genetics）など，生命の倫理に関する諸問題についても取り上げる．
16) 「産経新聞」（大阪，夕刊），2000年1月13日．
17) 藤井基精・熊沢佐夫編『アメリカ社会常識語辞典』日本英語教育協会，1984年，40頁．

Chapter 12 新しい教育の動き

18) アフリカ・サハラ砂漠以南の国の人々がHIV感染者（世界全体）の7割，エイズによる死者の9割を占める．こうした国々では奇跡でも起こらない限り，21世紀最初の10年でエイズにより成人人口の5分の1を失うことになる．地球カルテ制作委員会『地球カルテ』青春出版社，2000年，188頁．
19) **学習スタイル** (learning style) と**学習ペース** (learning rate, learning pace) を学習者が決めることができる．
20) *Guardian Weekly,* Sep. 27th, 1999, p.3.
21) 障害や病気などの理由で通学できない子どものために，**訪問教師** (visiting teacher, itinerant teacher) が彼らの自宅を訪問する**訪問教育** (education at home for children under medical treatment) を行うことも可能である．「読売新聞」（東京，朝刊），1999年，12月24日．
22) コンピュータは世界で5億台使用されている（2000年）．世界人口が60億人を超えた（1999年）ので，単純計算すると12人に1台の割合で普及していることになる．前掲書18），102頁．
23) *Guardian Weekly,* Victor Keegan. July 28th, 1996, p.13.
24) 人間がより豊かに生きるために必要な資源としての教育であるはずが，個人が社会においてどれだけ役に立つかの利用価値を決めるための規範軸にすり替えられてしまう．
25) 「毎日新聞」（東京，夕刊），2000年3月23日．
26) 「福島民報」（朝刊），2000年5月17日．
27) 石山宏一『新現代用語を英語にする辞典』グロビュー社，1995年，305頁．
28) 前掲書12），283頁．
29) 宮本倫好『変貌するメディア英語』三修社，1999年，47頁．
30) 自分が持つ能力を過小に評価されて就職することを under-employed という．全く就職できない・しないのは unemployed．
31) 多国籍・多人種国家であるアメリカは，これら外国人労働者・移民の引き起こす問題を顕著な形で実証している国であると言えるかもしれない．ただし，アメリカは世界各国から明晰な頭脳 (bright brain) を持つ者を移民として歓迎することにより国家レベルをつり上げたり，その他の移民を下働きに従事させることで彼らの廉価な労働力をエネルギーの基盤としている国でもある．
32) **教科書無償制** (free distribution of textbook). 前掲書12），80頁．
33) 「中国新聞」（朝刊），2000年9月10日．
34) 民族系学校で主力なのは朝鮮人学校．この他，韓国人学校・中国（台湾）人学校・米国基地内の国防総省付属学校・ドイツ人学校・フランス人学校がある．前掲書4），232頁．
35) 帰国子女はもともと日本人であるためか，海外で高校を卒業した場合でも，日本の大学では特別枠を設定し受け入れる体制を敷くが，もともと外国人である外国人学校（特に民族系学校）の生徒に対しては，大学への門扉を閉ざす形になっており，そこには根強く残る外国人に対する閉鎖的姿勢が潜んでいる．
36) 世界各国の教育制度を転々とする児童のための国際的大学入学資格のこと．国際バカロレア制度に加盟した国際学校（通称"インター"）で学習し，国際バカロレア本部の実施する試験（英語・フランス語・スペイン語のいずれか）に合格すれば資格が授与される．

Lesson 42 外国人教育

37) 前掲書4），81頁．
38) 米国の社会学者マルチン・トロウ（Martin Trow）は，高等教育を学生の就学率により<u>エリート教育</u>（elite education）・<u>大衆教育</u>（mass education）・<u>全員が学ぶ教育</u>（egalitalian education）の3段階に分類した．大学が大衆化し量的に増える過程で，その質的低下をいかに阻止するかが課題となる．
39) 「日本経済新聞」（東京，朝刊），2000年10月23日．森嶋道夫『なぜ日本は没落するか』岩波書店，1999年，51頁．
40) 留学生が帰国しないことから起こる．一般には発展途上国で多くみられる．
41) 前掲書12），82頁．
42) 日本の学習指導要領に従い，年限・学期・教科も国内と変わりなく，日本での学校教育に相当する教育を行う．月曜日から金曜日まで．2000年度では世界に96校，約1万8,000の生徒が在籍している．文部省編『我が国の文教施策』文部省，2000年，292頁．
43) 月曜から金曜までは現地の学校に通う生徒のために，放課後や土・日曜日を利用して，日本語を中心に一部の教科の授業を行う．2000年度では世界に188校，約2万人が在籍している．同上，292頁．
44) 前掲書10），67頁．

主要参考文献

日外アソシエーツ編『教育問題情報辞典』日外アソシエーツ，1993年．
竹田明彦編『学校用語英語小辞典』大修館書店，1998年．
寺崎昌男『教育小辞典新版』原書房，1998年．
佐藤英一『大教育家―生涯と思想』金子書房，1989年．
平塚益徳監修『世界教育辞典』ぎょうせい，1980年．
東洋・奥田真丈・他編『学校教育辞典』教育出版，1998年．
中田彪編著『歴史にみる教育』あゆみ出版，1993年．
岸本弘・滝沢武久編『教育心理学用語辞典』学文社，1985年．
三宅和夫・北尾倫彦・小嶋秀夫編『教育心理学小辞典』有斐閣双書，1991年．
加藤正明・他編『新版精神医学事典』弘文堂，1992年．
中内敏夫・梶尾輝久・吉田章宏編集代表『現代教育学の基礎知識（1＆2）』有斐閣ブックス，1976年．
藤井基精・熊沢佐夫編『アメリカ社会常識語辞典』日本英語教育協会，1984年．
日本教育法学会編『教育法学辞典』学陽書房，1994年．
松崎厳監修・西村俊一編『国際教育辞典(Encyclopedia of International Education)』アルク，1991年．
文部省『教育指標の国際比較』1996年・1997年．
『切り抜き速報・教育版』ニホン・ミック社，1999年11月～2000年10月．
学校教育用語編集委員会編『学校教育用語集』教育開発研究所，1999年．
星加和美・石津ジュデイズ『英語で意見・考えを言える表現2400』ベレ出版，1999年．
小澤周三編『教育学キーワード（新版）』有斐閣双書，1998年．
江川攻成・高橋勝・望月重信他編著『最新教育キーワード137（第8版）』時事通信社，1999年．
赤尾勝己・他編『教育データブック2000-2001』時事通信社，2000年．
安部信太郎・他編『資料・現代社会1998』東京学習出版，1998年．
財団法人矢野恒太記念会編『日本国勢図会2000-2001(第58版)』国勢社，2000年．
財団法人矢野恒太記念会編『世界国勢図会2000-2001(第11版)』国勢社．2000年．
経済企画庁編『国民生活白書』大蔵省印刷局，1999年．
総務庁統計局編『統計でみる日本2000』日本統計協会，2000年．
総務庁統計局編『世界の統計2000』日本統計協会・大蔵省，2000年．
ユネスコ編・長井道雄監訳『ユネスコ文化統計年鑑1999』原書房，2000年．
文部省編『我が国の文教施策』大蔵省印刷局，1999年・2000年．
文部省編『諸外国の教育行財政制度』大蔵省印刷局，2000年．
苅谷剛彦・濱名陽子・木村涼子・酒井朗『教育の社会学』有斐閣アルマ，2000年．

主要参照文献

ユネスコ編『世界教育白書1996（world Education）Report 1996）』東京書籍，1997年．
阿部信太郎他編『資料・現代社会 1998』東京学習出版，1998年．
経済庁青少年対策本部編『青少年白書』大蔵省印刷局，2000年．
柿沼昌芳他編著『沈黙する教師たち』批評社，2000年．

It's called
ペダゴジカル英語

和 英 索 引

(五十音順)

あ

日本語	英語	ページ
愛着行動	attached behavior	135
IBM	International Business Machines Corp.	208
相棒(友達)方式	buddy system	114, 128
青田買い	premature employment of students, earlier-than-usual employment of students	187, 188
秋学期	fall semester	16
秋・冬・春学期	fall, winter, spring quarter	16
悪循環	vicious circle, cycle	79
麻・大麻の花や葉をつぶしたもの	crushed leaf and flower of the hemp plant	173
朝の会	morning meeting	62, 63
アジア研究	Asian studies	45
遊びの権利	child's right to play	161
アセスメント	assessment	85, 86
あたかもそこに存在するかのような臨場感	telepresence	209
新しい学力観	new view of academic achievement	31, 32
新しい50代	new fifties	187
アドバンスド・プレイスメント	advanced placement	15
アトム	atom	33
アノミー	anomie	162, 164
アフリカ系アメリカ研究	African American Studies	40
アフロ髪	afro	168, 170
阿片	opium	163
甘やかされた	spoiled, indulged, spoon fed	132
甘やかされた子	spoiled, indulged, spoon fed child	131
甘やかす親	overindulgent parent, doting parent	131, 150
アメリカ教育使節団	The U.S. Education Mission	16, 47
アメリカ教育使節団報告書	reports of the U.S. Education Mission to Japan, submitted to the supreme commander for the allied power	46, 47
アメリカ教員連盟	American Federation of Teachers, AFT	26
アメリカ心理学会	American Psychiatric Association, APA	124
アメリカナイゼーション、アメリカ化	Americanization	46, 47
アメリカの戦後教育改革	educational reform in America during the 60th and 70th	48
アリストテレス	Aristotle	110
アルコール依存	addicted to alcohol	166
アルコール症	alcohol addicted	145, 146
アルコール中毒	alcoholism	145, 149
アルバイト	part-time job	58, 195
アルファベット順	alphabetical order	45
アンスクーリング	un schooling	197

アンスクール	unschool	178
安定感	stability	124
安楽死を手助けする	assist euthanasia	206

い

イースター・ホリデー	Easter holiday	16
委員会	committee	64
家出	leaving home, running away from home	168
家に持って帰る形式	take home exam	99
医学	Medicine	41
医学大学院	medical school	45
医学博士	Medical Doctor, M.D.	29
生き残るための方策	survival strategy	72
生き延びる能力	survival skills	44
EQ, 教育により開発される能力	educational quotient	90
生きる力(生きることへの強い欲求)	zest for living	31, 32
育児休暇	maternal leave, child-care leave, unpaid leave of absence following maternity leave	188, 189
維持	maintain	68
異質	heterogeneity	137
いじめ	bullying, hazing	136, 137
いじめっ子	bully	136, 151
いじめられっ子	victim of bulling, persecuted children, tormented youngsters	136, 151
異常心理学	abnormal psychology	125
異食	pica, perverted appetite	120, 129
依存	addiction	166
依存症	dependency	135
いたずら電話	prank call	167
痛みを和らげる	relieve pain, analgesic	165
1〜6限	first-sixth period	63
一芸に秀でる者	artistically talented	79
1日の摂取カロリーが200〜300にまで落ちている	daily intake can drops to as low as 200-300 calories	138
1年を通しての主な活動・行事	big event in the academic year	64
一夜づけ	overnight cramming	95
一卵性	identical, monozygotic	110
一卵性の双子	identical, monozygotic twin	109
一流校	prestigious school	95
一流の学者	blue-chip scholar	27
1級	the first class	70, 74
一斉指導	classroom instruction, lecture-style, uniformed instruction	81, 84

和英索引		
一斉授業	lecture-style, uniformed teaching	33
1対1ではなく、1対複数で	not one against one, but many against one	137
一致性	congruence	140, 142
一定期間勤務免除制度	block release	190
一般	general	101
一般学習スペース	general learning area	81, 82
一般教育	general education	15
一般向け	general, G	172
逸脱	deviation	137
遺伝か環境かをめぐる論争	heredity vs. environment controversy	111
遺伝学	genetics	219
遺伝子	gene	110
遺伝的	genetic	113
遺伝と環境の相互作用を認める説	heredity and environment	113
イド	id	107, 108
田舎の冴えない大学	Podunk university	16
異年齢集団	multi-age group	136, 151
異年齢の子を集めた	multi-age grouping, inter-age grouping	80
居残り	detention	169
命の持つ重み・大切さ	value of life	205, 206
(自分の)居場所	sense of position	136
異文化間心理学	cross-cultural psychology	202
異文化教育	intercultural education	201
異文化体験	cross-cultural experience	203
異文化理解	cross-cultural understanding	203
違法行為	misconduct	167
移民教育	immigrant workers' education	218
いやがらせ電話	nuisance, irritating call	167
イリッチ, I.	Illich, Ivan	175, 196
陰湿な	underhanded	137
インターディシプリナリー	inter-disciplinary	3
インターネット中毒	internet addict	211
インターンシップ	internship	188, 190
インデプス・スタディー	in-depth study	29
インテリジェントスクール	intelligent school	181, 186
インフォーマル・エデュケーション	informal education	177
陰毛	pubic hair	172

う

迂回する	detour	196
受身的客体	passive receiver	33
動く歩道	moving sidewalk	118
鬱症	depression	126

鬱状態を	depressive state	129
鬱病	melancholia, major depression	120, 122
生まれながらに	by nature	110
埋め込みテスト	embedded test	98
裏口入学	admission through the back door, backdoor admission, admission fraud, admission to a school by unfair means	91, 94
運動着	truck suit, warm-up suit	170
運動機能障害	motor, motion impairment	116, 117
運動技能の発達	development of motor skill	105
運動系	athletic	65

え

英語教師招待制度	Japanese Government English Teaching Recruitment Program	36, 37
英語教授	Teaching of English	40
英才教育・優良児教育	special education for gifted (bright) children	77, 78
英才児	gifted children, the cream of the students	77, 78
エイズ教育	AIDS education	207
エイズ・後天性免疫不全症候群	Acquired Immuno Deficiency Syndrome, AIDS	207
衛生／保健(学)	Public Health	41
永続教育	education permanennte	19, 30
栄養(学)	Human Nutrition & Dietetics	39, 155
栄養士	dietitian	24, 26
栄養状態	childhood nutrition	113
栄養不良	mal nutrition	154, 155
エコスクール	eco-school	187
ACT	American College Test	97
SAT	Scholastic Assessment Test of the College Entrance Examination Board	97
エスペラント語	Esperanto	38
X世代	generation X, Xers	106
エッセンシャリスト	essentialist	49
NHK	Nippon Hoso Kyokai	207, 208
ABD	all but dissertation	16
Fランク	free pass, free admission	100
Fランク大学	free pass, free admission university	16
MBA	Master of Business Administration	208
エリート教育	elite education	221
エリクソン	Erickson, E.	103, 106
LSD	lysergic acid diethylamide-25	163, 165
エレベーター	elevators	122
Aをとる生徒	an A student	96
遠隔教育	distance education, tele-education	207, 208
遠隔教育大学	distance-education university	207, 208

和英索引		えんか
遠隔地の患者に対する医療的ケア	telemedicare	207, 209
演劇(学)	Theater	39
演劇教育	education through drama	34
エンゲル係数	Engel's coefficient	132
縁故入学	admission of students through personal connections	91, 94
援助	assistance	60
援助すれども統制せず	support but no control	50
延長保育	extended day care	10, 28

お

オアシス	oasis	144
応援団	cheering party, pep club	65
応援団長	cheer leader	73
OHP	over head projector	210
大きさを誇示する(土義)	sizeism	90
横断的学習	cross curricular approach	52
応答的条件付け	respondent conditioning	76
応募資格	qualification for application	91, 94
応用する力	applied skill	32, 33
オーズベル	D, P, Ausubel	83
オーセンティック・インストラクション	authentic instruction	3, 34
オープン・スペース	open space	122
オール A	straight A's	96
お河童	bob	168, 169
置き換え	Displacement	140, 141
奥行知覚	depth conception	105
お小遣い	monthly allowance	162, 164
おさげ髪	pigtail	170
お尻を打つ	spank	168
落ちこぼれ	drop out, drop behind	77, 78
脅し	intimidation	167
脅す	intimidate	167
大人	andros	23
オペラント条件付け	operant conditioning	75, 76
思いに取り付かれて	obsessed	138
親代わり主義	paternalism	135
親子関係	parent-child relation	107
親と市民の会	parent-citizen association, PCA	68
親との交流	infant-parent interaction	135
親に同行する海外(在住)子女	children overseas, Japanese children abroad	212
親の承認	parent guidance, PG	172
親の立場になって	in the place of a parent	59
親は育児	child rearing	103

親ばか	blind parental love	139
オルタナティブ・スクール	alternative school	177
音楽	music	31, 32, 36, 39
音楽的能力	musical intelligence	88

か

ガードナー	Gardner, H.	89
海外学校	oversea school	219
海外勤務	overseas assignment	212, 213
海外交流	interchange between Japan and other countries	201
海外(在住)子女	children overseas, Japanese children abroad	213
海外子女教育	education at foreign country, education for children overseas	213
開会の辞	salutatory	73
海外売春ツアー	sex tours	154, 156
海外不適応	overseas maladjustment, maladjustment in foreign countries	219
開花できうる可能性	potentials, potentialities	88, 90
絵画・非言語療法	art therapy	128
外観	looks and figures, appearance, looks	88, 138
回帰教育	recurrent education	23
海軍兵学校	U.S. Naval Academy	60
会計(学)	Accounting	39
解雇	lay-off, layoff	188, 189
外国語	foreign language	35, 36
外国語指導助手	assistant foreign language teacher, ALT	36
外国語としての英語能力判定テスト, トーフル	Testing of English as a Foreign Language, TOEFL	97, 98
外国人の英語による国際交流能力判定テスト	Test of English for International Communication, TOEIC	97, 98
外国人留学生	international student	214
外国人労働者	legal foreign workers	211, 212
外国籍の子供に対する教育	education of foreign children	211, 212
会社の仲間	colleagues	195
外傷経験	traumatic experience	122
階層間移動	inter-strata mobility	46, 47
外的経験	external experience	109, 113
外的刺激	external stimulation	110, 111
外的処罰法	extrinsic punishment	75, 76
会読/輪読	group reading	38
開発教育	development education	199, 200
外発的動機付け	extrinsic motivation	77
開放された女性	liberated woman	205
快楽原則	pleasure principle	107, 108
解離性同一性障害	dissociative identity disorder	121, 123
会話	oral communication	36

和英索引		
カウンセラー	counselor	140, 140, 142
カウンセリング	counseling	142
顔の美醜にこだわる(主義)	faceism	90
課外・教科外活動	extra-curricular activities	63〜65, 179
化学	chemistry	35, 36, 40
化学工学	Chemical Engineering	39
過干渉	excessive meddling, interference	145, 146
夏季(補習)学校	additional summer school	16
かぎっ子	latchkey child	131, 132
書き取り	dictation	36, 45
加虐性愛	sadism	121, 129
限られた日本語運用能力	limited Japanese proficiency	214
学位	degree, diploma	14
学位修得者	recipient	14
画一性から個性へ	from uniformity to individuality	34
画一性から個性を伸ばす学習へ	from uniformity to individuality-based learning	180, 186
学園祭	school festival	63, 64
各学年で達成すべきねらい・内容	aim and content of teaching at each grade	51
核家族	nuclear family	131, 132
角刈り	crew cut	168, 169
学業進歩児	over achiever	77, 78
学業成績	academic achievement	96
学業不振児	under achiever, slow learner	77, 78
格差	difference of rank, distinction	161
学際教育	interdisciplinary education	204
学際的カリキュラム	interdisciplinary curriculum	52
学士	bachelor, baccalaureate	14
学社融合	integration of schooling and out-of-school education	186
学習意欲	motivation for learning, desire for learning	75, 77
学習課題	learning project, learning task	80
(クラスの中で)学習活動が完結できる	self-contained classroom	84
学習環境	learning situation, learning environment	75, 76, 81, 82
学習興味	interest for learning	75, 76
学習権	educational rights	49
学習困難	learning difficulty	118
学習材料	material for learning, study material	80
学習指導要領	courses of study, cumulative guidance record, curriculum guides for teachers, study guides for teachers, curriculum standard	50, 51
学習社会	learning society	19, 30
学習者の主体性を重視するクラス	tutorial class	80
学習障害	learning disabilities	118
学習スタイル	learning style	208, 220

日本語	英語	ページ
学習センター	learning center	181
学習ゾーン	practical investigation nucleus	82
学習適性	aptitude for learning	75, 76
学習到達度	attainment	87
学習に娯楽の部分を加える	education plus entertainment	179
学習ペース	learning rate, learning pace	208, 220
学習要求	needs of learning, learning demand	75, 76
各種学校	miscellaneous school	13, 14
学術雑誌	scholarly journal, scientific journal	27
(健常者と障害者を)隔絶する教育	segregated education	114, 115
拡大家族	extended family	131, 132
各地方自治体	local official	50
学長	president	25, 26
学内規定・規程	school code	170
学内暴力	school violence, in-school violence, violence within schools	136, 137
学年主任	head teacher of a grade, senior year master	24, 25
学年度	academic year	64
学年末テスト	annual, yearend examination	96, 97
学部	department	13, 14, 38
学部長	dean, department head, dept. head	25, 26, 54
隔壁	partition, room divider	82
学問・教育の自由	academic freedom	49
学問的才能のある生徒	academically talented student	84
学力	academic ability	88, 89
学力偏差値	achievement standard score	90
学歴社会	education-conscious society, academic background-oriented society, credential society, diplomacracy	96
学歴主義	credentialism, degreeocracy	48, 96
学歴偏重	over-emphasis on one's academic background	96
学歴偏重教育	educational system with undue emphasis on people's educational backgrounds	80
隠れ場・逃げ場	refuge	138
学割	student fare	65
餓死	death from hunger, starvation	145, 146
果実・花・つぼみ	fruit, flower, bud	99
過剰な意識	excessive, oversensitive consciousness	138
過食症	bulimia nervosa	136, 138
家政学	home economics, domestic science	44
仮想学習環境	virtual learning environments	208, 209
仮想教室	virtual classroom	208, 209
仮想現実感覚	virtual reality	207, 208
仮想大学	virtual university	209
過疎化	depopulation	161
家族	family	150
家族療法	family therapy, parents counseling	127

課題試験	assignment exam	99
堅苦しい	stiff and formal	64
固まり	module	64
学会	academic association, academic society	28
学科長	chairman	26, 30
勝つか敗けるか	victory or defeat	44
学期末	end-of-term	97
学期末テスト	end-of-term, final examination	96
学級規律	classroom discipline	70
学級担任制	classroom teacher system, single-teacher-per-class system	67, 68
学級日誌	class diary	62, 63
学級崩壊	the chaotic classroom, classroom distraction	67, 134, 136, 137
学区自治体	school district	74
学区制・学区就学制	district system	180
学校安全	school safety	139
学校運営	school governing	67, 68
学校外教育	out of school education	174, 175
学校開放	school extension	186
学校化社会	school society	196
学校・家庭・地域社会の連携	collaboration between school, household and community	181, 183
学校監督行政	super-intendance of school	52
学校休業日	school holiday	68
学校教育	formal education	177
学校教育への期待	expectation for school education	79
学校行事予定表	school calendar	62, 64
学校恐怖症	school phobia	174, 175
学校区	school districts	153
学校経営・管理	school administration	68
学校建築	school architecture, school building	81, 82
学校差	disparity among schools, difference of academic levels among schools	180
学校災害	calamity in school	73
学校施設	school facilities	83
学校事務職員	school clerical staff	24, 26
学校食堂	school canteen, cafeteria, dining hall	62, 73
学校心理士	school psychologist	143
学校設備	school equipment	83
学校と社会	School and Society	49
学校図書館	school library	26
学校と地域施設の複合化	school-community complex facilities	186
学校の自主性(自立性)と公共性	autonomy and publicity for school	52
学校の自治的運営	school based management, local management of school	52

学校の雰囲気	school climate, ambience, atmosphere	73
学校評議会	councils for school administration, school council	67, 68
学校不適応	school maladjustment	174, 175
学校文化	school culture	73
学校分割	school within a school	81, 84
学校への行き渋り	reluctance to attend school	174, 177
学校への出・欠席	school attendance	177
学校法	school law	170
学校レベルでのカリキュラム開発	school based curriculum development	52
学校を子供に適応させる	adjust the school to the child	60
学校をさぼる	be truant, skip school	174, 196
合宿	camp for club members	65
葛藤	conflict	124
活動	task	64
過程	process	99
家庭	home	150
家庭科	homemaking	31, 32
家庭教師	private tutor	180
課程主義	grade promotion by curriculum completion	80
家庭内暴力	domestic violence, family violence, violence in the family	145, 149
家庭崩壊	family distraction, collapse of the family	131, 134
華道部	flower arrangement club	65
可動型家具	movable furniture	81, 82
過度の服薬が致命的になる	overdose can be fatal	130
カフェイン	caffeine	163, 165
カフェテリアム	cafetorium	83
家父長制	patriarchy	132, 135
壁のない学校	school without walls	83
過保護	over-protection	145
我慢する	bear	143
噛み砕いた指示	grain size of instruction	116
科目横断的学習・異分野提携の学習	interdisciplinary learning	34
科目のみ受講する学生	special, non-degree students	14
体の硬直	stiffness	125, 126
仮及第	on probation	100
カリキュラム	curriculum	52
ガリ勉	grind, swot	95
過労死	death from overwork	187, 188
感覚障害	sensory impairment	116, 117
環境	environment	110
環境衛生	environmental hygiene	154, 155
環境汚染	environmental pollution	199, 200
環境教育	environmental education	199, 200
環境説	environmentalism	110

和英索引　　かんき

日本語	英語	ページ
環境的	environmental	113
看護（学）	Nursing	41
看護学校	school of nursing	11, 12
観察すること	monitoring	87
観察でき得る	observable	52
監視指導・助言・勧告	supervision, advice, guidance	60
かんしゃく	hot temper	135
感受性訓練	sensitivity-raising training	195
完成・完結する	consummation, consummately	77
完全習得学習	mastery learning	87
（テストが）簡単である	piece of cake, Mickey Mouse	99
簡単にお金儲けができる	make money easily	154, 156
カンニングする	cheat on an exam	99
カンニング・ペーパー	crib sheet, cheating sheet	99
がんばります	I'll keep it up	84
漢文	Chinese classics, classical literature	35, 36
管理行政の長	chief administrative officer	27
管理者訓練	management training program, MTP	195
管理棟	administration building	26
官僚	officialdom, bureaucracy	197

き

日本語	英語	ページ
記憶	memorization, rote learning	38
機会均等	equal opportunity	49, 79
機械工学	Mechanical Engineering	40
器械体操	gymnastics club, apparatus gymnastics club	65
機会の公平	equity	48
幾何学	geometry	35, 36
起業家養成塾	private school for nurturing entrepreneur	132, 135
企業実習	jobsite training	195
企業内教育	company in-service training	195
危険	danger, risk	140, 141
機嫌を良くする	produce an elevated mood	125, 126
帰国子女	expatriate Japanese children, young Japanese return from abroad, Japanese children returning home from abroad	212, 219
帰国子女教育	returned child education, education for returning children	211, 213
寄宿舎制・全寮制学校	dormitory, boarding school, residential school	59
寄宿舎がない	non-residential	59
技術	industrial arts	31, 32
記述式テスト	essay exam	98
技術を操る者	technician	195
（家族(夫婦・親子)の）絆	bond	134
規制	mechanism	141
季節労働者	migrant	218

季節労働者教育	migrant education	218
基礎幾何	geometry	101
基礎教育	fundamental education	154, 155
帰属意識	sense of belongings, identification	107, 108
基礎代数	algebra	101
吃音	stuttering, stammering	119, 135
キットジンガー	Kitzinger, Uwe	130
機能が不全である	disabled, impaired	115
機能的識字	functional literacy	155, 156
機能的な生産的役割	functionally productive role	105
機能的非識字	functionally illiteracy	155, 156
機能の形態異常・欠損	impairment	128
忌引き	absence from school due to a death in the family	177
寄付金	contribution, donation	58
基本生活習慣	fundamental habits	105
気まぐれで子供を叱る	scold children according to one's whims	149
義務教育	compulsory education, public education	10, 11, 47
客員教授	visiting professor	25, 27, 30
逆差別	reverse discrimination	150
虐待の世代間連鎖	cycle of child abuse	149
客観的測定	objective measurement	85
客観テスト	objective test	96, 97
キャップ（CAP）	Child Assault Prevention, CAP	144
ギャング・エイジ	gang age	102, 112
休学	leave of school, temporary absence from school, temporary withdrawal from school	177
救済・軽減	relief	161
給食	school meal, school lunch	62, 73
9年生	ninth grader	13
脅威	menace, threat	140, 141
教育委員	member of the education board, member of board of education	50, 60
教育委員会	board of education, school board	50, 74, 179
教育委員長	chairman of the board of education	50
教育改革	educational reform	46, 47, 48
教育科学	science of education	44
教育学	Education	39
教育学部	Graduate College of Education	41
教育環境権	right to educational environment	186
教育機器	educational equipment	210
教育基本法	Fundamental Law of Education	46, 47
教育休暇	educational leave	188, 190
教育行政学	educational administration	44
教育行政の専門家	superintendent	74
教育経営学	educational administration & management	44
教育経済学	economics of education	41
教育検査サービス	Educational Testing Service, ETS	97

日本語	英語	ページ
教育原理	principle of education	44
教育工学	educational engineering, educational technology	44
教育財政学	educational finance	44
教育差別撤廃条約	Convention against Discrimination in Education	48
教育産業	education (al) industry	54
教育史	history of education	44
教育社会学	sociology of education	41
教育社会心理学	social psychology of education	41
(米国) 教育省	Department of Education	29
教育消費者	educational consumer	178, 179
教育人口	school population, pupil population	161
教育心理学	educational psychology	41
教育人類学	educational anthropology	41
教育水準	level of education, educational standard	161
教育長	superintendent of board of education	50, 60
教育的ニーズを持つ子供のための教育	special needs education	45
教育哲学	philosophy of education	44
教育統計学	educational statistics	44
教育内容の選別	selection of educational content	46, 48
教育に新聞を	newspaper in education, NIE	34
教育により開発される能力	educational quotient	88
教育年齢	educational age	90
教育機会（アウトプット）の不均等	inequality of educational result	78
教育のアカウンタビリティ	educational accountability, educational responsibility	178, 179
教育機会（インプット）の均等化	equality of educational opportunity	47, 77, 78
教育の最適期	optimal period of education	109, 111
教育の私営化	privatization	180
教育の地方分権	decentralization of educational administration	52
教育の中立性	neutrality of education	49
教育の方針	educational policy	47
教育費国庫負担	government sharing of educational expenses	58
教育費国庫補助	government subsidy for educational expenses	58
教育法学	educational policy	44
教育法規	school legislation	170
教育放送	educational broadcast	207, 208
教育方法	method of teaching, teaching method	44
教育ママ	education mama, education obsessed mother, mother overly concerned with education, mother too enthusiastic about her child's education	131, 135
教育要領	kindergarten course of study	50, 60
教育理論	theory of education	44
教育労働運動	educational labor movement	49
教育を受ける権利	right to education, right to receive the education	49

和文	英文	ページ
教員開発	faculty development, FD	28
教員からのコメント	feedback from tutors	208
教員協会	teachers' association	72
教員採用	appointment of teacher, teacher appointment	71
教員資格	teaching license, teacher certificate	70, 71, 74
教員の現職教育	in service education of teachers	70, 71
教員一人に対する生徒数	student-teacher ratios	67
教員免許	teacher certificate	70, 71
教員免許法	law of teacher certification in education	70, 71
教員養成	teacher training, teacher education	70
強化	reinforcement	75, 76
境界線に位置する	borderline class	114, 115
教科カリキュラム	subject curriculum	50, 52
教科教室制・教科教室型運営方式	departmentalized classroom system	70
強化される	reinforced	111
教科主任	head teacher	24, 25
教科書検定	inspection of school text-book	50, 51
教科書検定制度	text-book screening system	52
教科書裁判	text-book trial	52
教科書無償制	free distribution of textbook	211, 220
教科担任制	departmentalization, subject teacher system	67, 73
教化・注入的教育	education for indoctrination	80
恐喝	sexual threat	167
教科や学校環境という枠を超え	beyond the range of subject matters and school environment	52
（子どもを教えるのであって）教科を教えるのではない	teach children, not subject	60
共感	empathy	118, 200
共感的理解	empathic understanding	140, 142
狂気	insanity	125
教具	teaching aids	210
教材研究	preparation	27
教材費	material fees	53, 60
教師と生徒の関係	teacher-pupil relationship	73
教師の勤務評定	teacher efficiency rating system	28
教師の学校事故に対する責任	liability of a teacher to a school accident	73
教師のメンタル・ヘルス	mental health	71
教授	professor, full professor	25, 26
教授会	faculty council, board of faculty, faculty meeting	28
教授学	theory of teaching, theory of instruction	44
教授形態	teaching style	34
教授陣	assistant	27
教職員給与	salaries of personnel employed in school	53, 54
教職員組合	teachers' union	26
教職員の業務災害補償	compensation for disaster of school personnel	73

教職から追放する	purge from teaching profession	70, 71
教職専門科目	teaching specialized subjects	70, 71
業績	achievement	189
業績作りに躍起になる	publish or perish	27
兄弟関係	sibling relation	107
兄弟（姉妹）間の対立	sibling rivalry	108
兄弟喧嘩	quarrel, fight with siblings	136, 137
教壇	lecture platform, dais	65
協調性	cooperative skill	44
教頭	vice principal, assistant principal, deputy headmaster, deputy principal	24, 25
共働	collaboration	128
共同活動	cooperative working	128
協同授業	team teaching	67
（他の先生と）協働する	work in partnership with other teachers	67
強迫観念	obsessive-compulsive idea	121, 123
強迫行動	compulsion	123
強迫神経症	obsessive-compulsive disorder	121, 123
恐怖症	simple phobia	122
興味	interest	110
教務部長	dean of instruction	25, 30
教養学	Liberal Arts & Sciences	40
許可	authorization	51
虚弱・病弱児	health impaired children, delicate children, children with weak constitution	116
拒食	food sefusal	151
拒食症	anorexia nervosa	136, 138
拒絶されるのではと恐れる	fear of rejection	108
ギリシア語	Greek words	122
ギルフォード	Guilford, J.P.	100
議論	discussion	81, 82
筋運動学	Kinesiology	39
筋ジストロフィ	muscular dystrophy	128
近親(性)愛	incest	121, 129
筋肉質	muscular	113
金髪	blond	168, 169
勤務評定	meritocracy	188, 189

く

区域外就学	attendance to school outside the district	180
（生まれた時の）空白状態	blank state at birth, or tabula rasa	109, 110
具体的素材	authentic material	34
口の渇き	dryness in the mouth	125, 126
グッドマン，P.	Goodman, Paul	175, 196
虞犯	pre-delinquency	162, 172

和英索引		
組み合わせができる学習形態	recurrent model	23
クラス（同窓）会	class reunion, homecoming, alumni	16
クラスの雰囲気	classroom atmosphere, classroom climate	139
クラスメート	classmate	34
クラスをさぼる	cut a class	174, 196
グラフィック・デザイン	Graphic Design	40
クラブ活動	club activity	65
グラマー・スクール	grammar school	13
グランピィ	grampy	24
グリーン・コンシューマー・ガイド	Green Consumer Guide	205
クリスマス休暇，冬休み	Christmas holiday	16
クリティカル	critical	107
グループによる競争	group competition	77, 84
グルメ	grummet	58
クレデット・ユニット・システム	credit unit system	14, 15
クロスカリキュラム	cross curriculum	52
軍国主義	militarism	46, 47
訓練可能な精神遅滞	trainable mentally retarded	119

け

経営（学）	Business Administration	39
経営学修士	Master of Business Administration, MBA	29
経営管理（学）	Management	39
経営情報（学）	Information & Decision Sciences	39
経験主義教育	empirical education	83
経験論	empiricism	110, 111
経済（学）	Economics	39
経済協力開発機構	Organization for Economic Co-operation and Development, OECD	161
経済的・社会的制限	economic and social restrictions	146, 153
形式陶冶	formal discipline	83
刑事処分	criminal punishment	167
継時的近接法	successive approximation	75, 76
刑事犯罪（学）	Criminal Justice	40
芸術	art	35, 36
芸術学士	Bachelor of Arts	39
芸術教育	Art Education	39
芸術史	Art History	39
継承教育	further education	23
形成評価	formative evaluation	87
継続教育	continuing education	23
携帯電話	cellular phone, portable phone	164
軽度	mild	115

系統的脱感作法	systematic desensitization	127
警備員	guard	24, 26
ゲーセン	amusement place, game center	138, 162, 164
外科医	surgeon	209
下剤・利尿剤で排出する	purge by means of laxatives	136, 138
下宿	boarding, lodging	54, 61
下宿する	boarding at, board with	53
ケシの実	poppy seed	173
ゲシュタルト療法	Gestalt therapy	127
化粧	put on make-up	164
結果	result	99
欠損家族	broken family	151
月例会	monthly meeting	30
ゲトー	ghetto	145, 149
権威的態度	authoritarian attitude	168, 169
現役の者	applicant fresh from high school	28
検閲	censorship	51
幻覚	illusion, hallucination	120, 122, 126
見学・遠足	field trip, hike, outing, picnic	63, 64
幻覚剤	hallucinogens, psychedelic drugs	163, 165
元型	genotype	109, 110
研究員	researcher, research fellow	25, 26
研究科長	dean of the graduate school	25, 26
研究(有給)休暇	sabbatical year, sabbatical leave	23, 27
研究室	office	27
研究助手	research assistant, RA	25, 26
健康学	Health Professions	39
健康障害	health impaired children, delicate children, children with weak constitution	117
健康情報管理(学)	Health Information Management	39
言語学	Linguistics	40
言語障害	speech and language disorder, communication disorder	116, 118
言語障害者	person with a speech impediment, speech and language impairment	116, 128
言語治療	speech and language therapy	127
げんこつ	fist, punch	168
言語的能力	linguistic intelligence	88
顕在カリキュラム	manifest curriculum	50, 52
顕在・潜在カリキュラム	manifest and hidden curriculum	52
現実原則	reality principle	107, 108
現実味のない	unrealistic	34
厳粛な気持ちになる	feel solemn	73
現象型	phenotype	109, 110
現象の世界	world of phenomena	109, 110
現職教育	in-service education, on the job training, OJT	20, 188, 190

| 和英索引 | | げんだ |

現代国語	contemporary Japanese	35, 36
現代社会	contemporary society	35, 36
建築科学	Building Science	39
建築学	Architecture	39
建築学士	Bachelor of Architecture	39
建築基準	architectural, constructional standard	117, 118
建築上の障害	architectural barrier	117, 118
検定・適正テスト	aptitude test	96, 97, 80
県立	prefectural	53
原理的	principle	45

こ

語彙・語彙力	vocabulary	36, 101
恋人との別れ	broke up with boyfriend	124
校医	school doctor, school physician	24, 26
抗鬱病薬	antidepressants	125, 126
後援する	sponsor	208, 209
校外・学外成人教育活動	extra-mural adult education	23
公開模試	open mock test	98
公害問題教育	education of public nuisance	204
工学	Engineering	39
工学管理(学)	Engineering Management	39
合格者	successful applicant, successful candidate	95
工学物理(学)	Engineering Physics	40
効果の法則	law of effect	75, 76, 111
強姦・性的いじめ	rape	167
睾丸の有る者を男性	person with testes is a male	201
講義式授業	lecture-type lesson	33
好奇心	sense of curiosity	139
講義法	lecture method	33
公教育費	expenditures for public education	53, 54
工業学校	industrial school	11, 12
工業工学	Industrial Engineering	40
工業デザイン(学)	Industrial Design	40
公共資金	public funds	145
公共資金から貧困者への定期的支払い，生活保護	regular payment to the poor from public funds	153
公共職業安定所	public employment security office	195
航空士官学校	U.S. Air Force Academy	60
校訓	school motto	170
工芸	craft production	35, 36
攻撃的	aggressive	141
高校	upper secondary school, senior high school, high school	10, 11
高校の1年生，2年生，3年生	freshman, junior, senior	16

絞殺	strangulation	145, 152
講師	instructor, lecturer	25, 26
校舎	school building	82
校章	school badge	170
広所(空間)恐怖症	agoraphobia	120, 122
高所恐怖症	acrophobia	120, 122
抗精神病薬	antipsychotics, neuroleptics, neuroleptic drugs	125, 126
構成的グループエンカウンター	structural group encounter	34
抗躁鬱病	antibipolar disorder	130
校則	school regulation, school code	169
校則と体罰	corporal punishment, bodily punishment, penalty	168
校長	principal, head master	24, 25
校長権限の拡大	extending principals' authority	27
交通遺児	children of traffic victims	161
後天的な	adventitious, acquired	130
行動主義	behaviorism	111
行動は学ばれる	all behavior is learned	111
後輩	junior, lower-class student	16
合・不合格評価	pass-fail, pass-failure	95
興奮剤	stimulants, stimulant drugs	163, 165
広報	public relation	74
合法薬物	legal drug	163, 173
公民	civics	35, 36
公民館	citizens' public hall, public hall, community center	20, 181, 186
校務分掌	school job-specification	27
項目応答理論	item response theory, IRT	85, 86
公用語	official language	214
合理化	Rationalization	140, 151
公立	public	53
公立学校	public institution	53, 54
公立初等学校	first school, primary school	13
高齢化社会	aging society, senior citizens' society	181, 197
高齢者	senior citizen	181, 183
高齢者教育	education for the elderly, education for the aged	187
コーラス部	choir, chorus club	65
ゴール・レコード・ブック	goal record book	87
コカイン	cocaine	163, 165
コカイン・ベイビー	cocaine babies	145, 146
語句	words & phrases	36
国語	Japanese language	31, 32
告別演説	valedictory	64
国際学校	international school	211, 212
国際教育到達度評価学会	International Association for the Evaluation of Educational Achievement	87
国際協力事業団	Japan International Cooperation Agency, JICA	161

和英索引		
国際結婚	inter-racial marriage	214
国際交流	international exchange	201
国際児童年	International Year of the Child	161
国際人	citizen of the world, cosmopolitan, global person	199, 200
国際的視野	international perspective, global awareness	199, 200
国際バカロレア	international baccalaureate	211, 213
国際比較	international comparison	201
国際理解教育	education for international understanding, education to promote international understanding	203
国際連合児童資金，ユニセフ	United Nations Children's Fund, UNICEF	161
国際労働機関	International Labor Organization, ILO	161
黒人固有英語	Black English Vernacular, BEV	150
黒人と白人の間の緊張状態	tension between black and white people	150
国費留学生	foreign student at government expense	214
国民学校	national elementary school	46, 47
国民年金	national pension fund	187
国立	national	53
国立少年自然の家	National Children's Center	181, 186
国立青年の家	National Youth House	181, 186
国連英検	The United Nations Association's Test of English, UNATE	97, 98
国連児童の権利条約	Convention on the Rights of the Child	154, 155
国連教育科学文化機関，ユネスコ	United Nations Educational, Scientific and Cultural Organization, UNESCO	161
心	mind	122
心の傷	psychological scar	129
心の教育	education for emotional well-being	144
心の教室	counseling room	144
心の知能指数	emotional quotient	100
心の病気	mental disorder	119, 121
心安らかに死にたい	I want to die with peace of mind	206
個人	individual	112
個人差	individual difference	108
個人対個人の競争	individual competition	77, 78
個人の目に見えて観察でき得る特徴	an individual's observable characteristics	113
個性	individuality, personality	106, 107
個性とは自分の行動に責任を取ること	individuality means taking responsibility for what we do	112
個性とは自由である	individuality means being free	112
個性の発達に力を入れる教育	education stressing individual development	34
古代ギリシャ	ancient Greeks	110
古代文民	Classical Civilization	40
5段階	five stage	96

和英索引		こっか
国家斉唱	sing the national anthem	63, 64
国旗掲揚	hoist the national flag	63, 64
骨折	fracture of bone	145, 146, 168
固定した学習形態	front end model	23
古典	classics	35, 36
古典的条件付け・応答的条件付け	classical conditioning, respondent conditioning	75, 76
ことなかれ主義	preference for eventlessness	49
子どもの権利宣言	Declaration of the Right of the Child	154, 155
子どもの心	child's mind	110
子どもの死	death of child	124
子どもの時，虐待を受けていた者	people who experience abuse in childhood	149
子ども1人当たりの教育費	expenditures per child, expenditures per enrolled student	53, 54
子ども向けの性教育	the birds and the bees	206
子離れできない親が多い	there are many parents who cannot be independent from their children	151
個別化	separated, customized	106, 107
個別指導	individual teaching	34
鼓膜が破裂する	have one's eardrum split	168
ごますり	apple-polish	95
ゴミの有効活用	better uses of garbage	199, 200
コミュニカティブ・アプローチ	communicative approach	38
コメント	comments	100
孤立した個人	isolated individual	208
語呂合わせ	euphony, pun	84
昆虫類	insect	122
コンビニ	convenience store	138
コンピュータ科学	Computer Science	39
コンピュータ管理の授業	computer managed instruction, CMI	210
コンピュータ狂	chip head, wire head, mouse potato, computer geek	211
コンピュータ恐怖症	cyber phobia	211
コンピュータ工学	Computer Engineering	39
コンピュータ支援の授業	computer aided instruction, CAI	210
コンピュータ主導の授業	computer directed instruction	210
コンピュータテスト	computerized adaptive testing, CAT	85, 86
コンピュータにより強化された授業	computer augmented instruction	210
コンピュータにより統合された学習環境システム	computer integrated learning environment system	210
コンピュータの教育利用	computer uses in education	210
コンピュータ・リテラシー	computer literacy	210
コンピュータ利用者に生じるストレス	technostress	211

和英索引		こんぴ
コンピュータを使う図書館司書	cybarian	211
コンピュータを利用した授業	computer based instruction, CBI	210
混乱	confusion	126

さ

サーベイ	survey	143
罪悪感	guilt feeling	150
財源	fund	58
再社会化	resocialization	24, 219
最重度の障害	severely and multiply, profoundly handicapped	114, 115
財政(学)	Finance	39
再体験，フラッシュバック	flashback	123
在宅学習	home schooling	178
在宅学習者・在宅独学者・自宅学習者	home schooler, home-schooler, home-schooled kid, a student schooled at home	178
在宅で仕事をする	teleworking	208, 209
最適の条件	optimal condition for study	190
採点の容易性	scorability	85
才能の貯水池	pool of talent	79
(他方面で)才能を発揮する	otherly abled, differently abled, differently gifted	115
再犯者・常習者	recidivist	167
再犯・常習的反抗	recidivism	167
催眠治療	hypnotherapy	126, 127
盛り場	place of public resort	162, 164
作業療法	Occupational Therapy	39, 127
作文	writing, composition	36
酒	alcohol	163, 165
サッカー部	soccer team club	65
茶道部	tea ceremony club	65
差別是正措置	affirmative action, AA	48
産学共同体	educational-industrial complex	195
三角法学	trigonometry	35, 36
参加・貢献	participation	32
3学期制	quarter system	16
残虐なゲームやテレビ番組	violent games and TV programs	162, 164
残業	overwork	187, 188
残業手当	overwork pay	195
三次元	three dimensions	207, 209
算術	arithmatics	101
三種の体系	three components	108
算数	basic math	31, 32
産前・産後休暇	prenatal and postnatal leave	188, 189
賛否両論	pros and cons of a matter	44, 164

248

し

日本語	English	ページ
GRE	Graduate Record Examination	97
自衛のために銃を持つことが必要	need guns for protection	146
GHQ	General Headquarters	59
JETプログラム	Japan Exchange and Teaching Programme	36, 37
GNP	Gross National Product	54
GMAT	Graduate Management Admission Test	97
支援グループ	self-help group	118
ジェンダー	gender	201
ジェンダー・トラッキング	gender tracking	205
ジェンダーに関わる行動様式	gender-related behavior patterns	205
ジェンダーの自我同一性	gender identity	112
ジェンダーの役割	gender role	103, 112
ジェンダー・バイアス	gender bias	205
ジェンダー・フリー教育	gender-free education	199, 201
歯科	Dentistry	40
自我	ego	107, 108
視界がぼやける	blurred vision	125, 126
歯学	dentistry	40
視覚障害	visual handicap, visual disturbance, visual impairment	116, 117
視覚障害者	legally blind	116, 128
自覚症状がない	there are no subjective symptoms	206
私学助成	government subsidies to private schools, or educational institutions	58
視覚的・空間的把握力	spacial, spatial intelligence	88
歯科手術	Dental Surgery	40
自我同一性	gender identity	102
時間差通勤制度	flex time system	195
時間割	class time table	62, 63
識学教育	literacy education	154, 156
色弱	anomalopia, color weakness	117, 118
式帽と制服	cap and gown	65
色盲	incomplete color blindness, color blindness, achromatopsia	117, 128
私教育費	expenditures for private education	53, 54
始業式	opening ceremony	62, 64
刺激	S-stimulus	111
茂みの黒ん坊	bush boogie	150
試験勉強	cramming for an examination	95
自己愛	narcissism	125
思考(感情)と行動の間の接続	connection between thought and action	122

249

自己開示	self-disclosure	126, 127
自己開発	self development	108
自己教育力	self educability	31, 33
自己啓発	self development	195
自己顕示欲	self-display	125
自己肯定感	self-esteem	107, 108
自己効力感	self-efficacy	108
自己支援	self-help	116
自己実現	self-actualization	108
自己主張	self-assertion	107, 108
自己中心主義	selfishness, self-centered behavior	136, 137
自己中心性	ego centrism	108
自己統制	self-control, self-discipline	107, 108
自己に対する概念	self-concept	106, 107
自己の確立	self-establishment	106, 107
自己表現力	ability of self-expression	34
自己防衛	self-defense	162, 163
自己満足	self-satisfaction	22
自己誘発性嘔吐	self-induced vomiting	136, 138
自殺予防教育	education for preventing suicide	206
自殺を企てる	attempt to commit suicide	120, 122
指示的カウンセリング	directive counseling	140, 142
支持的療法	supportive therapy	140, 152
思春期	puberty, the springtime of life	102
施設児	institutionalized child	135
施設病	hospitalism	135
死体（性）愛	necrophilia	121, 129
自体愛	autoerotism	121, 129
肢体不自由児	physically handicapped, crippled	117, 128
自宅通学	going to school from one's own house	53, 54
自治体教育行政	local educational administration	186
視聴覚教室教育	audio-visual room education	210
市町村教育委員会	municipal board of education	50
市町村立	municipal school	53
実学	empirical learning, practical learning	195
失業	laid off	124
実業学校	technical school	13
失業率	unemployment rate	188, 189
躾	discipline	105
しつけという名目で	in the name of discipline	170
実験学校	laboratory school	83
実験主義	experimentalism	83
失語症	aphasia	119
実際的	practical	45
実際よりも太っている	much fatter than they really are	138
実質陶冶	substantial discipline	83
実社会の問題	"real-world" problem	34

和英索引　　　　　　　　　　　　　　　　　　　　　　　　　　　　　　じっせ

和	英	頁
実践しながら振り返る	reflection on practice	86
実践する力	practical skill	32, 33
実戦的学習拠点・学習ゾーン	practical investigation nucleus	81
実践的専門教育	practical professional education	19
失読症	alexia	119
失敗学	study of failure	127
執務時間	office hours	27
実用英語技能検定	Examination in Practical English	97, 98
実用記憶法	keyword-system, peg-word system mneumonics	81, 84
私的自由の尊重	privatism	112
児童期	middle childhood	102, 103
指導教員	experienced teachers	70, 71
児童憲章	Children' Charter, Children's Charter	161
指導助手	teaching assistant, TA	25, 26
児童相談所	child guidance center	143
児童中心主義	child-centered education	49
児童福祉	child welfare	154, 155
児童福祉施設	child welfare facilities	135
指導要領	course of study, curriculum guides for teachers	174
児童労働	child labor	161
死に対する恐怖	fear of death	205
支配的	dominant	112
自発主義	voluntarism	186
私費留学生	foreign student at his/her own expense	214
私服	ordinary clothes	168, 169
自分がされて嫌なことを人にやってはいけない	should not do to others what you would not like done to yourself	137
自分の居場所	sense of position	137
自分の進路適性	aptitude for one's career	198
自閉症	autism	120, 122
絞り込み	concentration	29
姉妹校	sister school	218
市民教育	civic education	49
自民族中心主義	ethnocentrism	203
事務室	school office	26
事務長	head of the school office	24, 26
社会移動	social mobility	46, 47
社会階層	social class, social strata	46, 60
社会学	Sociology	40
社会規範	social norm	106
社会教育	social education, education for youth and adults	186
社会事業(学)	Social Work	41
社会事業(学)士	Bachelor of Social Work	41
社会人学生	adult student	15, 19, 30
社会人特別選抜	special selection procedure for adult student	19, 30
社会人特別枠	adult admission through special selection procedure	19, 30

日本語	英語	ページ
社会性	social skill	44
社会的格差	social differential	79
社会的男女差	virility-womanliness	199, 219
社会復帰	rehabilitation	125, 126
社会・文化的影響力	socio-cultural forces	112
社会保障	social security	187, 189
社会リテラシー	social literacy	161
弱視	partially sighted, weak sighted	117
写真／映像(学)	Photography-Film	40
週5日制	five-day-school system	54
就学措置	placement	115
就学前教育	preschool education	10, 11
就学免除	release	177
修学旅行	school excursion	63, 73
獣姦	bestiosexuality, buggery	121, 129
銃規制法	gun control laws	145, 146
秋季入学	autumn entrance	16
宗教	religion	44
宗教教育	religion education	204
終業式	closing ceremony, ceremony at the end of the term	62, 73
就業体験する実習	field work, practical training	198
宗教的な人	religious people	178
住居設備	living arrangement	118
住居付きケア	domiciliary care	117, 118
銃殺	shoot oneselves	120, 129
修士	master	14
終日保育	full day care	10, 11, 28
修士の学位	Master's degree	65
習熟度別学級編成	class formed according to the degree of advancement	77, 78
習熟度別指導	instruction according to level of mastery	77, 84
就職斡旋サービス	placement service	27
就職活動	job-hunting	188, 189
就職指導	counseling for getting job	25
就職面接・試験	employment interview, examination	187, 188
終身雇用制度	lifetime employment system	19, 188, 189
終身在職権	tenure	27
従属的	submissive	112
十代で妊娠	teenage pregnancy	145, 149
集団学習	group learning	33
集団擬集性	group cohesiveness	35
集団基準準拠テスト	norm-referenced test	85, 99
集団基準準拠評価	norm-referenced evaluation	85, 86
集団思考	group thinking	33
集中力	ability of concentration	34
重度	severe	114, 115

和英索引		しゅう
修得できる学位	degree	39
週2回	twice a week	65
週2時間	two-hour-a-week	65
15歳以下の人口割合	proportion of the population aged under 15 years	181
12年生	twelfth grade	13
18歳人口	population group of 18 year of age	14, 15
銃の圧力団体	gun lobbies	150
周辺的統合	peripheral integration	116
州法	state law	74, 130
銃乱射事件	school shooting	146
州立	state-owned, state	60
重量挙げ	weight training, weight lifting	113
修論	thesis	16
主観評定	subjective rating, valuation	85
授業	classroom teaching	63
授業計画	syllabus	66
授業参観日	observation day at school	67, 68
授業時間	class hour, class period	62, 63
授業時数	number of school hours	68
授業日数	number of school days	68
授業料	tuition	53, 60
授業料免除	tuition-free, tuition waiver	59
授業料を科す	charge tuition fees	58
授業を参観する	observe classes	67, 68
塾	cram school	10, 11
宿題	homework assignment	65
熟達者・普通・新人	master, ordinary, novice	99
熟年	mature age, maturity	187
受験準備	preparation for entrance examination	91
主人公	hero, heroine	151
手段	instrument, instrumental	77
主張訓練法	assertive training	126, 127
出校停止	suspension from school	177
出生率	birth rate	131, 132
出席簿	attendance book, roll book	62, 63
出席をとる	roll call	62, 63
主導権	hegemony	73
受動的な大衆	passive public	196
主任制	chief of chairman of department system	27
受容学習	reception learning	83
需要と供給の関係が成立	where there is a demand, there is a supply	154, 156
需要に応じて学習できる	study on demand	208
手話	chirology, manual method	117, 118
準学十	Associate Bachelors, A.B.	13, 14
準教授	associate professor	25, 26
省エネ	conserving energy, energy efficiency, save energy	199, 200

和英索引		しょう
生涯学習	life-long learning, life-long study	19
生涯教育センター	lifelong education center	181, 186
傷害罪で逮捕される	be arrested on a charge of infliction of bodily injury	168, 169
障害者が見下されている	patronized	116
障害者権利宣言	declaration on the rights of disabled person	114, 115
障害者の可動性	mobility of the handicapped	117, 118
障害を持つアメリカ人(のための)法	Americans with Disabilities Act of 1990	119
奨学生	student on scholarship, grant recipient	59
商学や経済・経営学の大学院	business school	45
小学校	elementary school, grade school, primary school	10, 11, 28
小学校の先生	grade teacher	24, 25
小学校へも英語の授業を導入する	introduce English education in primary school	37
上級クラス	honors class, advanced stream	80
商業学校	commercial school	11
条件刺激	conditioned stimulus	75, 76
条件付きの愛情	conditional love, affection	162, 163
条件反射	conditioned response	75, 76
昇降機	hoist	118
少子化	decrease in the number of children born	181, 197
少子化世代	baby buster	181, 197
成就指数	achievement quotient, AQ	90
症状	symptoms	122, 128
少女に売春をさせる	force girls into prostitution	154, 172
少数者	minority	155
少数派民族	minority group	153
情緒障害児	children with emotional problems, emotionally disturbed child	124
情緒不安定	emotional instability	124
小テスト	short test, quiz	96, 97
小児(性)愛	pedophilia	121, 129
小児性自閉症	infantile autism	120, 129
小児麻痺	polio, poliomyelitis	119
少年院	detention center, reform school	167
少年鑑別所	detention home, juvenile detention and classification center	167
少年刑務所	juvenile prison	167
少年犯罪	crimes committed by juveniles, juvenile delinquency	164
少年犯罪者	juvenile delinquent	162, 172
少年法	juvenile law	167
少年法改正	revision of juvenile law	162, 173
少年保護	protection of youth	162, 164

和英索引		しょう
消費者教育	consumer education	205
情報格差・メディア(デジタル)デバイド	media divide, digital divide	210
情報化社会	information-oriented society	106, 107, 210
情報化社会の時代	age of information-oriented society	208, 209
情報活用能力	information literacy	211
情報技術	information technology, IT	175
情報検索	information retrieval	210
情報処理能力	information processing ability	31, 32, 211
情報センター	information center	181, 186
情報通信(学)	Communication	40
情報提供者	informant	143
常用漢字	Chinese characteristics for daily use	60
省立	provincial	60
小論文を記述させるテスト	essay examination	91, 95
助教	monitor	178
助教員	teacher assistant	24, 30
助教授	assistant professor	25, 26
助教法	monitorial system	178
職員会議	staff meeting, teachers' meeting	30
職員会議の協議事項	agenda	30
職員室	teachers' room, stuff room	30
職業学校	trade school	11, 12
職業教育	career education, vocational education	11
職業指導	vocational guidance	25
職業適性テスト	vocational aptitude test	98
職業保育所	workplace nursery	195
食事の前に手を50回も洗う	wash one's hands 50 times before meals	123
職能団体	vocational association, professional organization	26
職場	workplace	213
職場外訓練	off the job training, off-JT	188
食品券	food stamp	59
植民地教育	colonial education	161
食欲不振・食欲減退	anorexia	151
女子クラブ・女子友愛会	sorority	65
女子差別撤廃条約	Convention on the Elimination of All Forms of Discrimination	48
助手	assistant	27
助手制度	assistantship	27
女性学	Women's Studies	45
女性教員の権利	rights of female teachers	28
女性教頭・女性校長	deputy headmistress, head mistress	24, 25
女性であること	femaleness	112
女性に対する偏見・差別	discrimination against women	195
食券	coupon	59
書道	calligraphy	35, 36
初等教育	Elementary Education	39

255

和英索引		しょと
所得分布	distribution of income, wealth	153
処罰学習	punishment learning	75, 76
諸費用	miscellaneous fees	53, 60
（薬を）処方する	prescribe	127
書類による選考	selection based on student records	91, 95
序列意識をもたせないコメント	rubric	86
市立	city-own, city	53
私立	private	29
――の小学校	prep school	13
私立学校	private institution	53, 54
自立共生	conviviality	32
資料センター	resource center	181, 186
素人統制	non-professional leadership	67, 74
心因性障害	psychogenic disturbance	124
心因反応	psychogenic reaction	124
進化	evolve	24
人格構造理論	theory of personality, theory of structure of personality	107
人格障害	personality disorder	120, 122
人格発達理論	theory of psychosocial development	102, 104
進学率	advance rate, admission rate	28
進化論	theory of evolution, evolutionism, Darwinism	178, 197
心気症	hypochondria	121, 123
進級制度	promotion system	80
新教育運動	new education movement	49
シングル・サブジェクト学位	single subject degree	15
神経質	nervousness	124
神経衰弱	nervous breakdown	124
人権教育	education of human rights	204
人権宣言	universal declaration of human rights	49
人件費	personnel expenses	53, 54
人口教育	population education	204
人工語	artificial language	38
人工受精	artificial insemination	219
人工頭脳研究	cybernetics	211
新構想大学	university based on a new concept	16
深刻な病気と診断される	diagrosed as serious illness	124
深刻な問題	serious problem	149
真実性	genuineness	140, 142
人種差別	racial discrimination	150
人種差別撤廃条約	International Convention on the Elimination of All Forms of Racial Discrimination	48
心身症	psychosomatic disorder, psychosomatic illness	124, 138
心身障害児	physically and mentally handicapped child	124

新人類	new species	106
親性	parenthood	135
人造環境	man-made environment	117, 118
人造人間	cyborg	211
身体型障害	somatoform disorder	121, 123
身体障害	physical disability	117, 118, 122
身体装飾	body ornament	168, 169
身体的	physically	115
身体的接触	physical contact	34
身体的能力	bodily-kinesthetic intelligence	88
心的外傷	psychic trauma	122
心的外傷後ストレス障害	posttraumatic stress disorder, PTSD	120, 122
シンナーを吸う	sniff thinner, sniff glue	167
新任教員	first-year teachers	70, 71
新任教員研修	induction training for beginning teachers	70, 71
心配性のための薬	antianxiety drugs	126
新版の教科書	up-to-date textbooks	153
進歩主義	progressivism	49
進歩主義教育	progressive education	83
親友を見つけるのは難しい	hard to find best friend	139
心理学	Psychology	40
心理学者	psychologists	126
心理的危機	psychosocial crisis, challenge	104
心理的・行動的治療法	psychological and behavioral therapy	126
人類再生	human reproduction	201
人類学	Anthropology	40
進路	career guidance	25
進路の適性	aptitude for one's career	188, 198
親和	affiliation	135

す

推薦状	recommendation letter	91, 95
推薦入学	examination for selected candidates, enrollment by recommendation	91, 94
吹奏楽部	brass band	65
睡眠	hypnosis	126, 127
睡眠剤・麻酔剤	opiates, narcotics	163, 165
睡眠発作	narcolepsy	120, 129
睡眠薬を過分に服用する	take overdoses of sleeping pills	120, 129
推論する力	higher-order thinking, reasoning skill	32, 33
数学	mathematics, math	35, 36, 40
数学教授	Teaching of Mathematics	40
数量概念の発達	development of concepts of number and quantity	106
スカートの長さ	lengths of skirts	168, 169
頭蓋骨骨折	facture of skull	145, 152
図画工作	drawing & handicrafts	31, 32

和英索引		
スキゾ・キッズ	schizo kids	125
スキップフロア	skip floor	81, 82
スキナー	Skinner, B. F.	76, 111
SCAP	supreme commander for the allied power	59
すくい読み	skim reading	38
スクール・カウンセラー	school counselor	140, 142
スクール・カウンセリング	school counseling	140, 142
少なくとも2週間に1回	at least once every two weeks	37
スケープゴート	scapegoat	140, 151
スコアの妥当性	validity	97
すし詰め教室	overcrowded classroom	70
スタジオ・アート	Studio Arts	40
スタンダード・レファレンス・クライテリア	standard-referenced criteria	87
ステイタス	status	58
ステレオタイプ	stereo type	201
ストップ・アウト	stop out, stopping out	177
ストリーミング	streaming,	79
ストレス	stress	71
ストレッサー	stressor	74
頭脳流出	brain drain	212, 213
スピーキング	speaking	36, 45
スペイン語教授	Teaching of Spanish	45
すべての行動は学ばれる	all behavior is learned	109
スラッカーズ	slackers	106
スラム	slam	145, 153
スリ	pickpockets	162, 164

せ

生医工学	Bioengineering	39
性意識	sexual awareness	105
生化学	Biochemistry	40
生活科	life study, life environment studies	31, 32
生活指導	life guidance	25
生活周期	life stage	102, 103
生活との関連による学習	learning through and in relation to living	49
生活に関連づけられた学習	life-centered education	49
生活年齢に対する精神年齢の割合	ratio of mental age to chronological age	99
生活の質	quality of life, QOL	114, 128
生活保護世帯	families on welfare (social welfare, relief)	146
正規の学生	degree student	14
性教育	education for human sexuality, sex education	178, 197, 206
制限装置	limiter	164

成功よりも失敗からより多くを学ぶ	we learn more from failure than from success	130
生後4週間まで	period of newborn, neonatal period	112
性差	sex difference	199, 201
正座	sit upright	167, 168
性雑誌	sex magazines	154
生死学	education for life and death	205, 206
政治学	Political Science	40
政治・経済	politics & economics	35, 36
政治的妥当性	political correctness	90
成熟した子ども	premature child	162, 163
正常であること	normality	116
青少年保護条例	juvenile protection ordinance	167
精神衛生	mental hygiene	154, 155
成人教育	andragogy, adult education	23, 44
成人社会化	adult socialization	24
精神症医学者	psychiatrists	126
精神障害児・者	mentally handicapped	124
精神状態を調整できる薬	psychoactive drugs	126
精神・情緒障害	emotional disturbance	119, 121
精神的	mentally	115
精神的特徴	psychological characteristics	199, 201
精神年齢	mental age	90
精神薄弱	mental retardation	121, 123
精神薄弱児	mentally retarded child, feeble-minded child	123
精神病治療	psychiatry	130
精神分析	psycho analysis	127
精神分裂症	schizophrenia	120, 122
成人役割	adult role	103, 112
成績が2番目に優秀な者	salutatorian	73
成績・評定平均値	Grade Point Average, GPA	95
生存	survive	24
成長	growth	102, 103, 112
性的異常	sexual abnormality	121, 123
性的減退	hypo-sexuality	121, 123
性的昂進	hyper-sexuality	121, 123
性的障害	sexual disorder	121, 123
性的成熟	sexual maturation	105
性的倒錯	sexual perversion	121, 129
性的な虐待	sexual abuse, sexual assault	145, 152
性道徳	sexual morality	207
生徒会	student self-government	64
生徒会長	president of student self-government, president of student council	64
生徒・学生証	student identification card	65
精読	read carefully, read with care	38
生徒指導	student guidance	25

日本語	英語	ページ
生徒手帳	student handbook	65
性に関する因習	long-continued custom, convention	205
ぜい肉	excess fat	139
青年海外協力隊	Japan Overseas Co-operation Volunteers	161
青年期	adolescence	102, 103, 138
性病	venereal disease, Sexually Transmitted Diseases, STD	207
制服	school uniform	168, 169
生物	biology	35, 36
生物科学	Biological Sciences	40
生物学的に	biologically speaking	201
生物的	animate	122
生物的男女差	male-female	199, 219
性別役割分業	sex role specialization	195
生理的な理由	physiological cause	130
生理的反射作用	physiological reflexes	109, 111
性を商品化する	consumerize sexuality, consumerization of sexuality	154, 156
世界教員憲法	Teachers' Charter	28
世界教職員団体総連合	World Confederation of Organization of the Teaching Profession, WCOTP	26
世界史	world history	35, 36
世界保健機構	World Health Organization, WHO	162
責任	responsibility	190
（良いことと悪いことを区別できる）責任能力	ability to distinguish between right and wrong	162, 164
セクハラ	sexual harassment	167
積極的主体	active participant	33
セックス	sex	201
設計芸術（学）	Structure Arts	39
摂食障害	eating disorder	136, 138
絶対	absolute	86
絶対評価	absolute evaluation	85, 86
セッティング	setting	79
説明できる	accountable	179
ゼノフィリア	xenophilia	204
ゼノフォビア	xenophobia	204
セミ・オープンタイプ	semi-opening style	81, 82
0歳児保育	day care for children under twelve months	10, 11
全員が学ぶ教育	egalitalian education	221
専業主婦	professional housemaker, executive housewife	131, 135
戦後	post-world war II era	46, 47
専攻	major	13, 14, 38
先行オーガナイザー	advance organizer	83
専攻する	major in	29
全国教員組合	National Union of Teachers	26
全国単一試験	General Certificate of Secondary Education, GCSE	95

日本語	English	ページ
全国で統一されている	uniform everywhere in Japan	51
全国ワイド	nation-wide	94
潜在カリキュラム	implicit, hidden curriculum	50, 52
潜在的な能力	potential ability	77, 84
戦時中の経験	wartime experiences	129
専修	advanced class	70, 74
先進国	developed countries, advanced country	155, 156
先進国病	advanced nations' disease	131, 132
センス・オブ・ワンダー	sense of wonder	90
先生‐生徒の関係	teacher-student relation	107
前成説	preformationist	109, 110
全盛的施設	total institution	81, 82
戦前	pre-world war II era	46, 59
漸増的統合	incremental integration	114, 128
選択教科	elective courses	29
選択肢	option	175
戦中	during the world war II	46, 59
前定説	predeterminist	110
先天か後天か	nature vs. nurture	111
先天的な	congenital, hereditary	130
先天的配慮	consideration of the innate idea	113
全日就業免除制度	day release	190
全日制	full-time course	11, 14
専任講師	assistant professor	25, 30
先輩	senior, upper-class student	16
全米教育協会	National Education Association, NEA	26
全米ライフル協会	National Rifle Association, NRA	145, 147
専門学科	subject	101
専門学校	special training school, special training college	13, 14
専門大学院	professional school	19
戦略	strategy	189
全寮制中等・高等学校	college preparatory school	28

そ

日本語	English	ページ
躁鬱病	bipolar disorder, manic-depressed psychosis	120, 122
憎悪	hate	150
総括評価	summative evaluation	87
相関カリキュラム	correlated curriculum	52
臓器移植	transplantation of internal organs, organ transplants	219
早期教育	early education	10, 11
早期入学	early admission	80
相互依存の	interdependent	199, 200
総合的な学習	comprehensive learning, integrated learning, synthetic learning	31, 32, 60

相互作用的学習環境システム	interactive learning environment system	210
送辞	farewell address, farewell speech	63, 73
葬式ごっこ	mock funeral	139
早熟児	precocious-retarded child	105
躁状態	manic state	129
双生児法	twin method	109, 110
創造性・創造力	nurture creativity	34
相対	relative	86
相対評価	relative evaluation	85, 86
相対方向	opposite dimension	108
相談者・助言者	tutor	80
相談する	ask for advice	143
総長,理事長	chancellor	25, 30
壮年期	adult hood	102, 103
躁,マニア	mania	122
ゾーニング	zoning	82
ソーンダイク	Thorndike, E.L.	76, 111
促進・援助する人	facilitator, helper	45
属性・職域	ascription	189
測定	measurement	87
速読	read rapidly	38
ソシオグラム	sociogram	35
ソシオマトリックス	sociomatrix	35
ソシオメトリック・テスト	sociometric test	34
卒業記念指輪	class ring, school ring	65
卒業式	commencement, graduation ceremony, prom	62, 64
――の祝辞	congratulatory speeches at graduation	63, 64
卒業証書	certificate of graduation, diploma, sheepskin	19
卒業するのが難しい	difficult to graduate from	29
卒業生総代	valedictorian	63, 64
(より)即効的な効果がある	more immediately effective	129
素読	plain reading	38
その他	others	122
存在	being	24

た

タールのように真っ黒な人	tar baby	150
体育祭	athletic meeting, sports festival, field day	63, 64
第一次世界大戦	the first world war, the world war I, 1914—18	47
第1反抗期	period of primary resistance	102, 112
第1子の出産	birth of first child	124
ダイエット食品	diet food	139
ダイエット中	on the diet	139
代替(代用)教師	sub (substitute) teacher	24, 30
退学	withdrawal	96

日本語	English	ページ
大学（学部）	undergraduate	29
大学院	graduate school, graduate college	13, 14, 29
大学院研究科修士課程	master's program	14
大学院研究科博士課程	doctoral program	14
大学院生	grad, grad student, graduate student	19
大学院生の奨学金	fellowship	59
大学課程	four-year undergraduate program	13
大学紀要	bulletin	27
大学教員身分証明書	faculty card	27
大学警備ガードマン	campus police, security police, campus guard, security guard	150
大学公開講座	university extension program	14, 15, 181, 186
大学職員身分証明書	staff card	27
大学進学率	rate of university entrants, rate of advancement to university	91, 94
大学審議会	University Council	52
大学生生活	lives of university students	58
大学生の奨学金	award, grant, scholarship	59
大学内の仕事	campus job	61
大学入学資格検定	university entrance qualification test	174, 175
大学入学手続き	admission procedure to enter university	91
大学入試制度	system of entrance examination to universities	91, 94
大学入試センターテスト	National Center for University Entrance Examination	91, 100
大学の1年生	freshman	16
大学の公開講座	university extension program	22
大学の自治性	university autonomy	52
大学評価	accreditation	27
胎教	prenatal education	10, 11
体験学習	study through experience	31, 32
胎児	fetus	11
胎児性アルコール症候群	fetal alcohol syndrome, FAS	145, 152
体質的男女差	masculinity-femininity	199, 219
大衆教育	mass education	221
代償を支払う	cost them their lives	165
対処戦略	coping strategy	72
対人関係	inter-personal relationship	106, 107
対人恐怖症	anthropophobia	121, 123
対人交渉(コミュニケーション)能力	interpersonal communication skill	31, 32
対人折衝能力	personal-others, inter-personal intelligence	88
代数	algebra	35, 36
耐性虚弱	tolerance deficiency	119
大ダンピング	main dumping	116
第2次憲法修正案	The Second Amendment to the Constitution	146
第二次世界大戦	the second world war, the world war II, 1939—45	47
第2反抗期	period of secondary resistance	102, 112

和英索引		
大麻	marijuana	163, 165
怠慢さ	negligence	145, 146
タイム・オン・タスク	time-on-task	62, 64
対立する欲求	ambivalent desire	124
対話的関係	dialogical relationship	108
ダウン症候群	Down's syndrome	119
高さ	height	122
多感な時期である思春期	puberty, the springtime of life	112
卓越性	excellency	48
多幸感	euphoria	165
多肢選択法・マークシート方式	multiple-choice, marking sheet method	85
他者と面と向かい合う接触	face-to-face contact	209
他者の利益のために振舞うこと	perform for the benefit of other individuals at the expense of the altruistic individual	109
多重人格	multiple personality	120, 122, 123
多重人格性障害	muiltiple personality disorder	121
タスク・オン・タイム	task-on-time	62, 64
駄々こね	temper tantrum	135
脱学校	de-school	178, 179
脱学校論	de-schooling	175
脱学校論者	de-schooler	174, 175
ダックワース	Duckworth, E.	99
脱工業社会	post-industrial society	106, 107
脱構築	deconstructure	33
タテ社会	vertical society, society with vertical organization	195
縦割り集団	vertical grouping	80
多動性	hyperactivity	119
多読	extensive reading	38
多文化教育	multicultural education	201
多文化主義	multiculturalism	201
打撲傷	bruise	145, 146
だまりっこ	mutism	135
多民族教育	multiethnic education	202
多面的知性	multiple intelligences	88, 89
多目的ホール	multipurpose hall	20
だらしなく見える	looks sloppy	170
単位	credit, credit unit	16, 84
単位互換制度	credit transfer system	14, 29
単位修得	acquisition of credit	16
単位制	credit system	13
単位にならない科目	non-credit, pre-requisite course	16
単位の移動	transfer credit	29
単願	apply to one school	91, 94
短期大学	junior college, two-year college	13, 14
男子学生クラブ・男子友愛会	fraternity	65

男女共学	co-education, co ed.	46, 47
男女雇用機会均等法	Laws about equality of sexes in hiring, gender equality in employment opportunity	188, 189
単親家族・世帯	single head family, single-parent households	131, 150
単身赴任	business bachelor	131, 132
男性であること	maleness	112
単線型	ladder system, single-track 6-3-3-4 system	59
担任の先生	homeroom teacher, class teacher, teacher in charge of a class	62, 63

ち

チアリーダーズ	cheer leaders	73
地位家族	positional family	135
地域学習	regional studies	186
地域社会学校論	community school theory	187
地域社会大学	community college	16
地域社会の教育力	educational functions of communities	181, 186
地域社会の疎外	community alienation	187
地域との関係	community relation	186
地域に根ざした教育	community-based education	181, 186
地域の教育計画	local educational plan, community education plan	181, 186
地域問題	community affairs	186
地学	earth science	35, 36
知覚障害	perceptual disorder	116, 117
知覚の発達	development of perception	105
痴漢	sex pervert, masher, sexual molester	125, 173
地球規模の協力	global cooperation	201
地球市民教育	global education	199, 200
知識の詰め込み	cramming knowledge	80, 81
地質科学	Geological Sciences	40
知性	intelligence	89
知性構造のモデル	the structure-of-intellect model	100
窒息死	suffocated, choked to death	145, 152
知能指数	intelligence quotient, IQ	88, 89
知能(脳)障害	brain damage, mentally handicapped	116, 117
知能偏差値	intelligence standard score	90
チーム・ワーク	team work	84
チャイルド・ライン	child line	144
注意欠陥多動性障害	attention deficit hyperactivity disorder, ADHD	119
注意散漫	distraction	119
中央官庁	central government office, agency	29, 101
中央教育審議会	Central Council for Education	19
中央の権限	central control	52
中学院(英国)	postgraduate school	29
中核課程	core curriculum	52

中学校	lower secondary school, junior-high school ……… *10 , 11*
中間テスト	mid-term exam ……………………………………… *96 , 97*
中高一貫教育	consistency in education from middle school through high school ……………………………………… *10 , 28*
中高年	middle-aged men …………………………………………… *189*
中国語教授	Teaching of Chinese ………………………………………… *45*
昼食の時間	lunch hour ……………………………………………… *62 , 63*
中枢神経を刺激・活発化する	activate the central nervous system ……………………… *165*
中退する	drop out ……………………………………………………… *177*
中度	moderate …………………………………………… *114 , 115*
中等学校	middle school ………………………………………………… *13*
中等後教育	post-secondary education ………………………………… *13 , 29*
中度学習困難児	pupils with moderate learning difficulties …………… *119*
注入的教育	education for indoctrination ……………………………… *81*
懲戒	discipline ………………………………………………… *167 , 173*
懲戒処分	disciplinary punishment …………………………………… *73*
聴覚障害	hearing impairment, auditory disorder, acoustic disturbance …………………………………………… *116 , 117*
聴覚障害者	hearing impaired, deaf ……………………… *116 , 128 , 210*
聴覚障害のある者	person with impaired hearing …………………………… *118*
聴講生	auditor ………………………………………………………… *14*
超国境	transnational …………………………………………… *199 , 200*
調査・企画	planning ……………………………………………………… *32*
超自我	super ego ………………………………………………… *107 , 108*
長寿	longevity …………………………………………………… *187*
挑戦を受けている	challenged ………………………………………………… *114 , 115*
徴兵制	military draft system …………………………………… *161*
聴力	hearing ability ……………………………………………… *115*
聴力検査	hearing test ………………………………………………… *45*
朝礼	morning assembly ……………………………………… *62 , 73*
直面する危機を克服する	overcome, resolve facing crisis ………………………… *103*
直系家族の死	death in the immediate family ……………………… *205 , 219*
地理(学)	Geography …………………………………………… *35 , 36 , 40*
治療学級	slow learners' class, slow track, remedial class classroom for remedial education ……………………… *80*
鎮静剤・安定剤	depressants, tranquilizers ……………… *125 , 126 , 163 , 165*

つ

追試験	supplementary examination ………………………… *80*
通過儀礼	rite of passage, ritual …………………………………… *63 , 64*
通常大学	conventional university ………………………………… *207 , 208*
通信教育	correspondence education …………………………… *207 , 208*
通知表(英国)	record of progress ………………………………………… *100*
通知簿	grade report …………………………………………… *91 , 94*
使い捨てカメラ	disposable camera …………………………………… *199 , 200*

日本語	English	ページ
月ぎめ家賃	monthly rent	53, 61
粒ぞろい・画一的教育	uniform education	79

て

日本語	English	ページ
出会い	encounter	34
出会い交流する	meet and mingle	213
TA	teaching assistant	82
ティーゾル（TESOL）	Teaching of English to Speakers of Other Languages, TESOL	44
定期検査	regular checkups	206
定時制高校	part-time high school	11
定時制の学生	part-time student	14
亭主関白	male chauvinist, over bearing husband	132, 135
定年	retirement age, age limit	103
定量研究	quantitative research	143
データ・プロセス	data processing	210
溺愛	blind love	152
敵意	hostility	140, 151
適応	adjustment	219
適応性	adaptability	20
溺死	be drown to death	145, 152
適性検査	screening	51
テクノクラート	technocrat	196
手首を切る	slit one's wrists	120, 129
デザイン（学）	Design	39
テスト不安	test anxiety	143
哲学	Philosophy	40
徹底したリサイクル・システム	more decisive recycling system	199, 200
テッフル・テッソル（TEFL, TESL）	Teaching English of Foreign-Second Languages, TEFL, TESL	44
手のつけられない	be hard to deal with, unruly	67
寺子屋	writing school	46, 47
テレクラ	telephone dating club	161
テレショッピング	teleshopping	208, 209
テレビ教育	televised education	207, 208
テレビ文字多重放送	teletext broadcasting	210
テロップ	telop	210
てんかん	epilepsy	119
電気けいれん療法	electroconvulsive therapy	125, 126
電気工学	Electrical Engineering	39
点検・審査	inspection	51
点字	braille	117, 128
点字触読能力	efficiency of braille reading	117, 128
電子通信	electronic communication	208, 209
電子通信の発達	development in electronic communication	207

点字の本	books in braille	128
天然資源	natural resources	199, 200
電話相談	telephone counseling	144

と

答案用ノート	blue book	99
同一化	Identification	140, 142
動悸	palpitations	120, 121, 125, 126
動機付ける	motivate	77
討議法	debate, discussion method	33
道具（器具）主義	instrumentalism	83
道具的条件付け	instrumental conditioning	75, 76
統計／調査研究(学)	Statistics & Operations Research	40
統合教育	integrated education, normalization	114, 115
登校拒否	refusal to attend school, school non-attendance	174, 175
統合的環境	integrated setting	118
洞察力	ability of observation	34
答辞	address in response, speech by the valedictorian to his (her) juniors	63, 73
同質	homogeneous	139
投射	Projection	140, 141
同情	sympathy	118, 200
到達度の目標	criteria	87
到達度を見るテスト	achievement test	96, 97
道徳原則	morality principle	107, 108
道徳性の発達	moral development	106
糖尿病がある	I have diabetes	206
同伴を捜し求める	seek the company of others	108
逃避	Escape	140, 151
童僕	paiclagogos	23
投薬量	dosage	130
動揺	disturbance	120, 123
当用漢字	Chinese characteristics for common use	51
討論	debate	81, 82
同和教育	education against discrmination, education to eliminate discrimination	204
ドーア，R.	Dore, Ronald	175, 196
通り魔	phantom killer	167
特殊教育	special education	44
特殊教育諸学校	special education school	114, 128
読書中心主義教授法	reading method	38
読唇	lip reading	117, 118
特性	personality traits	110
独創性・独創力	originality	34
特徴	characteristics	141
特定の技能	specific skills	88

特別扱い	specialism	116
特別活動	special curricular activities	63, 64
匿名	anonymous	166
徳目教育	ethics education, moral education, education of patriotism, loyalty, and filial piety	31, 44
閉ざされた空間	enclosed place	122
途上国	developing countries	156, 171
図書館	library	20, 186
図書館司書	librarian	24, 26, 211
図書・風紀・文化・放送・保健委員会	library, discipline, cultural, broadcasting, health-care committee	64
読解力	understanding what you read	101
特許学校	charter school	178, 179
徒弟教育	apprentices' education	46, 47
都道府県教育委員会	prefectural board of education	50
飛び降り	jump off buildings	120, 129
飛び級	skip grades, grade skipping system	80
土木工学	Civil Engineering	39
共稼ぎの夫婦	two-pay check married couples, double-income family	131, 132
トラウマ的出来事	traumatic events	126
トラッキング，軌道を敷く	tracking	79
虎の巻きを使う	use a pony, crib	95
取り締まり	drug offenders	165
トリップ	trip	165
とりとめのない話	chat	164
トレッドミル・ワーカー	treadmill worker	195
トロウ，M.	Trow, M.	221
ドロップアウト	dropped out	23

な

内規	inner school law	170
内申書	transcript of grades	91, 94
内省的能力	personal-self, intra-personal intelligence	88
内的処罰法	intrinsic punishment	75, 76
内的理由付け	reasoned consideration of the innate idea	109
内発的動機付け	intrinsic motivation	77
内密報告書	confidential report	91, 94
内面的性質および外的要素	personalities and outer characteristics	88
内容準拠評価	content-referenced measurement	87
仲間関係	peer relation	107
仲間集団	peer group	108
仲間として受け入れられたい期待	hope for affiliation	108
夏学期	summer session	16
夏休み	summer vacation	16

習い事	taking lessons, take lessons	10, 11
成り行き	consequence	81
ナルコティックス・アノニモス	narcotics anonymous, NA	166
縄張り	sense of territory, turfing	139
難聴	hard of hearing	117, 118
難読症	dyslexia	119
何度も繰り返し行う	to repeat again and again	123
南北隔差	north-south gap	161
難民教育	education for refugee	218

に

2学期制	semester system	16
2級	the second class	70, 74
肉体的治療法	somatic therapy	125, 126
肉体的特徴	physical characteristics of an individual	199, 201
肉体を誇る（主義）	bodyism	90
ニコチン	nicotine	163, 165
二語併用教育・バイリンガル教育	immersion program, bilingual education	218
2時間続きの授業	double session	62, 64
二者択一	alternative	196
二重国籍	dual nationality	214
二重人格	dual personality	120, 123
20世紀式教育の限界	limitation of the 20th century-style education	180
日常会話	spoken language	38
日常の苛立ちごと	daily hassles	74
日教組	Japan Teachers' Union	26
2部授業	double-shift system, double sessions	79
日本語を母語としない子供たち	non-Japanese-speaking children	214
日本史	Japanese history	35, 36
日本人学校	school abroad for Japanese, full-time schools for Japanese, government supported Japanese school	212, 213
日本ホームスクール支援協会	Homeschool Support Association of Japan, HoSA	180
入学願書	application form	91, 94
入学金	admission fee, entrance fee, confirmation fee	53, 60
入学審査局・入学手続事務局	office of admissions, admission office	91
入学は比較的容易である	easy to enter	29
乳児期	period of infant	102, 103
二卵性の双子	fraternal, dizygotic twin	109, 110
二流校	second-rate, second-rank, second-record, second-class school	95

和英索引		にんか
認可欠席	excused absence, lawful absence	177
任期制	year based contract	27
人間的尊厳	human dignity	129
人間の成長	growth	110
人間らしさを探求する	humanness	45
人間らしさを付与する	humanize	45

ぬ

抜き打ちテスト	surprise quiz, surprise test, pop quiz	98

ね

寝たきり老人	bedridden elderly, old people confined to bed	187
熱傷	burn	145, 146
ネット校	internet school	210
ネット・ユーザー	net users, netizen, net citizen	211
ネット乱用	net abuse	211
眠りを引き起こす	induce sleep, sedative	165
年間生活費	annual living expenses	59
年功序列制	promotion system based on seniority	188, 198
年功賃金制	wage system based on seniority	188, 189
年齢主義	grade promotion by age	80
年齢・能力・適性	age, ability, aptitude	44

の

ノイローゼ	neurosis, get neurotic	120, 129
脳死	brain death, cerebral death	219
脳障害者	brain damaged	116, 128
脳性麻痺	cerebral palsy	128
脳の面で挑戦を受けている	cerebrally challenged	128
能力	ability	88, 110
能力混合クラス編成	mixed ability class, pupil classification based on mastery level	77, 78
能力重視主義	ableism	90
能力障害	disability	128
能力の貯水池	pool of ability	79
能力本位任用制度	merit system	188
能力を重視する者	ableist	90
ノーパン喫茶	bottomless coffee shop, no panty tea parlor, seminude coffee shop	154, 156
のぞき	peeping	121, 129
ノンフォーマル・エデュケーション	non-formal education	177

は

パーキンソン病	Parkinson's disease	125, 126, 128
バーチャル・スクール	virtual school	207, 209
バーンステイン,B	Bernstein, B.	136
配偶者虐待	spousal abuse	150
配偶者の死	death of spouse	124
配偶者の自殺	scicide of spouse	124
排除・除外	exclusion	128
バイナショナル・スクール	binational school	218
バイパス	by-path	174, 175
拝物愛	fetishism	121, 129
配分必修	distribution requirement	29
バウチャー	voucher	179
破壊的天災	devastating natural discastion	124
育まれて	by nurture	110
博士	Doctor of Philosophy, Ph.D.	14
博士課程	doctoral program	14
博士号	doctor's degree	16, 65
白人の巻き戻し	white backrush	150
白昼夢	day-dreaming	120, 122
博論	dissertation	16
箱の外においてある食べ物を得る	obtain food placed outside the box	111
バズ・セッション	buzz session	33
パズル箱	puzzle box	111
パチンコ店	pachinko parlors	167
発音	pronunciation	36, 45
発汗	sweating	120, 122
発見学習	discovery learning	83
発達	development	102, 103, 110, 112
発達課題	developmental task for the stage	102, 103, 104
発達教育学	developmental education	44
発達障害	developmental disorder	121, 123
発達心理学	developmental psychology	102
発達心理学者	developmental psychologist	103
発達段階	developmental stage	102, 103
爬虫類	reptile	122
ハッチンス	Hatchines, R.	20
発展先進国	developed country, advanced country	154, 156, 171
発展途上国	developing country, less advanced country	155
発表・討論	presentation-debate	32
離れ離れになった家庭	separated family	131, 132
パニック障害	panic disorder	120, 122
幅広い必修	breadth requirement	29
パブリック・スクール	public school	13

日本語	英語	ページ
バブルがはじける	the Bubble burst	189
バブル現象	bubble phenomena	188
パブロフ	I. P. Pavlov	76
パラ・カウンセリング	para counseling	140, 142
バリアフリー	barrier free	117, 118, 213
春学期	spring semester	16
春休み	Easter holiday	16
範囲と系列	scope and sequence	29
番組選択装置	viewer-control chip, violence chip, viewer chip, V-chip	162, 172
藩校	fief school	46, 47
反抗的	rebellious	143
犯罪がはびこる	prevalent crime	149
犯罪率	crime rate	211, 212
犯罪を思いとどまらせる	deter crimes	162, 164
反社会的行動	asocial behavior	174, 197
バンディング	banding	79
バンデューラ	Bandura, A.	108
反動形成	Reaction-Formation	140, 141, 151
反応	R-response	111

ひ

日本語	英語	ページ
ピアジェ	Piaget, J.	44
ピアス	pierced earring	168, 169
ヒアリング	listening	35, 45
ヒアリングテスト	listening comprehension test	36, 45
非営利組織，NPO	non-profit organization, NPO	161
PL宣言	profession liability, professor's liability	95
被害者なき犯罪	crime without victims	154, 156
被害妄想	delusion of injury	120, 122
日帰り旅行	day trip	63, 64
比較教育学	comparative education	44
比較的直ちに致命的でない	less immediately lethal	129
引きこもり	social isolation or withdrawal	120, 122, 174, 177
被虐性愛	mazohism	121, 129
被虐待児症候群	battered child syndrome	145, 146
被験者	subject	143
非行	misdeed, misconduct	168
非識字者	illiterate	154, 156
非指示的カウンセリング	non-directive counseling	140, 142
非社会性人格障害	antisocial personality disorder	121, 123
非社会的行動	non-social behavior	174, 177
美術	fine arts	31, 32, 35, 36
美術学	Fine Arts	40
美術館	art museum	186
美術(学)士	Bachelor of Fine Arts	40

和英索引		
非常勤講師	part-time lecturer, adjunct lecturer	25, 30
ヒステリー	hysteria	125
非政府組織	non-governmental organization, NGO	161
非生物的	inanimate	122
筆記テスト	paper and pencil, written examination	98
必修科目	required subject	29
必修科目（高校の）	constants	13
筆談	conversation by means of writing	117, 118
必要性	need, necessity	190
PTA	parent-teacher association	67, 68
PTAの会長	president of the PTA	74
否定	denial	140, 141
人志向家族	person-oriented family	136
人見知り	fear of stranger	135
ヒト免疫不全ウイルス	Human Immuno deficiency Virus, HIV	207
一人親家庭	one-parent family	131, 132
一人っ子	only child	131, 132
避難場所・アジール	shelter	138
批判的思考	critical thinking	34
BBC	British Broadcasting Company	207, 208
肥満型	pyknic type	139
肥満体児	overweight child, fat boy (girl), obese child	139
評価	evaluation	85, 86
標準化されたテスト	standardized exam	96, 97
評定平均値	grade point average, GPA	91
平等	equality	48
表面的付き合いの友達	superficial friend	139
平手打ち	cuff, paddle	168
疲労	fatigue	71
敏感期	sensitive period	102, 112, 138
敏感すぎる	overly sensitive	195

ふ

ファイベータカッパ	Phi Beta Kappa	65
不安	anxiety	123, 140, 141
不安神経症	anxiety disorder	119, 121, 127
不安定	unstable	124
VTR	video tape recorder	210
フォーム	forms	110
フォームの世界	world of forms	109, 110
フォール報告書	Faure Report	24
不況	recession	188, 189
不遇児	disadvantaged children, deprived children	79
副会長	vice president of self-government, vice president of student council	64
副学長	vice president	25, 26

和英索引		
副学部長	deputy head master	25, 30
福祉	social welfare	145
複線型・並列型	dualsystem, multi-track system	59
副専攻	minor	13, 14
──とする	minor in	29
服装規定	dress code, dress rules	168, 169
服装倒錯	transvestitism	121, 129
腹部の不快感	abdominal distress	120, 122
不景気	recession	48
父兄負担教育費	educational expenditure shared by parents	53, 54
不潔恐怖症	mysophobia	121, 123
父権休暇	paternity leave	188, 198
不合格者	unsuccessful applicant, unsuccessful candidate	95
富国強兵	national prosperity and military strength	46, 59
父子家庭	single father family	131, 151
父性	fatherhood	135
不正入学	improper admission	94
不治永患者	incurable	125, 126
普通(学)校	ordinary school, mainstream school	10, 11, 116
普通教育・一般教育	general education	11
物理	physics	35, 36, 40
物理治療	Physical Therapy	39
不適応	maladjustment	219
不登校	school refusal	174, 175
不登校の予備軍	preparatory, preliminary group, reserve	177
不透明な時代	the age (era) of murky	48
部分的統合	partial integration	114, 128
不便を強いられている	inconvenienced	114, 115
不法入国者	illegal aliens	211, 212
不満	frustration	140, 141
不眠症	insomnia, sleeping disorder	120, 123
浮遊する若者	drifting youth	162, 163
プライマリ・ヘルスケア	primary health care	154, 155
プラグマティズム	pragmatism	49
プラスチック・トレイ	plastic tray	199, 200
ブラディ・アクト	Brady Act	145, 146
フラッシュバック，再体験	flashback	123
プラトン	Plato	110
フランス語教授	Teaching of French	45
ブランド品を購入する	buy designer goods	162, 164
フリードマン	Friedman, M.	180
不利な	handicapped	115
ふるいにかける	screening	15
震え	shaking, tremors	120, 122, 125, 126
ブレイン・ストーミング	brain storming	33
フロイド	Freud, S.	127
浮浪者	tramp, vagrant	150

和英索引		
プロザック（抗鬱病薬）	Prozac	125, 130
フロント・ランナー	front runner	162, 164
文学士	Bachelor of Arts	39, 40
文学修士	Master of Arts, M.A.	29
文科系	humanities course, liberal arts course	38
文化祭	cultural festival	63, 64
文化多元主義	cultural pluralism	203
文化的葛藤・摩擦	cultural conflict	202
文化伝播	cultural diffusion	203
文化剥奪	cultural deprivation	203
文化変容	acculturation	203
分岐型・フォーク型	forksystem	59
文教族	education lobby	53
分析したり統合する能力	skill of analysis and synthesis	44
文法訳読式教授法・文法翻訳法	grammar-translation method	36
分裂人格	split personality	120, 122
分裂する	to split	122

へ

併願	apply to more than one school	91, 94
閉所恐怖症	claustrophobia	120, 122
ヘイト・クライム	hate crime	150
平和軍縮教育	education for peace and disarmament	204
ペスタロッチ	Pestalozzi, J.	49
ペダルを押すことでドアを開ける	press a pedal to open the door	111
別居	separation	124
ペット	pet	122
ヘッドスタート・プログラム	head start program	10, 11
ベビーブーマー	baby boomer	181
ペヨテサボテン	peyote cactus	173
ベルリッツ	Berlitz, M.	38
ベルリッツ・メソッド	Berlitz method	38
ベルリッツ外国語学校	Berliz School of Language	38
ヘロイン	heroin	163, 165
勉強を続ける	continue	23
編集助手	editorial assistant, EA	25, 26
偏食	food capriciousness	136, 151
弁当	lunch box	73
編入・転入	transfer	213
便秘	constipation	125, 126
弁別・口頭発音練習	audio-lingual practice, oral practice	36

ほ

保育園	day nursery	10, 11
保育所	nursery school	10, 11, 198
防衛規制・適応規制	defense mechanism	140, 141
法学大学院	law school	45
包括的教育	inclusive education	114, 128
萌芽的コミュニティ生活	embryonic community life	187
包含・算入	inclusion	128
放校	kick out	100
放校制	kick-out system	14
方向性のある対話	structured conversation	33
方向喪失	disorientation	136, 138
奉仕活動	voluntary activities	95
報酬学習	reward learning	75, 76
報酬を得る	rewarded	111
飽食の時代	era of gluttony	131, 132
暴走族	motor cycle gang	167
法的規制の網の目	loophole of the law and regulation	173
法的に禁止された薬物	illegal drug	163
訪問教育	education at home for children under medical treatment	209, 220
訪問教師	visiting teacher, itinerant teacher	208, 220
暴力は暴力を生む	violence breads violence	168, 169
ボーダレス	borderless	163
ポーチ(長椅子)の猿	porch monkey	150
ポートフォリオ	portfolio	85, 86
ホームベイ	home bay	82
ホームベース	home base	82
ホームルーム	homeroom	63
母権休暇	maternity leave	188, 198
保健室	health room, infirmary	26
保健体育	health & physical education	31, 32
母原病	mother-pathogenic disease	135
保護監察	probationary supervision	167
母(国)語は	mother tongue	214
母子家庭	mother-child home, single mother family	131, 132
母子相姦	incestuous relations between mothers and sons, mother-son incest	149
母子・父子関係	mother-child, father-child relation	131, 132
母子分離	maternal separation	135
補習授業	supplemental lesson, make-up classes	80
補習授業校	supplementary school	212, 213
補償教育	compensatory education	79
ホスピス	hospice	206
母性	motherhood	135

和英索引		ぼせい
母性剝奪	maternal deprivation	135
保母・保父さん	day nurse, nursery governess	24, 25
ホリスティック教育	holistic education	33
ポルノ映画	porno, obscene, sex film	154, 156
ポルノ解禁	liberalization of porno regulations, restrictions	154, 156
ホロス	holos	33
ホワイトヘッド	Whitehead, A.	44
本質主義	essentialism	49
本流化	mainstreaming	114, 128

ま

マーケティング／商取引（学）	Marketing	39
賄い付き	boarding house	53, 61
賄い無し	lodging house	53, 61
マグネット・スクール	magnet school	180
負けてたまるか	I won't be defeated	84
間仕切り・隔壁	partition, room divider	81
マスカリン	mescaline	163, 165
マスロー	Maslow, A. H. 1971	109
末期症状	terminally ill	206
マテリアル・ブレイン	material brain	90
マニア	mania	137
麻痺	paralysis	119
麻薬	drug	165
麻薬中毒・常用者	narcotics	166
麻薬の恐ろしさ	horrors of drugs	163, 165
麻薬乱用	drug abuse	146
マリファナ中毒	marijuana intoxication	173
丸暗記	rote memorization, learning by heart	81
丸刈り	close cropped hair, close-clipping	168, 169
マルバツ形式	true or false test, T-F test	98
満足・不満足	satisfactory-unsatisfactory	95
マンパワー	manpower	79
万引き	shoplifting	162, 164

み

ミーイズム	me-ism	82
未婚の母	unwed or unmarried mother	131, 132
見知らぬ女性を性的に誘惑する男	man who makes sexual advances especially to a strange woman	167
未成長の大人	immature adults	162, 163
未成年犯罪者の名前は公開するべき	names of junevile criminals should be made public	173
三つ編み	braid	170

日本語	English	ページ
緑の消費者	Green Consumer, environmental-friendly consumer	204
身分証明書	identification card, id. card	27
民間団体	voluntary organizations	187
民間療法	folk medicine	206
民族	ethnicity, ethnic group	202
(少数)民族教育	ethnic minority education	202

む

日本語	English	ページ
無意識・本能・衝動的	unconscious, instinctive, impulsive	108
ムード障害	mood disorder	120, 122
無学年制	nongrading (nongrade) system	80
無学の・教養のない	uneducated	178
無関心	lack of interest	119
無気力	apathy	119
無気力症候群	apathetic student syndrome, apathy syndrome	119
無条件降伏	unconditional surrender	47
無条件刺激	unconditioned stimulus	75, 76
無条件に肯定的な関心	unconditional positive regard	141, 152
無条件の愛・愛情	unconditional love, affection	162, 172
無条件反射	unconditioned response	75, 76
無償の義務教育	free compulsory education	49
無断欠席・非認可欠席	unexcused absence, truancy absence without permission, unlawful absence	177
無秩序・無法状態	lawlessness	164
無茶食い	binge eating	136, 138
無謀	reckless	48
無法状態	lawlessness	172

め

日本語	English	ページ
明晰な頭脳	bright brain	220
名門・有名大学	prestigious university	16
名誉教授	emeritus professor, professor emeritus	25, 26
目が見えない	blind	115
メディア解読能力	media literacy	211
メディアセンター	media center	181
目にみえない	latent	52
めまい	dizziness	125, 126
メリット・ペイ	merit pay	188, 189
免許更新	renew certificate	70, 71
免職	dismissal	73
面接	interview	91, 95
メンター制度	mentor system	70, 71

も

盲学校	school for the blind	117
盲導犬	guide dog, eye mate	119
盲聾学校	school for the deaf and blind, deaf-blind	117, 128
燃えかす	burn-out	94
燃え尽き症候群	teacher burnout syndrome	72
モーレツ社員	fiercely working employee	187, 188
黙読	read silently, read to oneself	38
目標基準準拠テスト	criterion-referenced test	85, 99
目標基準準拠評価	criterion-referenced evaluation	85, 86
モジュラー・スケジュール	modular schedule	62, 64
モダン・スクール	modern school	13
物差し	measure	87
模倣	mimicry	38
模範的・達成的・有望・発芽的・初歩的	exemplary, accomplished, promising, developing, beginning	99
モラトリアム	moratorium	106
モルヒネ	morphine	163, 165
問題解決による学習	learning by problem-solving	34
問題設定（発問）・問題解決能力	inquiry and problem solving skill	31, 32
文部省	Ministry of Education	50
文部科学省	Ministry of Education, Science and Technology	50, 60
文部大臣	Minister of Education, Education Minister	52
文部大臣の諮問機関	advisory panel to the Education Minister	29, 52

や

野外教育	outdoor education	34
夜間学部	night schools, evening course	11
夜間保育	overnight nursery	10, 28
野球部	baseball team	65
薬学	Pharmacy	41
薬物	illegal drug	173
薬物依存	drug addiction, drug dependence	166
薬物中毒	drug addict	149
薬物治療	pharmaceutical treatment	125, 126
薬物乱用	drug abuse	165
役割演技法	role-playing method	33
役割期待	role expectation	19, 103, 112
夜食	late-night snack	95
休み時間	recess, break	62, 63
野生児	wild boy, feral child	109, 110
やせすぎは健康的でもないし美しくもない	too thin is not healthy nor beautiful	139

| 夜尿症 | bed-wetting | 135 |
| 槍を投げる人 | chucker | 150 |

ゆ

有意味な学習	meaningful learning	83
憂鬱	depression	122
優越感	superiority	77, 78
有給教育休暇	paid educational leave	27
遊戯療法	play therapy	126, 127
融合	fusion	52
優秀者名簿	dean's list	80
優性遺伝	dominant heredity	109, 113
融通制	flexibility	208, 209
優等学位	honors degree	16
優等賞	summa cum laude	80
優等生	A student, honors student	65, 77, 78
優等プログラム	honors program	15
郵便システム	postal system	207, 208
ゆっくりと着実に	slowly but steadily	189
ゆとりある教育	education with latitude	46, 48
ユニバーサル	universal	213
ユニバーサル・デザイン	universal design	117, 118
指しゃぶり	thumb-sucking	135

よ

良い先生と悪い先生	a good teacher and a bad teacher	71
養護学校	special school for the mentally and physically handicapped	114, 115
養護教諭	school nurse, nurse teacher	24, 26, 114, 128
養護施設	residential care facilities for children	135
幼児期	early childhood	102, 103, 112
養子研究	adopted-child study	109, 113
幼児殺し	infanticide	145, 146
養成教育	pre-service education	70, 71
幼稚園	kindergarten	10, 11
幼稚園児	kidergartener, kindergarden pupil	28
幼稚園の保母・保父さん	kindergarten teacher, kindergartener	24, 25
用務員	janitor, custodian	24, 26
余暇指導	leisure guidance	25
抑圧	Repression	140, 141
欲望や衝動を自制する	control one's desire and impulse	81, 82
予想余命	life expectancy	106
4年制大学	university	13, 14
4年制大学の課程	four-year undergraduate program	14
予備校	preparatory schools, prep schools	11

読み書き算術	Reading, wRiting, aRithmetic	32
よりよい存在	well-being	155
40人学級	forty pupils-per-class	70

ら

来談者	client	140, 142
来談者中心療法	client-centered therapy	140, 142
ライフ・コース	life course	102, 112
ライフ・サイクル	life cycle	102, 103
ライフ・スタイル	life style	58
ライマー, E.	Reimer, Everet	175, 196
ライン・カウンセリング	line counseling	140, 142
落書きする	write graffiti	167
楽習	edutainment	179
落第	flunk	80
落第する	flunk out, repeat a grade	96
落第坊主	an F student	96
ラッシュアワーに混んでいる電車に乗る	take a crowded train at rush hour	195
ラテン系アメリカ研究	Latin American Studies	45
ラフ	rough	58
ラポート	rapport	141, 142
ランカスター・スクール	Lancaster school	177
卵巣の有る者を女性	a person with ovaries is a female	201
乱読	read at random	38
(薬を)乱用する	abuse	127

り

理学士	Bachelor of Science	39, 40, 41
理学修士	Master of Science, M.S.	29
理科系	science course	3
力量査定	performance assessment	87
陸軍士官学校	U.S. Military Academy	60
利己主義	egoism	112
離婚	divorce	124
リストラ	employment adjustment, restructure	135, 188, 189
利他(他愛)主義	altruism	109
立法手続	legislative procedure	116
離任式	farewell ceremony for transferring staff	65
リベラルアート大学	liberal arts college	15
リマーク	remarks	100
リモコン操作による手術	telesurgery	207, 209
留学生	Japanese students who study abroad	211
留学生指導担当者	international student advisor	214
流産	miscarriage, abortion	124

和英索引		りゅう
留年	delay of promotion, graduation	96
寮	dorm, dormitory, university residence	59
利用しやすさ	accessibility, usability	117, 118
両親休暇	parental leave	188, 189
寮生	resident student	59
寮母	housemother	59
料理の鉄人	Iron Chef	195
臨海学校	school camp by the sea	65
臨界期	critical period	109, 111
臨時教育審議会（臨教審）	Adhock Council on Education, National Council on Educational Reform	19, 30
倫理	ethics	35, 36

る

ルソー	Rousseau, J.	49

れ

レイプの犠牲	victim of rape	124
レイマン・コントロール	layman control	67, 68
レカレント教育	recurrent education	188, 190
歴史	History	40
歴史教授	Teaching of History	40
レセプション・クラス	reception class	13
劣性遺伝	recessive inheritance	109, 113
劣等感	inferiority	77, 78
連関カリキュラム	connected curriculum	52
連帯性・同寮性	collegiality	67
連邦政府	federal government	187

ろ

聾啞学校	school for the deaf and dumb, mute	117, 128
聾学校	school for the deaf	117, 118
老人(性)愛	gerontophilia	121, 129
労働組合	labor union	26
朗読・暗誦	recitation	38
浪人生	repeater	11
老年期	senescence	102, 103
老齢年金	old-age pension, older peoples' pension	187
ローマ・クラブ	Club of Rome	204
65歳以上	over 65 years	181
6年生中等学校	integrated six-year secondary school	10, 29
露出症	exhibitionism	121, 129
ロングラン	Longrand, P	20
論証力	verbal reasoning	101

| 論理的・数学的把握力 | logical-mathematical intelligence ································· 88 |
| 論理的・創造的思考 | logical and creative thinking ································· 31, 32 |

わ

Y世代	generation Y ································· 106
若さを重視する(主義)	youthism ································· 90
わがままを個性と間違える	mistake individuality for selfishness ································· 112
私の言う通りにやりなさい	do what I say ································· 165
私のやるようにやりなさい	do what I do ································· 165
ワトソン	Watson, J. ································· 111
罠に仕掛けられると感じる	feel trapped ································· 143

It's called
ペダゴジカル英語

英和索引

(アルファベット順)

A

a good teacher and a bad teacher	良い先生と悪い先生	71
a person with ovaries is a female	卵巣の有る者を女性	201
A student, honors student	優等生	77, 78
abdominal distress	腹部の不快感	120, 122
ability	能力	88, 110
ability of concentration	集中力	34
ability of observation	洞察力	34
ability of self-expression	自己表現力	34
ability to distinguish between right and wrong	(良いことと悪いことを区別できる)責任能力	162, 164
ableism	能力重視主義	90
ableist	能力を重視する者	90
abnormal psychology	異常心理学	125
absence from school due to a death in the family	忌引き	177
absolute	絶対	86
absolute evaluation	絶対評価	85
abuse	(薬を)乱用する	127
academic ability	学力	88, 89
academic achievement	学業成績	96
academic association, academic society	学会	28
academic freedom	学問・教育の自由	49
academic year	学年度	64
academically talented student	学問的才能のある生徒	84
accessibility, usability	利用しやすさ	117, 118
accountable	説明できる	179
Accounting	会計(学)	39
accreditation	大学評価	27
acculturation	文化変容	203
achievement	業績	189
achievement quotient, AQ	成就指数	90
achievement standard score	学力偏差値	90
achievement test	到達度を見るテスト	96, 97
Acquired Immuno Deficiency Syndrome, AIDS	エイズ・後天性免疫不全症候群	207
acquisition of credit	単位修得	16
acrophobia	高所恐怖症	120, 122
activate the central nervous system	中枢神経を刺激・活発化する	165
active participant	積極的主体	33
adaptability	適応性	20
addicted to alcohol	アルコール依存	166
addiction	依存	166
additional summer school	夏季(補習)学校	16

英和索引　　　　　　　　　　　　　　　　A

英語	日本語	ページ
address in response, speech by the valedictorian to his (her) juniors	答辞	63, 73
Adhock Council on Education, National Council on Educational Reform	臨時教育審議会(臨教審)	19, 30
adjust the school to the child	学校を子供に適応させる	60
adjustment	適応	219
administration building	管理棟	26
admission fee, entrance fee, confirmation fee	入学金	53, 60
admission of students through personal connections	縁故入学	91, 94
admission procedure to enter university	大学入学手続き	91
admission through the back door, back-door admission, admission fraud, admission to a school by unfair means	裏口入学	91, 94
adolescence	青年期	102, 103, 138
adopted-child study	養子研究	109, 113
adult admission through special selection procedure	社会人特別枠	19, 30
adult education	成人教育	44
adult hood	壮年期	102, 103
adult role	成人役割	103, 112
adult socialization	成人社会化	24
adult student	社会人学生	15, 19, 30
advance organizer	先行オーガナイザー	83
advance rate, admission rate	進学率	28
advanced class	専修	70, 74
advanced nations' disease	先進国病	131, 132
advanced placement	アドバンスド・プレイスメント	15
adventitious, acquired	後天的な	130
advisory panel to the Education Minister	文部大臣の諮問機関	29, 52
affiliation	親和	135
affirmative action, AA	差別是正措置	48
African American Studies	アフリカ系アメリカ研究	40
afro	アフロ髪	168, 170
age, ability, aptitude	年齢・能力・適性	44
age of information-oriented society	情報化社会の時代	208, 209
age (era) of murky	不透明な時代	48
agenda	職員会議の協議事項	30
aggressive	攻撃的	141
aging society, senior citizens' society	高齢化社会	181, 197
agoraphobia	広所(空間)恐怖症	120
AIDS education	エイズ教育	207
aim and content of teaching at each grade	各学年で達成すべきねらい・内容	51
alcohol	酒	163, 165
alcohol addicted	アルコール症	145, 146
alcoholism	アルコール中毒	145, 149

英和索引　　　　　　　　　　　　　　　　　　　　　　　　　　　　A

alexia	失読症	119
algebra	代数，基礎代数	35, 36, 101
all behavior is learned	すべての行動は学ばれる	109, 111
all but dissertation	ABD	16
alphabetical order	アルファベット順	45
alternative	二者択一	196
alternative school	オルタナティブ・スクール	177
altruism	利他(他愛)主義	109
ambivalent desire	対立する欲求	124
American College Test	ACT	97
American Federation of Teachers, AFT	アメリカ教員連盟	26
American Psychiatric Association, APA	アメリカ心理学会	124
Americanization	アメリカナイゼーション，アメリカ化	46, 47
Americans with Disabilities Act of 1990	障害を持つアメリカ人(のための)法	119
amusement center	ゲーセン	138, 162, 164
an A student	Aをとる生徒	96
an F student	落第坊主	96
ancient Greeks	古代ギリシャ	110
an individual's observable characteristics	個人の目に見えて観察でき得る特徴	113
andragogy, adult education	成人教育	23
andros	大人	23
animate	生物的	122
annual, yearend examination	学年末テスト	96, 97
annual living expenses	年間生活費	59
anomalopia, color weakness	色弱	117, 118
anomie	アノミー	162, 164
anonymous	匿名	166
anorexia	食欲不振・食欲減退	151
anorexia nervosa	拒食症	136, 138
Anthropology	人類学	40
anthropophobia	対人恐怖症	121, 123
antianxiety drugs	心配性のための薬	126
antibipolar disorder	抗躁鬱病	125, 130, 126
antipsychotics, neuroleptics, neuroleptic drugs	抗精神病薬	125, 126
antisocial personality disorder	非社会性人格障害	121, 123
anxiety	不安	123, 140, 141
anxiety disorder	不安神経症	119, 121, 127
apathetic student syndrome, apathy syndrome	無気力症候群	119
apathy	無気力	119
aphasia	失語症	119
appearance, looks	外観	138
apple-polish	ごますり	95
applicant fresh from high school	現役の者	28
application form	入学願書	91, 94

289

英和索引　　A

英語	日本語	ページ
applied skill	応用する力	32, 33
apply to more than one school	併願	91, 94
apply to one school	単願	91, 94
appointment of teacher, teacher appointment	教員採用	71
apprentices' education	徒弟教育	46, 47
aptitude for learning	学習適性	75, 76
aptitude for one's career	自分の進路適性	188, 198
aptitude test	検定・適正テスト	96, 97
artistically talented	一芸に秀でる者	79
architectural, constructional standard	建築基準	117, 118
architectural barrier	建築上の障害	117, 118
Architecture	建築学	39
Aristotle	アリストテレス	110
arithmatics	算術	101
art	芸術	35, 36
Art Education	芸術教育	39
Art History	芸術史	39
art museum	美術館	186
art therapy	絵画・非言語療法	128
artificial insemination	人工受精	219
artificial language	人工語	38
ascription	属性・職域	189
Asian studies	アジア研究	45
ask for advice	相談する	143
asocial behavior	反社会的行動	174, 197
assertive training	主張訓練法	126, 127
assessment	アセスメント	85, 86
assignment exam	課題試験	99
assist euthanasia	安楽死を手助けする	206
assistance	援助	60
assistant	助手，教授陣	27
assistant foreign language teacher, ALT	外国語指導助手	36
assistant professor	助教授，専任講師	25, 26, 30
assistantship	助手制度	27
Associate Bachelors, A.B.	準学士	13, 14
associate professor	準教授	25, 26
at least once every two weeks	少なくとも2週間に1回	37
athletic	運動系	65
athletic meeting, sports festival, field day	体育祭	63, 64
atom	アトム，原子	33
attached behavior	愛着行動	135
attainment	学習到達度	87
attempt to commit suicide	自殺を企てる	120, 122
attendance book, roll book	出席簿	62, 63
attendance to school outside the district	区域外就学	180

290

attention deficit hyperactivity disorder, ADHD	注意欠陥多動性障害 ················· *119*
audio-lingual practice, oral practice	弁別・口頭発音練習 ··················· *36*
audio-visual room education	視聴覚教室教育 ······················· *210*
auditor	聴講生 ································· *14*
Ausubel, D. P.	オーズベル ···························· *83*
authentic instruction	オーセンティック・インストラクション ································ *3, 34*
authentic material	具体的素材 ···························· *34*
authoritarian attitude	権威的態度 ······················ *168, 169*
authorization	許可 ··································· *51*
autism	自閉症 ··························· *120, 122*
autoerotism	自体愛 ··························· *121, 129*
autonomy and publicity for school	学校の自主性(自立性)と公共性 ········ *52*
autumn entrance	秋季入学 ······························ *16*
award, grant, scholarship	大学生の奨学金 ······················· *59*

B

baby boomer	ベビーブーマー ······················· *181*
baby buster	少子化世代 ······················ *181, 197*
bachelor, baccalaureate	学士 ··································· *14*
Bachelor of Architecture	建築学士 ······························ *39*
Bachelor of Arts	芸術学士, 文学士 ················ *39, 40*
Bachelor of Fine Arts	美術(学)士 ··························· *40*
Bachelor of Science	理学士 ······················· *39, 40, 41*
Bachelor of Social Work	社会事業(学)士 ······················· *41*
banding	バンディング ·························· *79*
Bandura, A.	バンデューラ, A. ···················· *108*
barrier free	バリアフリー ··············· *117, 118, 213*
baseball team	野球部 ································· *65*
basic math	算数 ······························· *31, 32*
battered child syndrome	(被虐待児)症候群 ················ *145, 146*
be arrested on a charge of infliction of bodily injury	傷害罪で逮捕される ············· *168, 169*
be drown to death	溺死 ······························ *145, 152*
be hard to deal with, unruly	手のつけられない ······················ *67*
be truant, skip school	学校をさぼる ····················· *174, 196*
bear	我慢する ····························· *143*
bedridden elderly, old people confined to bed	寝たきり老人 ························· *187*
bed-wetting	夜尿症 ································ *135*
behaviorism	行動主義 ······························ *111*
being	存在 ··································· *24*
Berlitz, M.	ベルリッツ, M. ························ *38*
Berlitz method	ベルリッツ・メソッド ················· *38*
Berliz School of Language	ベルリッツ外国語学校 ················· *38*

英語	日本語	ページ
Bernstein, B.	バーンステイン，B.	136
bestiosexuality, buggery	獣姦	121, 129
better uses of garbage	ゴミの有効活用	199, 200
beyond the range of subject matters and school environment	教科や学校環境という枠を超え	52
big event in the academic year	1年を通しての主な活動・行事	64
binational school	バイナショナル・スクール	218
binge eating	無茶食い	136, 138
Biochemistry	生化学	40
Bioengineering	生医工学	39
Biological Sciences	生物科学	40
biologically speaking	生物学的に	201
biology	生物	35, 36
bipolar disorder, manic-depressed psychosis	躁鬱病	120, 122
birth of first child	第1子の出産	124
birth rate	出生率	131, 132
Black English Vernacular, BEV	黒人固有英語	150
blank state at birth, or tabula rasa	空白の状態	109, 110
blind	目が見えない	115
blind love	溺愛	152
blind parental love	親ばか	139
block release	一定期間勤務免除制度	190
blond	金髪	168, 169
blue book	答案用ノート	99
blue-chip scholar	一流の学者	27
blurred vision	視界がぼやける	125, 126
board of education, school board	教育委員会	50
boarding, lodging	下宿	54, 61
boarding at, board with	下宿する	53
boarding house	賄い付き	53, 61
bob	お河童	168, 169
bodily-kinesthetic intelligence	身体的能力	88
body ornament	身体装飾	168, 169
bodyism	肉体を誇る（主義）	90
bond	家族（夫婦・親子）の絆	134
books in braille	点字の本	128
borderless	ボーダレス	163
borderline class	境界線	114, 115
bottomless coffee shop, no panty tea parlor, seminude coffee shop	ノーパン喫茶	154, 156
Brady Act	ブラディ・アクト	145, 146
braid	三つ編み	170
braille	点字	117, 128
brain damage, mentally handicapped	知能（脳）障害	116, 117
brain damaged	脳障害者	116, 128
brain death, cerebral death	脳死	219

English	Japanese	Pages
brain drain	頭脳流出	212, 213
brain storming	ブレイン・ストーミング	33
brass band	吹奏楽部	65
breadth requirement	幅広い必修	29
bright brain	明晰な頭脳	220
British Broadcasting Company	BBC	207, 208
broke up with boyfriend	恋人との別れ	124
broken family	欠損家族	151
bruise	打撲傷	145, 146
bubble phenomena	バブル現象	188
buddy system	相棒（友達）方式	114, 128
Building Science	建築科学	39
bulimia nervosa	過食症	136, 138
bulletin	大学紀要	27
bully	いじめっ子	136, 151
bullying, hazing	いじめ	136, 137
burn	熱傷	145, 146
burn-out	燃えかす	94
bush boogie	茂みの黒ん坊	150
Business Administration	経営(学)	39
business bachelor	単身赴任	131, 132
business school	商学や経済・経営学の大学院	45
buy designer goods	ブランド品を購入する	162, 164
buzz session	バズ・セッション	33
by nature	生まれながらに	110
by nurture	育まれて	110
by-path	バイパス	174, 175

C

English	Japanese	Pages
cafetorium	カフェテリアム	83
caffeine	カフェイン	163, 165
calamity in school	学校災害	73
calligraphy	書道	35, 36
camp for club members	合宿	65
campus job	大学内の仕事	61
campus police, security police, campus guard, security guard	大学警備ガードマン	150
cap and gown	式帽と制服	65
career education, vocational education	職業教育	11
career guidance	進路	25
cellular phone, portable phone	携帯電話	164
censorship	検閲	51
Center for Educational Research and Innovation, CERI	OECD教育研究改新センター	161
central control	中央の権限	52
Central Council for Education	中央教育審議会	19

English	Japanese	Pages
central government office, agency	中央官庁	29, 101
cerebral palsy	脳性麻痺	128
cerebrally challenged	脳の面で挑戦を受けている	128
certificate of graduation, diploma, sheepskin	卒業証書	19
chairman	学科長	26, 30
chairman of the board of education	教育委員長	50
challenged	挑戦を受けている	114, 115
chancellor	総長，理事長	25, 30
characteristics	特徴	141
charge tuition fees	授業料を科す	58
charter school	特許学校	178, 179
chat	とりとめのない話	164
cheat on an exam	カンニングする	99
cheer leader	応援団長	73
cheer leaders	チアリーダーズ	73
cheering party, pep club	応援団	65
Chemical Engineering	化学工学	39
Chemistry	化学	35, 36, 40
chief administrative officer	管理行政の長	27
chief of chairman of department system	主任制	27
Child Assault Prevention, CAP	キャップ	144
child guidance center	児童相談所	143
child labor	児童労働	161
child line	チャイルド・ライン	144
child rearing	親は育児	103
child welfare	児童福祉	154, 155
child welfare facilities	児童福祉施設	135
child-centered education	児童中心主義	49
childhood nutrition	栄養状態	113
Children' Charter, Children's Charter	児童憲章	161
children of traffic victims	交通遺児	161
children overseas, Japanese children abroad	海外(在住)子女	212, 213
children with emotional problems, emotionally disturbed child	情緒障害児	124
child's mind	子どもの心	110
child's right to play	遊びの権利	161
Chinese characteristics for common use	当用漢字	51
Chinese characteristics for daily use	常用漢字	60
Chinese classics, classical literature	漢文	35, 36
chip head, wire head, mouse potato, computer geek	コンピュータ狂	211
chirology, manual method	手話	117, 118
choir, chorus club	コーラス部	65
Christmas holiday	クリスマス休暇，冬休み	16
chucker	槍を投げる人	150

英和索引　　C

English	日本語	ページ
citizen of the world, cosmopolitan, global person	国際人	199, 200
citizens' public hall, community center	公民館	20, 181, 186
city-own, city	市立	53
civic education	市民教育	49
civics	公民	35, 36
Civil Engineering	土木工学	39
class diary	学級日誌	62, 63
class formed according to the degree of advancement	習熟度別学級編成	77, 78
class hour, class period	授業時間	62, 63
class reunion, homecoming, alumni	クラス(同窓)会	16
class ring, school ring	卒業記念指輪	65
class time table	時間割	62, 63
Classical Civilization	古代文民	40
classical conditioning, respondent conditioning	古典的条件付け・応答的条件付け	75
classics	古典	35, 36
classmate	クラスメート	34
classroom atmosphere, classroom climate	クラスの雰囲気	139
classroom discipline	学級規律	70
classroom instruction, lecture-style, uniformed instruction	一斉指導	81, 84
classroom teacher system, single-teacher-per-class system	学級担任制	67, 68
classroom teaching	授業	63
claustrophobia	閉所恐怖症	120, 122
client	来談者	140, 142
client-centered therapy	来談者中心療法	140, 142
close cropped hair, close-clipping	丸刈り	168, 169
closing ceremony, ceremony at the end of the term	終業式	62, 73
club activity	クラブ活動	65
Club of Rome	ローマ・クラブ	204
co-education, co ed.	男女共学	46, 47
cocaine	コカイン	163, 165
cocaine babies	コカイン・ベイビー	145, 146
collaboration	共働	128
collaboration between school, household and community	学校・家庭・地域社会の連携	181, 183
colleagues	会社の仲間	195
college preparatory school	全寮制中等・高等学校	28
collegiality	連帯性・同寮性	67
colonial education	植民地教育	161
commencement, graduation ceremony, prom	卒業式	62, 64
comments	コメント	100

commercial school	商業学校	11
committee	委員会	64
Communication	情報通信(学)	40
communicative approach	コミュニカティブ・アプローチ	38
community affairs	地域問題	186
community alienation	地域社会の疎外	187
community college	地域社会大学	16
community relation	地域との関係	186
community school theory	地域社会学校論	187
community-based education	地域に根ざした教育	181, 186
company in-service training	企業内教育	195
comparative education	比較教育学	44
compensation for disaster of school personnel	教職員の業務災害補償	73
compensatory education	補償教育	79
comprehensive learning, integrated learning, synthetic leaning	総合的な学習	31, 32, 60
compulsion	強迫行動	123
compulsory education, public education	義務教育	10, 11, 47
computer aided instruction, CAI	コンピュータ支援の授業	210
computer augmented instruction	コンピュータにより強化された授業	210
computer based instruction, CBI	コンピュータを利用した授業	210
computer directed instruction	コンピュータ主導の授業	210
Computer Engineering	コンピュータ工学	39
computer integrated learning environment system	コンピュータにより統合された学習環境システム	210
computer literacy	コンピュータ・リテラシー	210
computer managed instruction, CMI	コンピュータ管理の授業	210
Computer Science	コンピュータ科学	39
computer uses in education	コンピュータの教育利用	210
computerized adaptive testing, CAT	コンピュータテスト	85, 86
concentration	絞り込み	29
conditional love, affection	条件付きの愛情	162, 163
conditioned response	条件反射	75, 76
conditioned stimulus	条件刺激	75, 76
confidential report	内密報告書	91, 94
conflict	葛藤	124
confusion	混乱	126
congenital, hereditary	先天的な	130
congratulatory speeches at graduation	卒業式の祝辞	63, 64
congruence	一致性	140, 142
connected curriculum	連関カリキュラム	52
connection between thought and action	思考（感情）と行動の間の接続	122
consequence	成り行き	81
conserving energy, energy efficiency, save energy	省エネ	199, 200
consideration of the innate idea	先天的配慮	113

English	Japanese	Pages
consistency in education from middle school through high school	中高一貫教育	10, 28
constants	必修科目(高校の)	13
constipation	便秘	125, 126
consumer education	消費者教育	205
consumerize sexuality, consumerization of sexuality	性を商品化する	154, 156
consummation, consummately	完成・完結する	77
contemporary Japanese	現代国語	35, 36
contemporary society	現代社会	35, 36
content-referenced measurement	内容準拠評価	87
continue	勉強を続ける	23
continuing education	継続教育	23
contribution, donation	寄付金	58
control one's desire and impulse	欲望や衝動を自制する	81, 82
convenience store	コンビニ	138
Convention against Discrimination in Education	教育差別撤廃条約	48
Convention on the Elimination of All Forms of Discrimination	女子差別撤廃条約	48
Convention on the Rights of the Child	国連児童の権利条約	154, 155
conventional university	通常大学	207, 208
conversation by means of writing	筆談	117, 118
conviviality	自立共生	32
cooperative skill	協調性	44
cooperative working	共同活動	128
coping strategy	対処戦略	72
core curriculum	中核課程	52
corporal punishment, bodily punishment, penalty	校則と体罰	168
correlated curriculum	相関カリキュラム	52
correspondence education	通信教育	207, 208
cost them their lives	代償を支払う	165
councils for school administration, school council	学校評議会	67, 68
counseling	カウンセリング	142
counseling for getting job	就職指導	25
counseling room	心の教室	144
counselor	カウンセラー,カウンセリングする人	140, 142
coupon	食券	59
course of study, curriculum guides for teachers	指導要領	174
courses of study, cumulative guidance record, curriculum guides for teachers, study guides for teachers, curriculum standard	学習指導要領	50, 51

English	Japanese	Pages
craft production	工芸	35, 36
cram school	塾	10, 11
cramming for an examination	試験勉強	95
cramming knowledge	知識の詰め込み	80, 81
credentialism, degreeocracy	学歴主義	48, 96
credit, credit unit	単位	16
credit system	単位制	13
credit transfer system	単位互換制度	14, 29
credit unit system	クレデット・ユニット・システム	14, 15
crew cut	角刈り	168, 169
crib sheet, cheating sheet	カンニング・ペーパー	99
crime rate	犯罪率	211, 212
crimes committed by juveniles, juvenile delinquency	少年犯罪	164
crime without victims	被害者なき犯罪	154, 156
Criminal Justice	刑事犯罪(学)	40
criminal punishment	刑事処分	167
criteria	到達度の目標	87
criterion-referenced evaluation	目標基準準拠評価	85, 86
criterion-referenced test	目標基準準拠テスト	85, 99
critical	クリティカル	107
critical period	臨界期	109, 111
critical thinking	批判的思考	34
cross curricular approach	横断的学習	52
cross curriculum	クロスカリキュラム	52
cross-cultural experience	異文化体験	203
cross-cultural psychology	異文化間心理学	202
cross-cultural understanding	異文化理解	203
crushed leaf and flower of the hemp plant	麻・大麻の花や葉をつぶしたもの	173
cuff, paddle	平手打ち	168
cultural conflict	文化的葛藤・摩擦	202
cultural deprivation	文化剥奪	203
cultural diffusion	文化伝播	203
cultural festival	文化祭	63, 64
cultural pluralism	文化多元主義	203
curriculum	カリキュラム	52
cut a class	クラスをさぼる	174, 196
cybarian	コンピュータを使う図書館司書	211
cyber phobia	コンピュータ恐怖症	211
cybernetics	人工頭脳研究	211
cyborg	人造人間	211
cycle of child abuse	虐待の世代間連鎖	149

D

English	Japanese	Pages
daily hassles	日常の苛立ちごと	74

D

daily intake can drops to as low as 200-300 calories	1日の摂取カロリーが200～300にまで落ちている······138
danger, risk	危険······140, 141
data processing	データ・プロセス······210
day care for children under twelve months	0歳児保育······10, 11
day nurse, nursery governess	保母・保父さん······24, 25
day nursery	保育園······10, 11
day release	全日就業免除制度······190
day trip	日帰り旅行······63, 64
day-dreaming	白昼夢······120, 122
dean, department head, dept, head	学部長······25, 26
dean of instruction	教務部長······25, 30
dean of the graduate school	研究科長······25, 26
dean's list	優秀者名簿······80
death from hunger, starvation	餓死······145, 146
death from overwork	過労死······187, 188
death in the immediate family	直系家族の死······205, 219
death of child	子どもの死······124
death of spouse	配偶者の死······124
debate	討論······81, 82
debate, discussion method	討議法······33
decentralization of educational administration	教育の地方分権······52
Declaration of the Right of the Child	子どもの権利宣言······154, 155
declaration on the rights of disabled person	障害者権利宣言······114, 115
deconstructure	脱構築······33
decrease in the number of children born	少子化······181, 197
defense mechanism	防衛規制・適応規制······140, 141
degree	修得できる学位······39
degree, diploma	学位······14
degree student	正規の学生······14
delay of promotion, graduation	留年······96
delusion of injury	被害妄想······120, 122
denial	否定······140, 141
Dental Surgery	歯科手術······40
Dentistry	歯科・歯学······40
department	学部······13, 14, 38
Department of Education	(米国)教育省······29
departmentalization, subject teacher system	教科担任制······67, 73
departmentalized classroom system	教科教室制・教科教室型運営方式······70
dependency	依存症······135
depopulation	過疎化······161
depressants, tranquilizers	鎮静剤······163, 165
depression	憂鬱・鬱症······122, 126
depressive state	鬱状態······129
depth conception	奥行知覚は······105

299

D

English	Japanese	Pages
deputy head master	副学部長	25, 30
deputy head mistress, head mistress	女性教頭・女性校長	24, 25
de-school	脱学校	178, 179
de-schooler	脱学校論者	174, 175
de-schooling	脱学校論	175
Design	デザイン(学)	39
detention	居残り	169
detention center, reform school	少年院	167
detention home, juvenile detention and classification center	少年鑑別所	167
deter crimes	犯罪を思いとどまらせる	162, 164
detour	迂回する	196
devastating natural discastion	破壊的天災	124
developed country, advanced country	発展先進国	154, 155, 156, 171
developing country, less advanced country	発展途上国	155, 156, 171
development	発達	102, 103, 110, 112
development education	開発教育	199, 200
development of concepts of number and quantity	数量概念の発達	106
development of motor skill	運動技能の発達	105
development of perception	知覚の発達	105
development tasks	発達課題	102, 103
developmental disorder	発達障害	121, 123
developmental education	発達教育学	44
developmental psychologist	発達心理学者	103
developmental psychology	発達心理学	102
developmental stage	発達段階	102, 103
developmental task for the stage	発達課題	104
development in electronic communication	電子通信の発達	207
deviation	逸脱	137
diagrosed as serious illness	深刻な病気と診断される	124
dialogical relationship	対話的関係	108
dictation	書き取り	36, 45
diet food	ダイエット食品	139
dietitian	栄養士	24, 26
difference of rank, distinction	格差	161
difficult to graduate from	卒業するのが難しい	29
directive counseling	指示的カウンセリング	140, 142
disability	能力障害	128
disabled, impaired	機能が不全である	115
disadvantaged children, deprived children	不遇児	79
disciplinary punishment	懲戒処分	73
discipline	懲戒・躾	105, 167, 173
discovery learning	発見学習	83
discrimination against women	女性に対する偏見・差別	195
discussion	議論	81, 82
dismissal	免職	73

英和索引　　D

disorientation	方向喪失 …………………… 136, 138
disparity among schools, difference of academic levels among schools	学校差 ……………………………… 180
Displacement	置き換え …………………… 140, 141
disposable camera	使い捨てカメラ …………… 199, 200
disruption of classroom community	学級崩壊 …………………………… 67
dissertation	博論 ………………………………… 16
dissociative identity disorder	解離性同一性障害 ………… 121, 123
distance education, tele-education	遠隔教育 …………………… 207, 208
distance-education university	遠隔教育大学 ……………… 207, 208
distraction	注意散漫 ………………………… 119
distribution of income, wealth	所得分布 ………………………… 153
distribution requirement	配分必修 ………………………… 29
district system	学区制・学区就学制 …………… 180
disturbance	動揺 ………………… 54, 120, 123
divorce	離婚 ……………………………… 124
dizziness	めまい ……………………… 125, 126
do what I do	私のやるようにやりなさい …… 165
do what I say	私の言う通りにやりなさい …… 165
Doctor of Philosophy, Ph. D.	博士 ………………………………… 14
doctoral program	大学院研究科博士課程 …………… 14
doctor's degree	博士号 ………………………… 16, 65
domestic violence, family violence, violence in the family	家庭内暴力 ………………… 145, 149
domiciliary care	住居付きケア ……………… 117, 118
dominant	支配的 …………………………… 112
dominant heredity	優性遺伝 …………………… 109, 113
Dore, Ronald	ドーア, R. ………………… 175, 196
dorm, dormitory, university residence	寮 …………………………………… 59
dormitory, boarding school, residential school	寄宿舎制・全寮制学校 …………… 59
dosage	投薬量 …………………………… 130
double session	2時間続きの授業 …………… 62, 64
double-shift system, double sessions	2部授業 …………………………… 79
Down's syndrome	ダウン症候群 …………………… 119
drawing & handicrafts	図画工作 …………………… 31, 32
dress code, dress rules	服装規定 …………………… 168, 169
drifting youth	浮遊する若者 ……………… 162, 163
drop out, drop behind	落ちこぼれ・中退する …… 77, 78, 177
dropped out	ドロップアウト ………………… 23
drug	麻薬 ……………………………… 165
drug abuse	薬物乱用 …………………… 146, 165
drug addict	薬物中毒 ………………………… 149
drug addiction, drug dependence	薬物依存 ………………………… 166
dryness in the mouth	口の渇き …………………… 125, 126
dual nationality	二重国籍 ………………………… 214
dual personality	二重人格 …………………… 120, 123

301

dualsystem, multi-track system	複線型・並列型	59
Duckworth, E.	ダックワース	99
during the world war II	戦中	46, 59
dyslexia	難読症	119
dysphemia, stammer, stutter	吃音	135

E

early admission	早期入学	80
early childhood	幼児期	102, 103, 112
early education	早期教育	10, 11
earth science	地学	35, 36
Easter holiday	春休み	16
easy to enter	入学は比較的容易である	29
eating disorder	摂食障害	136, 138
economic and social restrictions	経済的・社会的制限	146, 153
Economics	経済(学)	39
economics of education	教育経済学	41
eco-school	エコスクール	187
editorial assistant, EA	編集助手	25, 26
Education	教育学	39
education (al) industry	教育産業	54
education against discrmination, education to eliminate discrimination	同和教育	204
education at foreign country, education for children overseas	海外子女教育	213
education at home for children under medical treatment	訪問教育	209, 220
education for emotional well-being	心の教育	144
education for human sexuality, sex education	性教育	178, 197, 206
education for indoctrination	教化・注入的教育	80, 81
education for international understanding, education to promote international understanding	国際理解教育	203
education for life and death	生死学	205, 206
education for peace and disarmament	平和軍縮教育	204
education for preventing suicide	自殺予防教育	206
education for refugee	難民教育	218
education for the elderly, education for the aged	高齢者教育	187
education lobby	文教族	53
education mama, education obsessed mother, mother overly concerned with education, mother too enthusiastic about her child's education	教育ママ	131, 135
education of foreign children	外国籍の子どもに対する教育	211, 212

education of human rights	人権教育	204
education of public nuisance	公害問題教育	204
education permanennte	永続教育	19, 30
education plus entertainment	学習に娯楽の部分を加える	179
education stressing individual development	個性の発達に力を入れる教育	34
education through drama	演劇教育	34
education with latitude	ゆとりある教育	46, 48
education (al) industry	教育産業	54
education - conscious society, academic background-oriented society, credential society, diplomacracy	学歴社会	96
educational accountability educational responsibility	教育のアカウンタビリティ	178, 179
educational administration & management	教育経営学	44
educational administration	教育行政学	44
educational age	教育年齢	90
educational anthropology	教育人類学	41
educational broadcast	教育放送	207, 208
educational consumer	教育消費者	178, 179
educational engineering, educational technology	教育工学	44
educational equipment	教育機器	210
educational expenditure shared by parents	父兄負担教育費	53, 54
educational finance	教育財政学	44
educational functions of communities	地域社会の教育力	181, 186
educational labor movement	教育労働運動	49
educational leave	教育休暇	188, 190
educational policy	教育法学・教育の方針	44, 47
educational psychology	教育心理学	41
educational quotient	教育により開発される能力, EQ	90
educational reform in America during the 60th and 70th	アメリカの戦後教育改革	48
educational reform	教育改革	46, 47, 48
educational rights	学習権	49
educational statistics	教育統計学	44
educational system with undue emphasis on people's educational backgrounds	学歴偏重教育	80
Educational Testing Service, ETS	教育検査サービス	97
educational-industrial complex	産学共同体	195
edutainment	楽習	179
efficiency of braille reading	点字触読能力	117, 128
egalitalian education	全員が学ぶ教育	221
ego	自我	107, 108
ego centrism	自己中心性	108
egoism	利己主義	112
elective courses	選択教科	29
Electrical Engineering	電気工学	39

English	日本語	ページ
electroconvulsive therapy	電気けいれん療法	125, 126
electronic communication	電子通信	208, 209
Elementary Education	初等教育	39
elementary school, grade school	小学校	10, 11
elevators	エレベーター	122
elite education	エリート教育	221
embedded test	埋め込みテスト	98
embryonic community life	萌芽的コミュニティ生活	187
emeritus professor, professor emeritus	名誉教授	25, 26
emotional disturbance	精神・情緒障害	119, 121
emotional instability	情緒不安定	124
emotional quotient	心の知能指数	100
empathic understanding	共感的理解	140, 142
empathy	共感	118, 200
empirical education	経験主義教育	83
empirical learning, practical learning	実学	195
empiricism	経験論	110, 111
employment adjustment, restructure	リストラ	135, 188, 189
employment interview, examination	就職面接・試験	187, 188
enclosed place	閉ざされた空間	122
encounter	出会い	34
end-of-term	学期末テスト	96
end-of-term, final exam	学期末	97
Engel's coefficient	エンゲル係数	132
Engineering	工学	39
Engineering Management	工学管理(学)	39
Engineering Physics	工学物理(学)	40
environment	環境	110
environmental	環境的	113
environmental education	環境教育	199, 200
environmental hygiene	環境衛生	154, 155
environmental pollution	環境汚染	199, 200
environmentalism	環境説	110
epilepsy	てんかん	119
equal opportunity	機会均等	49, 79
equality	平等	48
equality of educational opportunity	教育機会(インプット)の均等化	47, 77, 78
equity	機会の公平	48
era of gluttony	飽食の時代	131, 132
Erickson, E.	エリクソン, R.	103, 106
Escape	逃避	140, 151
Esperanto	エスペラント語	38
essay exam	記述式テスト	98
essay examination	小論文を記述させるテスト	91, 95
essentialism	本質主義	49
essentialist	エッセンシャリスト	49
ethics	倫理	35, 36

ethics education, moral education, education of patriotism, loyalty, and filial piety	徳目教育	31
ethnic minority education	(少数)民族教育	202
ethnicity, ethnic group	民族	202
ethnocentrism	自民族中心主義	203
euphony, pun	語呂合わせ	84
euphoria	多幸感	165
evaluation	評価	85
evolve	進化	24
examination for selected candidates, enrollment by recommendation	推薦入学	91, 94
Examination in Practical English	実用英語技能検定	97, 98
excellency	卓越性	48
excess fat	ぜい肉	139
excessive, oversensitive consciousness	過剰な意識	138
excessive meddling, interference	過干渉	145, 146
exclusion	排除・除外	128
excused absence, lawful absence	認可欠席	177
exemplary, accomplished, promising, developing, beginning	模範的・達成的・有望・発芽的・初歩的	99
exhibitionism	露出症	121, 129
expatriate Japanese children, young Japanese return from abroad, Japanese children returning home from abroad	帰国子女	219
expectation for school education	学校教育への期待	79
expenditures for private education	私教育費	53, 54
expenditures for public education	公教育費	53, 54
expenditures per child, expenditures per enrolled student	子ども1人当たりの教育費	53, 54
experienced teacher	指導教員	70, 71
experimentalism	実験主義	83
extended day care	延長保育	10, 28
extended family	拡大家族	131, 132
extending principals' authority	校長権限の拡大	27
extensive reading	多読	38
external experience	外的経験	109, 113
external stimulation	外的刺激	110, 111
extra-curricular activities	課外・教科外活動	63, 64, 65, 179
extra-mural adult education	校外・学外成人教育活動	23
extrinsic motivation	外発的動機付け	77
extrinsic punishment	外的処罰法	75, 76

F

faceism	顔の美醜にこだわる(主義)	90
face-to-face contact	他者と面と向かい合う接触	209

facilitator, helper	促進・援助する人 …… 45
facture of skull	頭蓋骨骨折 …… 145, 152
faculty card	大学教員身分証明書 …… 27
faculty council, board of faculty, faculty meeting	教授会 …… 28
faculty development, FD	教員開発 …… 28
fall semester	秋学期 …… 16
fall, winter, spring quarter	秋・冬・春学期 …… 16
families on welfare (social welfare, relief)	生活保護世帯 …… 146, 153
family	家族 …… 150
family distraction, collapse of the family	家庭崩壊 …… 131, 134
family therapy, parents counseling	家族療法 …… 127
farewell address, farewell speech	送辞 …… 63, 73
farewell ceremony for transferring staff	離任式 …… 65
fatherhood	父性 …… 135
fatigue	疲労 …… 71
Faure Report	フォール報告書 …… 24
fear of death	死に対する恐怖 …… 205
fear of rejection	拒絶されるのではと恐れる …… 108
fear of stranger	人見知り …… 135
federal government	連邦政府 …… 187
feedback from tutors	教員からのコメント …… 208
feel solemn	厳粛な気持ちになる …… 73
feel trapped	罠に仕掛けられると感じる …… 143
fellowship	大学院生の奨学金 …… 59
femaleness	女性であること …… 112
fetal alcohol syndrome, FAS	胎児性アルコール症候群 …… 145, 152
fetishism	拝物愛 …… 129, 121
fetus	胎児 …… 11
fief school	藩校 …… 46, 47
field trip, hike, outing, picnic	見学・遠足 …… 63, 64
field work, practical training	就業体験する実習 …… 198
fiercely working employee	モーレツ社員 …… 187, 188
Finance	財政(学) …… 39
fine arts	美術・美術学 …… 31, 32, 35, 36, 40
first school, primary school	公立初等学校 …… 13
first-sixth period	1〜6限 …… 63
first-year teachers	新任教員 …… 70, 71
fist, punch	げんこつ …… 168
five stage	5段階 …… 96
five-day-school system	週5日制 …… 54
flashback	フラッシュバック，再体験 …… 123
flexibility	融通制 …… 208, 209
flex time system	時間差通勤制度 …… 195
flower arrangement club	華道部 …… 65
flunk	落第 …… 80
flunk out, repeat a grade	落第する …… 96

英和索引　　F

英語	日本語	ページ
folk medicine	民間療法	206
food capriciousness	偏食	136, 151
food sefusal	拒食	151
food stamp	食品券	59
force girls into prostitution	少女に売春をさせる	154, 172
foreign language	外国語	35, 36
foreign student at government expense	国費留学生	214
foreign student at his/her own expense	私費留学生	214
forksystem	分岐型・フォーク型	59
formal discipline	形式陶冶	83
formal education	学校教育	177
formative evaluation	形成評価	87
forms	フォーム	110
forty pupils-per-class	40人学級	70
four-year undergraduate program	大学課程	13, 14
fracture of bone	骨折	145, 146, 168
fraternal, dizygotic twin	二卵性の双子	109, 110
fraternity	男子学生クラブ・男子友愛会	65
free compulsory education	無償の義務教育	49
free distribution of textbook	教科書無償制	211, 220
free pass, free admission	Fランク	100
free pass, free admission university	Fランク大学	16
freshman	大学の1年生	16
freshman, junior, senior	高校の1年生, 2年生, 3年生	16
Freud, S.	フロイド, F.	127
Friedman, M.	フリードマン, M.	180
from uniformity to individuality	画一性から個性へ	34
from uniformity to individuality-based learning	画一性から個性を伸ばす学習へ	180, 186
front end model	固定した学習形態	23
front runner	フロント・ランナー	162, 164
fruit, flower, bud	果実・花・つぼみ	99
frustration	不満	80, 140, 141
full day care	終日保育	10, 11, 28
full-time course	全日制	11, 14
functional literacy	機能的識字	155, 156
functionally illiteracy	機能的非識字	155, 156
functionally productive role	機能的な生産的役割	105
fund	財源	58
fundamental education	基礎教育	154, 155
fundamental habits	基本生活習慣	105
Fundamental Law of Education	教育基本法	46, 47
further education	継承教育	23
fusion	融合	52

G

English	Japanese	Pages
gang age	ギャング・エイジ	102, 112
Gardner, H.	ガードナー	89
gender	ジェンダー	201
gender bias	ジェンダー・バイアス	205
gender identity	ジェンダーの自我同一性	102, 112
gender role	ジェンダーの役割	103, 112
gender tracking	ジェンダー・トラッキング	205
gender-free education	ジェンダー・フリー教育	199, 201
gender-related behavior patterns	ジェンダーに関わる行動様式	205
gene	遺伝子	110
general	一般	101
General Certificate of Secondary Education, GCSE	全国単一試験	95
general education	普通教育・一般教育	11, 15
general, G	一般向け	172
General Headquarters	GHQ	59
general learning area	一般学習スペース	81, 82
generation X, Xers	X世代	106
generation Y	Y世代	106
genetic	遺伝的	113
genetics	遺伝学	219
genotype	元型	109, 110
genuineness	真実性	140, 142
Geography	地理(学)	35, 36, 40
Geological Sciences	地質科学	40
geometry	基礎幾何・幾何学	35, 36, 101
gerontophilia	老人(性)愛	121, 129
Gestalt therapy	ゲシュタルト療法	127
ghetto	ゲトー	145, 149
gifted children, the cream of the students	英才児	77, 78
global cooperation	地球規模の協力	201
global education	地球市民教育	199, 200
goal record book	ゴール・レコード・ブック	87
going to school from one's own house	自宅通学	53, 54
Goodman, Paul	グッドマン, P.	175, 196
government sharing of educational expenses	教育費国庫負担	58
government subsidies to private schools, or educational institutions	私学助成	58
government subsidy for educational expenses	教育費国庫補助	58
grad, grad student, graduate student	大学院生	19
Grade Point Average, GPA	成績・評定平均値	91, 95
grade promotion by age	年齢主義	80

英語	日本語	ページ
grade promotion by curriculum completion	課程主義	80
grade report	通知簿	91, 94
grade teacher	小学校の先生	24, 25
Graduate College of Education	教育学部	41
Graduate Management Admission Test	GMAT	97
Graduate Record Examination	GRE	97
graduate school, graduate college	大学院	13, 14, 29
grain size of instruction	嚙み砕いた指示	116
grammar school	グラマー・スクール	13
grammar-translation method	文法訳読式教授法・文法翻訳法	36
grampy	グランピィ	24
Graphic Design	グラフィック・デザイン	40
Greek words	ギリシア語	122
Green Consumer, environmental-friendly consumer	緑の消費者	204
Green Consumer Guide	グリーン・コンシューマー・ガイド	205
grind, swot	ガリ勉	95
Gross National Product	GNP	54
group cohesiveness	集団擬集性	35
group competition	グループによる競争	77, 84
group learning	集団学習	33
group reading	会読／輪読	38
group thinking	集団思考	33
growth	成長	102, 103, 110, 112
grummet	グルメ	58
guard	警備員	24, 26
guide dog, eye mate	盲導犬	119
Guilford, J.P.	ギルフォード, J.P.	100
guilt feeling	罪悪感	150
gun control laws	銃規制法・銃規制の法律	145, 146
gun lobbies	銃の圧力団体	150
gymnastics club, apparatus gymnastics club	器械体操	65

H

英語	日本語	ページ
hallucination	幻覚	126
hallucinogens, psychedelic drugs	幻覚剤	163, 165
handicapped	不利な	115
hard of hearing	難聴	117, 118
hard to find best friend	親友を見つけるのは難しい	139
Hatchines, R.	ハッチンス, R.	20
hate	憎悪	150
hate crime	ヘイト・クライム	150
have one's eardrum split	鼓膜が破裂する	168
head of the school office	事務長	24, 26
head start program	ヘッドスタート・プログラム	10, 11

英和索引　　　　　　　　　　　　　　　　　　　　　　　　　　　　　H

英語	和訳	ページ
head teacher	教科主任	24, 25
head teacher of a grade, senior year master	学年主任	24, 25
health & physical education	保健体育	31, 32
health impaired children, delicate children, children with weak constitution	健康障害, 虚弱・病弱児	116, 117
Health Information Management	健康情報管理(学)	39
Health Professions	健康学	39
health room, infirmary	保健室	26
hearing ability	聴力	115
hearing impaired, deaf	聴覚障害者	116, 128, 210
hearing impairment, auditory disorder, acoustic disturbance	聴覚障害	116, 117
hearing test	聴力検査	45
hegemony	主導権	73
height	高さ	122
heredity and environment	遺伝と環境の相互作用を認める説	113
heredity vs. environment controversy	遺伝か環境かをめぐる論争	111
hero, heroine	主人公	151
heroin	ヘロイン	163, 165
heterogeneity	異質	137
higher-order thinking, reasoning skill	推論する力	32, 33
History	歴史	40
history of education	教育史	44
hoist	昇降機	118
hoist the national flag	国旗を掲揚・国旗掲揚	63, 64
holistic education	ホリスティック教育	33
holos	全体・ホロス	33
home	家庭	150
home base	基地・ホームベース	82
home bay	母港・ホームベイ	82
home economics, domestic science	家政学	44
home schooler, home-schooler, home schooled kid, a student schooled at home	在宅学習者・在宅独学者・自宅学習者	178
home schooling	在宅学習	178
homemaking	家庭	31, 32
homeroom	ホームルーム	63
homeroom teacher, class teacher, teacher in charge of a class	担任の先生	62, 63
Homeschool Support Association of Japan, HoSA	日本ホームスクール支援協会	180
homework assignment	宿題	65
homogeneous	同質	139
honors class, advanced stream	上級クラス	80
honors degree	優等学位	16
honors program	優等プログラム	15
honor's student	優等生	65
hope for affiliation	仲間として受け入れられたい期待	108

English	Japanese	Pages
horrors of drugs	麻薬の恐ろしさ	163, 165
hospice	ホスピス	206
hospitalism	施設病	135
hostility	敵意	140, 151
hot temper	かんしゃく	135
housemother	寮母	59
human dignity	人間的尊厳	129
Human Immuno deficiency Virus, HIV	ヒト免疫不全ウイルス	207
Human Nutrition & Dietetics	栄養(学)	39
human reproduction	人類再生	201
humanities course, liberal arts course	文科系	38
humanize	人間らしさを付与する	45
humanness	人間らしさを探求する	45
hyperactivity	多動性	119
hyper-sexuality	性的昂進	121, 123
hypnosis	睡眠	126, 127
hypnotherapy	催眠治療	126, 127
hypochondria	心気症	121, 123
hypo-sexuality	性的減退	121, 123
hysteria	ヒステリー	125

I

English	Japanese	Pages
I have diabetes	糖尿病がある	206
I want to die with peace of mind	心安らかに死にたい	206
I won't be deteated	負けてたまるか	84
id	イド	107, 108
identical, monozygotic	一卵性	110
identical, monozygotic twin	一卵性の双子	109
identification card, id, card	身分証明書	27
Identification	同一化	140, 142
I'll keep it up	がんばります	84
illegal aliens	不法入国者	211212
illegal drug	法的に禁止された薬物・薬物	163, 173
Illich, Ivan	イリッチ, I.	175
illiterate	非識字者	154, 156
illusion, hallucination	幻覚	120, 122
immature adults	未成長の大人	162, 163
immersion program, bilingual education	二語併用教育・バイリンガル教育	218
immigrant workers' education	移民教育	218
Impairment	機能の形態異常・欠損	128
implicit, hidden curriculum	潜在カリキュラム	50, 52
improper admission	不正入学	94
incurable	不治永患者	125, 126
informant	情報提供者	143
in the name of discipline	しつけという名目で	170
in the place of a parent	親の立場になって	59

英和索引　　I

inanimate	非生物的 …………………………… 122
incest	近親（性）愛 ……………………… 121, 129
incestuous relations between mothers and sons, mother-son incest	母子相姦 …………………………… 149
inclusion	包含・算入 ………………………… 128
inclusive education	包括的教育 ………………………… 114, 128
incomplete color blindness, color blindness, achromatopsia	色盲 ………………………………… 117, 128
inconvenienced	不便を強いられている …………… 114, 115
incremental integration	漸増的統合 ………………………… 114, 128
in-depth study	インデプス・スタディー ………… 29
individual	個人 ………………………………… 112
individual competition	個人対個人の競争 ………………… 77, 78
individual difference	個人差 ……………………………… 108
individual teaching	個別指導 …………………………… 34
individuality means taking responsibility for what we do	個性とは自分の行動に責任を取ること … 112
individuality, personality	個性 ………………………………… 106, 107
induce sleep, sedative	眠りを引き起こす ………………… 165
induction training for beginning teachers	新任教員研修 ……………………… 70, 71
industrial arts	技術 ………………………………… 31, 32
Industrial Design	工業デザイン（学）……………… 40
Industrial Engineering	工業工学 …………………………… 40
industrial school	工業学校 …………………………… 11, 12
inequality of educational result	教育機会（アウトプット）の不均等 …… 78
infanticide	幼児殺し …………………………… 145, 146
infantile autism	小児性自閉症 ……………………… 120, 129
infant-parent interaction	親との交流 ………………………… 135
inferiority	劣等感 ……………………………… 77, 78
informal education	インフォーマル・エデュケーション …… 177
Information & Decision Sciences	経営情報（学）…………………… 39
information center	情報センター ……………………… 181, 186
information literacy	情報活用能力 ……………………… 211
information oriented society	情報化社会 ………………………… 106, 107, 210
information processing ability	情報処理能力 ……………………… 31, 32, 211
information retrieval	情報検索 …………………………… 210
information technology, IT	情報技術 …………………………… 175
inner school law	内規 ………………………………… 170
inquiry and problem solving skill	問題設定（発問）・問題解決能力 … 31, 32
insanity	狂気 ………………………………… 125
insect	昆虫類 ……………………………… 122
in-service education, on the job training, OJT	現職教育 …………………………… 20, 188, 190
in-service education of teachers	教員の現職教育 …………………… 70, 71
insomnia, sleeping disorder	不眠症 ……………………………… 120, 123
inspection	点検・審査 ………………………… 51
inspection of school text-book	教科書検定 ………………………… 50, 51

English	Japanese	Pages
institutionalized child	施設児	135
instruction according to level of mastery	習熟度別指導	77, 84
instructor, lecturer	講師	25, 26
instrument, instrumental	手段	77
instrumental conditioning	道具的条件付け	75, 76
instrumentalism	道具(器具)主義	83
integrated education, normalization	統合教育	114, 115
integrated setting	統合的環境	118
integrated six-year secondary school	6年生中等学校	10, 29
integration of schooling and out-of-school education	学社融合	186
intelligence	知性	89
intelligence quotient, IQ	知能指数	88, 89
intelligence standard score	知能偏差値	90
intelligent school	インテリジェントスクール	181, 186
inter-disciplinary	インターディシプリナリー	3
inter-personal relationship	対人関係	106, 107
inter-strata mobility	階層間移動	46, 47
interactive learning environment system	相互作用的学習環境システム	210
interchange between Japan and other countries	海外交流	201
intercultural education	異文化教育	201
interdependent	相互依存の	199, 200
interdisciplinary curriculum	学際的カリキュラム	52
interdisciplinary education	学際教育	204
interdisciplinary learning	科目横断的の学習・異分野提携の学習	34
interest	興味	110
interest for learning	学習興味	75, 76
International Association for the Evaluation of Educational Achievement	国際教育到達度評価学会	87
international baccalaureate	国際バカロレア	211, 213
International Business Machines Corp.	IBM	208
international comparison	国際比較	201
International Convention on the Elimination of All Forms of Racial Discrimination	人種差別撤廃条約	48
international exchange	国際交流	201
International Labor Organization, ILO	国際労働機関	161
international perspective, global awareness	国際的視野	199, 200
international school	国際学校	211, 212
international student	外国人留学生	214
international student advisor	留学生指導担当者	214
International Year of the Child	国際児童年	161
internet addict	インターネット中毒	211
internet school	ネット校	210
internship	インターンシップ	188, 190

interpersonal communication skill	対人交渉(コミュニケーション)能力 …………………………31, 32
inter-racial marriage	国際結婚 …………………………214
interview	面接 …………………………91, 95
intimidate	脅す …………………………167
intimidation	脅し …………………………167
intrinsic motivation	内発的動機付け …………………………77
intrinsic punishment	内的処罰法 …………………………75, 76
introduce English education in primary school	小学校へも英語の授業を導入する …………37
Iron Chef	料理の鉄人 …………………………195
isolated individual	孤立した個人 …………………………208
item response theory, IRT	項目応答理論 …………………………85, 86

J

janitor, custodian	用務員 …………………………24, 26
Japan Exchange and Teaching Programme	JETプログラム …………………………36, 37
Japan International Cooperation Agency, JICA	国際協力事業団 …………………………161
Japan Overseas Co-operation Volunteers	青年海外協力隊 …………………………161
Japan Teachers' Union	日教組 …………………………26
Japanese Government English Teaching Recruitment Program	英語教師招待制度 …………………………36, 37
Japanese history	日本史 …………………………35, 36
Japanese language	国語 …………………………31, 32
Japanese students who return home from abroad	帰国子女 …………………………212
Japanese students who study abroad	留学生 …………………………211
job-hunting	就職活動 …………………………188, 189
jobsite training	企業実習 …………………………195
jump off buildings	飛び降り …………………………120, 129
junior, lower-class student	後輩 …………………………16
junior college, two-year college	短期大学 …………………………13, 14
juvenile delinquent	少年犯罪者 …………………………162, 172
juvenile law	少年法 …………………………167
juvenile prison	少年刑務所 …………………………167
juvenile protection ordinance	青少年保護条例 …………………………167

K

keyword-system, peg-word system mneumonics	実用記憶法 …………………………81, 84
kick out	放校 …………………………100
kick-out system	放校制 …………………………14
kidergartener, kindergarden pupil	幼稚園児 …………………………28

English	日本語	ページ
Kinesiology	筋運動学	39
kindergarten	幼稚園	10, 11
kindergarten course of study	教育要領	50, 60
kindergarten teacher, kindergartener	幼稚園の保母・保父さん	24, 25
Kitzinger, Uwe	キットジンガー	130

L

English	日本語	ページ
labor union	労働組合	26
laboratory school	実験学校	83
lack of interest	無関心	119
ladder system, single-track 6-3-3-4 system	単線型	59
laid off	失業	124
Lancaster school	ランカスター・スクール	177
latchkey child	かぎっ子	131, 132
late-night snack	夜食	95
latent	目にみえない	52
Latin American Studies	ラテン系アメリカ研究	45
law of effect	効果の法則	75, 76, 111
law of teacher certification in education	教員免許法	70, 71
law school	法学大学院	45
lawlessness	無秩序・無法状態	164, 172
Laws about equality of sexes in hiring, gender equality in employment opportunity	男女雇用機会均等法	188, 189
layman control	レイマン・コントロール	67, 68
lay-off, layoff	解雇	188, 189
learn more from failure than from success	成功よりも失敗からより多くを学ぶ	130
learning by problem-solving	問題解決による学習	34
learning center	学習センター	181
learning difficulty	学習困難	118
learning disabilities	学習障害	118
learning environment, milieu	学習環境	81, 82
learning project, learning task	学習課題	80
learning rate, learning pace	学習ペース	208, 220
learning situation, learning environment	学習環境	75, 76
learning society	学習社会	19, 30
learning style	学習スタイル	208, 220
learning through and in relation to living	生活との関連による学習	49
leave of school, temporary absence from school, temporary withdrawal from school	休学	177
leaving home, running away from home	家出	168
lecture method	講義法	33
lecture platform, dais	教壇	65
lecture-style, uniformed teaching	一斉授業	33
lecture-type lesson	講義式授業	33
legal drug	合法薬物	163, 173

315

legal foreign workers	外国人労働者		211, 212
legally blind	視覚障害者		116, 128
legislative procedure	立法手続		116
leisure guidance	余暇指導		25
lengths of skirts	スカートの長さ		168, 169
less immediately lethal	比較的直ちに致命的でない		129
level of education, educational standard	教育水準		161
liability of a teacher to a school accident	教師の学校事故に対する責任		73
Liberal Arts & Sciences	教養学		40
liberal arts college	リベラルアート大学		15
liberalization of porno regulations, restrictions	ポルノ解禁		154, 156
liberated woman	開放された女性		205
librarian	図書館司書		24, 26, 211
library	図書館		20, 186
library, discipline, cultural, broadcasting, health-care committee	図書・風紀・文化・放送・保健委員会		64
life course	ライフ・コース		102, 112
life cycle	ライフ・サイクル		102, 103
life expectancy	予想余命		106
life guidance	生活指導		25
life stage	生活周期		102, 103
life study, life environment studies	生活科		31, 32
life style	ライフ・スタイル		58
life-centered education	生活に関連づけられた学習		49
life-long learning, life-long study	生涯学習		19
lifelong education center	生涯教育センター		181, 186
lifetime employment system	終身雇用制度		19, 188, 189
limitation of the 20th century-style education	20世紀式教育の限界		180
limited Japanese proficiency	限られた日本語運用能力		214
limiter	制限装置		164
line counseling	ライン・カウンセリング		140, 142
linguistic intelligence	言語的能力		88
Linguistics	言語学		40
lip reading	読唇		117, 118
listening	ヒアリング		35, 45
listening comprehension test	ヒアリングテスト		36, 45
literacy education	識字教育		154, 156
lives of university students	大学生生活		58
living arrangement	住居設備		118
local board of education, local school board	教育委員会		179
local educational administration	自治体教育行政		186
local educational plan, community education plan	地域の教育計画		181, 186
local official	各地方自治体		50

L・M

English	Japanese	Page
lodging house	賄い無し	53, 61
logical and creative thinking	論理的・創造的思考	31, 32
logical-mathematical intelligence	論理的・数学的把握力	88
long-continued custom, convention	性に関する因習	205
longevity	長寿	187
Longrand, P.	ロングラン	20
looks and figures	外観	88
looks sloppy	だらしなく見える	170
loophole of the law and regulation	法的規制の網の目	173
lower secondary school, junior-high school	中学校	10, 11
lunch box	弁当	73
lunch hour	昼食の時間	62, 63
lysergic acid diethylamide-25	LSD	163, 165

M

English	Japanese	Page
magnet school	マグネット・スクール	180
main dumping	大ダンピング	116
mainstream school	普通校	10, 11, 116
mainstreaming	本流化	114, 128
maintain	維持	68
major	専攻	13, 14, 38
major in	専攻する	29
make money easily	簡単にお金もうけができる	154, 156
mal nutrition	栄養不良	154, 155
maladjustment	不適応	219
male chauvinist, over bearing husband	亭主関白	132, 135
malefemale	生物的男女差	199, 219
maleness	男性であること	112
man who makes sexual advances especially to a strange woman	見知らぬ女性を性的に誘惑する男	167
Management	経営管理(学)	39
management training program, MTP	管理者訓練	195
mania	躁, マニア	122, 137
manic state	躁状態	129
manifest and hidden curriculum	顕在・潜在カリキュラム	50, 52
man-made environment	人造環境	117, 118
manpower	マンパワー	79
marijuana	大麻	163, 165
marijuana intoxication	マリファナ中毒	173
Marketing	マーケティング／商取引(学)	39
masculinity-femininity	体質的男女差	199, 219
masher, sexual molester	痴漢	173
Maslow, A. H.	マスロー, A. H.	109
mass education	大衆教育	221
master, ordinary, novice	修士・熟達者・普通・新人	14, 99
Master of Arts, M.A.	文學修士	29

English	Japanese	Pages
Master of Business Administration, MBA	経営学修士・MBA	29, 208
Master of Science, M.S.	理学修士	29
Master's degree	修士の学位	65
master's program	大学院研究科修士課程	14
mastery learning	完全習得学習	87
material brain	マテリアル・ブレイン	90
material fees	教材費	53, 60
material for learning, study material	学習材料	80
maternal deprivation	母性剥奪	135
maternal leave, child-care leave, unpaid leave of absence following maternity leave	育児休暇	188, 189
maternal separation	母子分離	135
maternity leave	母権休暇	188, 198
mathematics, math	数学	35, 36, 40
mature age, maturity	熟年	187
mazohism	被虐性愛	121, 129
me-ism	ミーイズム	82
meaningful learning	有意味な学習	83
measure	物差し	87
measurement	測定	87
Mechanical Engineering	機械工学	40
mechanism	規制	141
media center	メディアセンター	181
media divide, digital divide	情報格差・メディア（デジタル）デバイド	210
media literacy	メディア解読能力	211
Medical Doctor, M.D.	医学博士	29
medical school	医学大学院	45
Medicine	医学	41
meet and mingle	出会い交流する	213
melancholia, major depression	鬱病	120, 122
member of the education board, member of board of education	教育委員	50, 60
memorization, rote learning	記憶	38
menace, threat	脅威	140, 141
mental age	精神年齢	90
mental disorder	心の病気	119, 121
mental health	教師のメンタル・ヘルス	71
mental hygiene	精神衛生	154, 155
mental retardation	精神薄弱	121, 123
mentally	精神的	115
mentally handicapped	精神障害児・者	124
mentally retarded child, feeble-minded child	精神薄弱児	123
mentor system	メンター制度	70, 71
merit pay	メリット・ペイ	188, 189

English	Japanese	Pages
merit system	能力本位任用制度	188
meritocracy	勤務評定	188, 189
mescaline	マスカリン	163, 165
method of teaching, teaching method	教育方法	44
mid-term exam	中間・中間テスト	96, 97
middle childhood	児童期	102, 103
middle school	中等学校	13
middle-aged men	中高年	189
migrant	季節労働者	218
migrant education	季節労働者教育	218
mild	軽度	115
militarism	軍国主義	46, 47
military draft system	徴兵制	161
mimicry	模倣	38
mind	心	122
Ministry of Education	文部省	50
Minister of Education, Education Minister	文部大臣	52
Ministry of Education, Science and Technology	文部科学省	50, 60
minor	副専攻	13, 14
minor in	副専攻とする	29
minority	少数者	155
minority group	少数派民族	153
miscarriage, abortion	流産	124
miscellaneous fees	諸費用	53, 60
miscellaneous school	各種学校	13, 14
misconduct	違法行為	167
misdeed, misconduct	非行	168
mistake individuality for selfishness	わがままを個性と間違える	112
mixed ability class, pupil classification based on mastery level	能力混合クラス編成	77, 78
mobility of the handicapped	障害者の可動性	117, 118
mock funeral	葬式ごっこ	139
moderate	中度	114, 115
modern school	モダン・スクール	13
modular schedule	モジュラー・スケジュール	62, 64
module	固まり	64
monitor	助教	178
monitorial system	助教法	178
monitoring	観察すること	87
monthly allowance	お小遣い	162, 164
monthly meeting	月例会	30
monthly rent	月ぎめ家賃	53, 61
mood disorder	ムード障害	120, 122
moral development	道徳性の発達	106
morality principle	道徳原則	107, 108
moratorium	モラトリアム	106

English	Japanese	Page
more decisive recycling system	徹底したリサイクル・システム	199, 200
more immediately effective	(より)即効的な効果がある	129
morning assembly	朝礼	62, 73
morning meeting	朝の会	62, 63
morphine	モルヒネ	163, 165
mother tongue	母(国)語は	214
mother-child, father-child relation	母子・父子関係	131, 132
mother-child home, single mother family	母子家庭	131, 132
motherhood	母性	135
mother-pathogenic disease	母原病	135
motivate	動機付ける	77
motivation for learning, desire for learning	学習意欲	75, 77
motor cycle gang	暴走族	167
motor, motion impairment	運動機能障害	116, 117
movable furniture	可動型家具	81, 82
moving sidewalk	動く歩道	118
much fatter than they really are	実際よりも太っている	138
multi-age group	異年齢集団	136, 151
multi-age grouping, inter-age grouping	異年齢の子を集めた	80
multicultural education	多文化教育	201
multiculturalism	多文化主義	201
multiethnic education	多民族教育	202
multiple intelligences	多面的知性	88, 89
multiple personality	多重人格	120, 122, 123
multiple personality disorder	多重人格性障害	121
multiple-choice, marking sheet method	多肢選択法・マークシート方式	85
multipurpose hall	多目的ホール	20
municipal board of education	市町村教育委員会	50
municipal school	市町村立	53
muscular	筋肉質	113
muscular dystrophy	筋ジストロフィ	128
music	音楽	31, 32, 36, 39
musical intelligence	音楽的能力	88
mutism	だまりっこ	135
mysophobia	不潔恐怖症	121, 123

N

English	Japanese	Page
names of junevile criminals should be made public	未成年犯罪者の名前は公開するべき	173
narcissism	自己愛	125
narcolepy	睡眠発作	120, 129
narcotics	麻薬中毒・常用者	166
narcotics anonymous, NA	ナルコティックス・アノニモス	166
nation-wide	全国ワイド	94
national	国立	53

英和索引		N

English	Japanese	Pages
National Center for University Entrance Examination	大学入試センター・大学入試センターテスト	91, 100
National Children's Center	国立少年自然の家	181, 186
National Education Association, NEA	全米教育協会	26
national elementary school	国民学校	46, 47
national pension fund	国民年金	187
national prosperity and military strength	富国強兵	46, 59
National Rifle Association, NRA	全米ライフル協会	145, 147
National Union of Teachers	全国教員組合	26
National Youth House	国立青年の家	181, 186
natural resources	天然資源	199, 200
nature vs. nurture	先天か後天か	111
necrophilia	死体(性)愛	121, 129
need, necessity	必要性	190
need guns for protection	自衛のために銃を持つことが必要	146
needs of learning, learning demand	学習要求	75, 76
negligence	怠慢さ	145, 146
nervous breakdown	神経衰弱	124
nervousness	神経質	124
net abuse	ネット乱用	211
net users, netizen, net citizen	ネット・ユーザー	211
neurosis, get neurotic	ノイローゼ	120, 129
neutrality of education	教育の中立性	49, 122
new education movement	新教育運動	49
new fifties	新しい50代	187
new species	新人類	106
new view of academic achievement	新しい学力観	31, 32
newspaper in education, NIE	教育に新聞を	34
nicotine	ニコチン	163, 165
night schools, evening course	夜間学部	11
ninth grader	9年生	13
Nippon Hoso Kyokai	NHK	207, 208
non-credit, pre-requisite course	単位にならない科目	16
non-directive counseling	非指示的カウンセリング	140, 142
non-formal education	ノンフォーマル・エデュケーション	177
non-governmental organization, NGO	非政府組織	161
nongrading (nongrade) system	無学年制	80
non-Japanese-speaking children	日本語を母語としない子供たち	211
non-professional leadership	素人統制	67, 74
non-profit organization, NPO	非営利組織	161
non-residential	寄宿舎がない	59
non-social behavior	非社会的行動	174, 177
norm-referenced evaluation	集団基準準拠評価	85, 86
norm-referenced test	集団基準準拠テスト	85, 99
normality	正常であること	116
north-south gap	南北隔差	161
not one against one, but many against one	1対1ではなく、1対複数で	137

英語	日本語	ページ
nuclear family	核家族	131, 132
nuisance, irritating call	いやがらせ電話	167
number of school days	授業日数	68
number of school hours	授業時数	68
nursery school	保育所	10, 11, 198
Nursing	看護(学)	41
nurture creativity	創造性・創造力	34
nutrition	栄養	155

O

英語	日本語	ページ
oasis	オアシス	144
objective measurement	客観的測定	85
objective test	客観テスト	96, 97
observable	観察でき得る	52
observation day at school	授業参観日	67, 68
observe classes	授業を参観する	67, 68
obsessed	思いに取り付かれて	138
obsessive-compulsive disorder	強迫神経症	121, 123
obsessive-compulsive idea	強迫観念	121, 123
obtain food placed outside the box	箱の外に置いてある食べ物を得る	111
Occupational Therapy	作業療法	39, 127
off the job training, off-JT	職場外訓練	188
office	研究室	27
office hours	執務時間	27
office of admissions, admission office	入学審査局・入学手続事務局	91, 95
official language	公用語	214
officialdom, bureaucracy	官僚	197
old-age pension, older peoples' pension	老齢年金	187
on probation	仮及第	100
on the diet	ダイエット中	139
one-parent family	一人親家庭	131, 132
only child	一人っ子	131, 132
open mock test	公開模試	98
open space	オープン・スペース	122
opening ceremony	始業式	62, 64
operant conditioning	オペラント条件付け	75, 76
opiates, narcotics	睡眠剤・麻酔剤	163, 165
opium	阿片	163
opposite dimension	相対方向	108
optimal condition for study	最適の条件	190
optimal period of education	教育の最適期	109, 111
option	選択肢	175
oral communication	会話	36
ordinary clothes	私服	168, 169
ordinary school	普通(学)校	116
organ transplants	臓器移植	206

| 英和索引 | | O・P |

Organization for Economic Co-operation and Development, OECD	経済協力開発機構 ……………………… 161
originality	独創性・独創力 ……………………… 34
otherly abled, differently abled, differently gifted	(他方面で)才能を発揮する ……………… 115
others	その他 ……………………………………… 122
out of school education	学校外教育 ………………………… 174, 175
outdoor education	野外教育 ……………………………… 34
over 65 years	65歳以上 ……………………………… 181
over achiever	学業進歩児 ……………………… 77, 78
overable	観察でき得る ………………………… 52
over head projector	OHP …………………………………… 210
overcome, resolve facing crisis	直面する危機を克服する ……………… 103
overcrowded classroom	すし詰め教室 ………………………… 70
overdose can be fatal	過度の服薬が致命的になる ……………… 130
over-emphasis on one's academic background	学歴偏重 ………………………………… 96
overindulgent parent, doting parent	甘やかす親 ……………………… 131, 150
overly sensitive	敏感すぎる …………………………… 195
overnight cramming	一夜つけ ……………………………… 95
overnight nursery	夜間保育 ………………………… 10, 28
over-protection	過保護 ………………………………… 145
oversea school	海外学校 ……………………………… 219
overseas assignment	海外勤務 ………………………… 212, 213
overseas maladjustment, maladjustment in foreign countries	海外不適応 …………………………… 219
overweight child, fat boy (girl), obese child	肥満体児 ……………………………… 139
overwork	残業 ……………………………… 187, 188
overwork pay	残業手当 ……………………………… 195

P

pachinko parlors	パチンコ店 …………………………… 167
paiclagogos	童僕 ……………………………………… 23
paid educational leave	有給教育休暇 …………………………… 27
palpitations	動悸 ……………………… 120, 121, 125, 126
panic disorder	パニック障害 ……………………… 120, 122
paper and pencil, written examination	筆記テスト …………………………… 98
para counseling	パラ・カウンセリング ……………… 140, 142
paralysis	麻痺 …………………………………… 119
parent guidance, PG	親の承認 ……………………………… 172
parent-child relation	親子関係 ……………………………… 107
parent-citizen association, PCA	親と市民の会 ………………………… 68
parent-teacher association	PTA …………………………… 67, 68
parental leave	両親休暇 ………………………… 188, 189
parenthood	親性 …………………………………… 135

323

English	Japanese	Pages
Parkinson's disease	パーキンソン病, パーキンソン症候	125, 126, 128
part-time high school	定時制高校	11
part-time job	アルバイト	58
part-time lecturer, adjunct lecturer	非常勤講師	25, 30
part-time student	定時制の学生	14
partial integration	部分的統合	114, 128
partially sighted, weak sighted	弱視	117
participation	参加・貢献	32
partition, room divider	間仕切り・隔壁	81, 82
part-time job	アルバイト	195
pass-fail, pass-failure	合・不合格評価	95
passive public	受動的な大衆	196
passive receiver	受身的客体	33
paternalism	親代わり主義	135
paternity leave	父権休暇	188, 198
patriarchy	家父長制	132, 135
patronized	障害者が見下されている	116
Pavlov, I. P.	パブロフ, I. P.	76
pedophilia	小児(性)愛	121, 129
peeping	のぞき	121, 129
peer group	仲間集団	108
peer relation	仲間関係	107
people who experience abuse in childhood	子どもの時, 虐待を受けていた者	149
perceptual disorder	知覚障害	116, 117
perform for the benefit of other individuals at the expense of the altruistic individual	他者の利益のために振舞うこと	109
performance assessment	力量査定	87
period of infant	乳児期	102, 103
period of newborn, neonatal period	生後4週間まで	112
period of primary resistance	第1反抗期	102, 112
period of secondary resistance	第2反抗期	102, 112
peripheral integration	周辺的統合	116
person with a speech impediment, speech and language impairment	言語障害者	116, 128
person with impaired hearing	聴覚障害のある者	118
person with testes is a male	睾丸の有る者を男性	201
personal-others, inter-personal intelligence	対人折衝能力	88
personal-self, intra-personal intelligence	内省的能力	88
personalities and outer characteristics	内面的性質および外的要素	88
personality disorder	人格障害	120, 122
personality traits	特性	110
personnel expenses	人件費	53, 54
person-oriented family	人志向家族	136
Pestalozzi, J.	ペスタロッチ, J.	49
pet	ペット	122

英和索引		P
peyote cactus	ペヨテサボテン	173
phantom killer	通り魔	167
pharmaco	薬物治療	125, 126
Pharmacy	薬学	41
phenotype	現象型	109, 110
Phi Beta Kappa	ファイベータカッパ	65
Philosophy	哲学	40
philosophy of education	教育哲学	44
Photography-Film	写真／映像(学)	40
physical characteristics of an individual	肉体的特徴・肉体的特長	199, 201
physical contact	身体的接触	34
physical disability	身体障害	117, 118
Physical Therapy	物理治療	39
physically	身体的	115
physically and mentally handicapped child	心身障害児	124
physically handicapped, crippled	肢体不自由児	117, 128
physics	物理	35, 36, 40
physiological cause	生理的な理由	130
physiological reflexes	生理的反射作用	109, 111
Piaget, J.	ピアジェ，J.	44
pica, perverted appetite	異食	120, 129
pickpockets	スリ	162, 164
piece of cake, Mickey Mouse	(テストが) 簡単である	99
pierced earring	ピアス	168, 169
pigtail	おさげ髪	170
place of public resort	盛り場	162, 164
placement	就学措置	115
placement service	就職斡旋サービス	27
plain reading	素読	38
planning	調査・企画	32
plastic tray	プラスチック・トレイ	199, 200
Plato	プラトン	110
play therapy	遊戯療法	126, 127
pleasure principle	快楽原則	107, 108
Podunk university	田舎の冴えない大学	16
polio, poliomyelitis	小児麻痺	119
political correctness	政治的妥当性	90
Political Science	政治学	40
politics & economics	政治・経済	35, 36
pool of ability	能力の貯水池	79
pool of talent	才能の貯水池	79
poppy seed	ケシの実	173
population education	人口教育	204
population group of 18 year of age	18歳人口	14, 15
porch monkey	ポーチ(長椅子)の猿	150
porno, obscene, sex film	ポルノ映画	154, 156
portfolio	ポートフォリオ	85, 86

English	日本語	ページ
positional family	地位家族	135
postal system	郵便システム	207, 208
post-industrial society	脱工業社会	106, 107
post-secondary education	中等後教育	13, 29
post-world war II era	戦後	46, 47
postgraduate school	中学院（英国）	29
posttraumatic stress disorder, PTSD	心的外傷後ストレス障害	120, 122
potential ability	潜在的な能力	77, 84
potentials, potentialities	開花できうる可能性	88, 90
practical	実際的	45
practical investigation nucleus	実戦的学習拠点・学習ゾーン	81, 82
practical professional education	実践的専門教育	19
practical skill	実践する力	32, 33
pragmatism	プラグマティズム	49
prank call	いたずら電話	167
pre-delinquency	虞犯	162, 172
pre-service education	養成教育	70, 71
pre-world war II era	戦前	46, 59
precocious-retarded child	早熟児	105
predeterminist	前定説	110
prefectural	県立	53
prefectrual board of education	教育委員会・都道府県教育委員会	50, 74
preference for eventlessness	ことなかれ主義	49
preformationist	前成説	109, 110
premature child	成熟した子ども・成熟し過ぎた子ども	162, 163
premature employment of students, earlier-than-usual employment of students	青田買い	187, 188
prenatal and postnatal leave	産前・産後休暇	188, 189
prenatal education	胎教	10, 11
prep school	私立の小学校	13
preparation	教材研究	27
preparation for entrance examination	受験準備	91
preparatory, preliminary group, reserve	不登校の予備軍	177
preparatory schools, prep school	予備校	11
preschool education	就学前教育	10, 11
prescribe	（薬を）処方する	127
presentation-debate	発表・討論	32
president	学長	25, 26
president of student self-government, president of student council	生徒会長	64
president of the PTA	PTAの会長	74
press a pedal to open the door	ペダルを押すことでドアを開ける	111
prestigious school	一流校	95
prestigious university	名門・有名大学	16
prevalent crime	犯罪がはびこる	149
primary health care	プライマリ・ヘルスケア	154, 155

primary school	小学校	28
principal, head master	校長	24, 25
principle	原理的	45
principle of education	教育原理	44
private	私立	29
private institution	私立学校	53, 54
private school for nurturing entrepreneur	起業家養成塾	132, 135
private tutor	家庭教師	180
privatism	私的自由の尊重	112
privatization	教育の私営化	180
probationary supervision	保護監察	167
process	過程	99
produce an elevated mood	機嫌を良くする	125, 126
profession liability, professor's liability	PL宣言	95
professional or housemaker, executive housewife	専業主婦	131, 135
professional school	専門大学院	19
professor, full professor	教授	25, 26
progressive education	進歩主義教育	83
progressivism	進歩主義	49
Projection	投射	140, 141
promotion system	進級制度	80
promotion system based on seniority	年功序列制	188, 198
pronunciation	発音	36, 45
proportion of the population aged under 15 years	15歳以下の人口割合	181
pros and cons of a matter	賛否両論	44, 164
protection of youth	少年保護	162, 164
provincial	省立	60
Prozac	プロザック(抗鬱病薬)	125, 130
psychiatrists	精神症医学者	126
psychiatry	精神病治療	130
psychic trauma	心的外傷	122
psycho analysis	精神分析	127
psychoactive drugs	精神状態を調整できる薬	126
psychogenic disturbance	心因性障害	124
psychogenic reaction	心因反応	124
psychological and behavioral therapy	心理的・行動的治療法	126
psychological characteristics	精神的特徴・精神的特長	199, 201
psychological scar	心の傷	129
psychologists	心理学者	126
Psychology	心理学	40
psychosocial crisis, challenge	心理的危機	104
psychosomatic disorder, psychosomatic illness	心身症	124, 138
puberty, the springtime of life	多感な時期である思春期・思春期	102, 112
public	公立	53

public employment security office	公共職業安定所	195
public funds	公共資金	145
pubic hair	陰毛	172
Public Health	衛生／保健(学)	41
public institution	公立学校	53, 54
public relation	広報	74
public school	パブリック・スクール	13
publish or perish	業績作りに躍起になる	27
punishment learning	処罰学習	75, 76
pupils with moderate learning difficulties	中度学習困難児	119
purge by means of laxatives	下剤・利尿剤で排出する・させる	136, 138
purge from teaching profession	教職から追放する	70, 71
put on make-up	化粧	164
puzzle box	パズル箱	111
pyknic type	肥満型	139

Q

qualification for application	応募資格	91, 94
quality of life, QOL	生活の質	114, 128
quantitative research	定量研究	143
quarrel, fight with siblings,	兄弟喧嘩	136, 137
quarter system	3学期制	16

R

racial discrimination	人種差別	150
rape	強姦・性的いじめ	167
rapport	ラポート	141, 142
rate of university entrants, rate of advancement to university	大学進学率	91, 94
rating, evaluation	評価	86
Rationalization	合理化	140, 151
ratio of mental age to chronological age	生活年齢に対する精神年齢の割合	99
Reaction Formation	反動形成	140, 141, 151
read at random	乱読	38
read carefully, read with care	精読	38
read rapidly	速読	38
read silently, read to oneself	黙読	38
reading method	読書中心主義教授法	38
Reading, wRiting, aRithmetic	読み書き算術	32
reality principle	現実原則	107, 108
"real-world" problem	実社会の問題	34
reasoned consideration of the innate idea	内的理由付け	109
rebellious	反抗的	143
reception class	レセプション・クラス	13
reception learning	受容学習	83

English	Japanese	Pages
recess, break	休み時間	62, 63
recession	不況，不景気	48, 188, 189
recessive inheritance	劣性遺伝，劣性遺伝	109, 113
recidivism	再犯・常習的反抗	167
recidivist	再犯者・常習者	167
recipient	学位修得者	14
recitation	朗読・暗誦	38
reckless	無謀	48
recommendation letter	推薦状	91, 95
record of progress	通知表(英国)	100
recurrent education	回帰教育，レカレント教育	23, 188, 190
recurrent model	組み合わせができる学習形態	23
reflection on practice	実践しながら振り返る	86
refuge	隠れ場・逃げ場	138
refusal to attend school, school non-attendance	登校拒否	174, 175
regional studies	地域学習	186
regular checkups	定期検査	206
regular payment to the poor from public funds	公共資金から貧困者への定期的支払い，生活保護	153
rehabilitation	社会復帰	125, 126
Reimer, Everet	ライマー，E.	175, 196
reinforced	強化される	111
reinforcement	強化	75, 76
relative	相対	86
relative evaluation	相対評価	85
release	就学免除	177
relief	救済・軽減	161
relieve pain, analgesic	痛みを和らげる	165
religion	宗教	44
religion education	宗教教育	204
religious people	宗教的な人	178
religious sentiment	宗教的情操	204
reluctance to attend school	学校への行き渋り	174, 177
remarks	リマーク	100
renew certificate	免許更新	70, 71
repeater	浪人生	11
reports of the U.S, Education Mission to Japan, submitted to the supreme commander for the allied power	アメリカ教育使節団報告書	46, 47
Repression	抑圧	140, 141
reptile	爬虫類	122
required subject	必修科目	29
research assistant, RA	研究助手	25, 26
researcher, research fellow	研究員	25, 26
resident student	寮生	59
residential care facilities for children	養護施設	135

英語	日本語	ページ
resocialization	再社会化	24, 219
resource center	資料センター	181, 186
respondent conditioning	応答的条件付け	76
responsibility	責任	190
result	結果	99
retirement age, age limit	定年	103
returned child education, education for returning children	帰国子女教育	211, 213
reverse discrimination	逆差別	150
revision of juvenile law	少年法改正, 少年法を改正	162, 173
reward learning	報酬学習	75, 76
rewarded	報酬を得る	111
right to education, right to receive the education	教育を受ける権利	49
right to educational environment	教育環境権	186
rights of female teachers	女性教員の権利	28
rite of passage, ritual	通過儀礼	63, 64
role expectation	役割期待	19, 103, 112
role-playing method	役割演技法	33
roll call	出席をとる	62, 63
rote memorization, learning by heart	丸暗記	81
rough	ラフ	58
Rousseau, J.	ルソー, J.	49
R-response	反応	111
rubric	序列意識をもたせないコメント	86

S

英語	日本語	ページ
self-esteem	自己肯定感	107, 108
sabbatical leave, sabbatical year	研究（有給）休暇	23, 27
sadism	加虐性愛	121, 129
salaries of personnel employed in school	教職員給与	53, 54
salutatorian	成績が2番目に優秀な者	73
salutatory	開会の辞	73
satisfactory-unsatisfactory	満足・不満足	95
scapegoat	スケープゴート	140, 151
schizo kids	スキゾ・キッズ	125
schizophrenia	精神分裂症	120, 122
scholarly journal, scientific journal	学術雑誌	27
Scholastic Assessment Test of the College Entrance Examination Board	SAT	97
school abroad for Japanese, full-time schools for Japanese, government supported Japanese school	日本人学校	212, 213
school administration	学校経営・管理	68
School and Society	学校と社会	49
school architecture, school building	学校建築	81, 82

English	Japanese	Page
school attendance	学校への出・欠席	177
school badge	校章	170
school based curriculum development	学校レベルでのカリキュラム開発	52
school based management, local management of school	学校の自治的運営	52
school building	校舎	82
school calendar	学校行事予定表	62, 64
school camp by the sea	臨海学校	65
school canteen, cafeteria, dinning hall	学校食堂	62, 73
school clerical staff	学校事務職員	24, 26
school climate, ambience, atmosphere	学校の雰囲気	73
school code	学内規定・規程	170
school-community complex facilities	学校と地域施設の複合化	186
school counseling	スクール・カウンセリング	140, 142
school counselor	スクール・カウンセラー	140, 142
school culture	学校文化	73
school district	学区自治体・学校区	74, 153
school doctor, school physician	校医	24, 26
school equipment	学校設備	83
school excursion	修学旅行	63, 73
school extension	学校開放	186
school facilities	学校施設	83
school festival	学園祭	63, 64
school for the blind	盲学校	117
school for the deaf	聾学校	117, 118
school for the deaf and blind (deaf-blind)	盲聾学校	117, 128
school for the deaf and dumb (mute)	聾唖学校	117, 128
school governing	学校運営	67, 68
school holiday	学校休業日	68
school job-specification	校務分掌	27
school law	学校法	170
school legislation	教育法規	170
school library	学校図書館	26
school maladjustment	学校不適応	174, 175
school meal, school lunch	給食	62, 73
school motto	校訓	170
school nurse, nurse teacher	養護教諭	24, 26, 114, 128
school of nursing	看護学校	11, 12
school office	事務室	26
school phobia	学校恐怖症	174, 175
school population, pupil population	教育人口	161
school psychologist	学校心理士	143
school refusal	不登校	174, 175
school regulation, school code	校則	169
school safety	学校安全	139
school shooting	銃乱射事件	146
school society	学校化社会	196

English	Japanese	Pages
school uniform	制服	168, 169
school violence, in-school violence, violence within schools	学内暴力	136, 137
school within a school	学校分割	81, 84
school without walls	壁のない学校	83
scicide of spouse	配偶者の自殺	124
science course	理科系	3
science of education	教育科学	44
scold children according to one's whims	気まぐれで子供を叱る	149
scope and sequence	範囲と系列	29
scorability	採点の容易性	85
screening	適性検査，ふるいにかける	15, 51
second-rate, second-rank, second-record, second-class school	二流校	95
seek the company of others	同伴を捜し求める	108
segregated education	（健常者と障害者を）隔絶する教育	114, 115
selection based on student records	書類による選考	91, 95
selection of educational content	教育内容の選別	46, 48
self development	自己開発	108, 195
self educability	自己教育力	31, 33
self-actualization	自己実現	108
self-assertion	自己主張	107, 108
self-concept	自己に対する概念	106, 107
self-contained classroom	（クラスの中で）学習活動が完結できる	84
self-control, self-discipline	自己統制	107, 108
self-defense	自己防衛	162, 163
self-disclosure	自己開示	126, 127
self-display	自己顕示欲	125
self-efficacy	自己効力感	108
self-establishment	自己の確立	106, 107
self-help	自己支援	116
self-help group	支援グループ	118
self-induced vomiting	自己誘発性嘔吐	136, 138
selfishness, self-centered behavior	自己中心主義	136, 137
self-satisfaction	自己満足	22
semester system	2学期制	16
semi-opening style	セミ・オープンタイプ	81, 82
senescence	老年期	102, 103
senior, upper-class student	先輩	16
senior citizen	高齢者	181, 183
sense of belongings, identification	帰属意識	107, 108
sense of curiosity	好奇心	139
sense of position	（自分の）居場所	136, 137
sense of territory, turfing	縄張り	139
sense of wonder	センス・オブ・ワンダー	90
sensitive period	敏感期	102, 112, 138

sensitivity-raising training	感受性訓練	195
sensory impairment	感覚障害	116, 117
separated, customized	個別化	106, 107
separated family	離れ離れになった家庭	131, 132
separation	別居	124
serious problem	深刻な問題	149
setting	セッティング	79
severe	重度	114, 115
severely and multiply, profoundly handicapped	最重度の障害	114, 115
sex	セックス	201
sex difference	性差	199, 201
sex magazines	性雑誌	154
sex pervert	痴漢	125
sex role specialization	性別役割分業	195
sex tours	海外売春ツアー	154, 156
sexual abnormality	性的異常	121, 123
sexual abuse, sexual assault	性的な虐待	145, 152
sexual awareness	性意識	105
sexual disorder	性的障害	121, 123
sexual harassment	セクハラ	167
sexual maturation	性的成熟	105
sexual morality	性道徳	207
sexual perversion	性的倒錯	121, 129
sexual threat	恐喝	167
shaking	震え	120, 122
shelter	避難場所・アジール	138
shooting themselves	銃殺	120, 129
shoplifting	万引・万引き	162, 164
short test, quiz	小テスト	96, 97
should not do to others what you would not like done to yourself	自分がされて嫌なことを人にやってはいけない	137
sibling relation	兄弟関係	107
sibling rivalry	兄弟(姉妹)間の対立	108
simple phobia	恐怖症	122
sing the national anthem	国家斉唱・国家の斉唱	63, 64
single father family	父子家庭	131, 151
single head family, single-parent households	単親家族・世帯	131, 150
single subject degree	シングル・サブジェクト学位	15
sister school	姉妹校	218
sit upright	正座	167, 168
sizeism	大きさを誇示する(主義)	90
skill of analysis and synthesis	分析したり統合する能力	44
skim reading	すくい読み	38
Skinner, B. F.	スキナー, B. F.	76, 111

英和索引　　　　　　　　　　　　　　　　　　　　　　　S

skip floor	スキップフロア，見本市の展示会場のようなオープンスペース ……… 81, 82
skip grades, grade skipping system	飛び級 …………………………………… 80
slackers	スラッカーズ ……………………………… 106
slam	スラム ……………………………… 145, 153
slit one's wrists	手首を切る ……………………… 120, 129
slow learners' class, slow track, remedial class classroom for remedial education	治療学級 …………………………………… 80
slowly but steadily	ゆっくりと着実に ……………………… 189
sniff thinner, sniff glue	シンナーを吸う ………………………… 167
soccer team club	サッカー部 ………………………………… 65
social class, social strata	社会階層 ……………………………… 46, 60
social differential	社会的格差 ………………………………… 79
social education, education for youth and adults	社会教育 ………………………………… 186
social isolation or withdrawal	引きこもり …………………… 120, 122
social literacy	社会リテラシー ………………………… 161
social mobility	社会移動 …………………………… 46, 47
social norm	社会規範 ………………………………… 106
social psychology of education	教育社会心理学 ………………………… 41
social security	社会保障 ……………………… 187, 189
social skill	社会性 ……………………………………… 44
social welfare	福祉 …………………………………… 145
Social Work	社会事業(学) …………………………… 41
socio-cultural forces	社会・文化的影響力 ………………… 112
sociogram	ソシオグラム …………………………… 35
Sociology	社会学 …………………………………… 40
sociology of education	教育社会学 ……………………………… 41
sociomatrix	ソシオマトリックス ………………… 35
sociometric test	ソシオメトリック・テスト ………… 34
somatic therapy	肉体的治療法 …………………… 125, 126
somatoform disorder	身体型障害 …………………… 121, 123
sorority	女子クラブ・女子友愛会 …………… 65
spacial, spatial intelligence	視覚的・空間的把握力 ……………… 88
spank	お尻を打つ ……………………………… 168
speaking	スピーキング ……………………… 36, 45
special curricular activities	特別活動 …………………………… 63, 64
special education	特殊教育 ………………………………… 44
special education for gifted (bright) children	英才教育・優良児教育 …………… 77, 78
special education school	特殊教育諸学校 …………… 114, 128
special needs education	教育的ニーズを持つ子供のための教育 … 45
special, non-degree students	科目のみ受講する学生 ……………… 14
special school for the mentally and physically handicapped	養護学校 ……………………… 114, 115
special selection procedure for adult student	社会人特別選抜 …………………… 19, 30

special training school, special training college	専門学校 ……………………… 13 , 14
specialism	特別扱い ……………………… 116
specific skills	特定の技能 …………………… 88
speech and language disorder, communication disorder	言語障害 ……………………… 116 , 118
speech and language therapy	言語治療 ……………………… 127
split personality	分裂人格 ……………………… 120 , 122
spoiled, indulged, spoon fed	甘やかされた ………………… 132
spoiled, indulged, spoon fed child	甘やかされた子 ……………… 131
spoken language	日常会話 ……………………… 38
sponsor	後援する ……………………… 208 , 209
spousal abuse	配偶者虐待 …………………… 150
spring semester	春学期 ………………………… 16
S-stimulus	刺激 …………………………… 111
stability	安定感 ………………………… 124
staff card	大学職員身分証明書 ………… 27
staff meeting, teachers' meeting	職員会議 ……………………… 30
standard-referenced criteria	スタンダード・レファレンス・クライテリア ………………… 87
standardized exam	標準化されたテスト ………… 96 , 97
state law	州法 …………………………… 74 , 130
state-owned, state	州立 …………………………… 60
Statistics & Operations Research	統計／調査研究(学) ………… 40
status	ステイタス …………………… 58
stereo type	ステレオタイプ ……………… 201
stiff and formal	堅苦しい ……………………… 64
stiffness	体が硬直 ……………………… 125 , 126
stimulants, stimulant drugs	興奮剤 ………………………… 163 , 165
stop out, stopping out	ストップ・アウト …………… 177
straight A's	オールA ……………………… 96
strangulation	絞殺 …………………………… 145 , 152
strategy	戦略 …………………………… 189
streaming,	細流に分ける，ストリーミング ……… 79
stress	ストレス ……………………… 71
stressor	ストレッサー ………………… 74
structural group encounter	構成的グループエンカウンター ……… 34
Structure Arts	設計芸術(学) ………………… 39
structured conversation	方向性のある対話 …………… 33
student fare	学割 …………………………… 65
student guidance	生徒指導 ……………………… 25
student handbook	生徒手帳 ……………………… 65
student identification card	生徒・学生証 ………………… 65
student on scholarship, grant recipient	奨学生 ………………………… 59
student self-government	生徒会 ………………………… 64
student-teacher ratios	教員一人に対する生徒数 …… 67
Studio Arts	スタジオ・アート …………… 40

English	日本語	頁
study of failure	失敗学	127
study on demand	需要に応じて学習できる	208
study through experience	体験学習	31, 32
stuttering, stammering	吃音	119
sub (substitute) teacher	代替(代用)教師	24, 30
subject	専門学科・被験者	101, 143
subject curriculum	教科カリキュラム	50, 52
subjective rating, valuation	主観評定	85
submissive	従属的	112
substantial discipline	実質陶冶	83
successful applicant, successful candidate	合格者	95
successive approximation	継時的近接法	75, 76
suffocated, choked to death	窒息死	145, 152
summa cum laude	優等賞	80
summative evaluation	総括評価	87
summer session	夏学期	16
summer vacation	夏休み	16
super ego	超自我	107, 108
super-intendance of school	学校監督行政	52
superficial friend	表面的付き合いの友達	139
superintendent	教育行政の専門家	74
superintendent of board of education	教育長	50, 60
superiority	優越感	77, 78
supervision, advice, guidance	監視指導・助言・勧告	60
supplemental lesson, make-up classes	補習授業	80
supplementary examination	追試験	80
supplementary school	補習授業校	212, 213
support but no control	援助すれども統制せず	50
supportive therapy	支持的療法	140, 152
supreme commander for the allied power	SCAP	59
surgeon	外科医	209
surprise quiz, surprise test, pop quiz	抜き打ちテスト	98
survey	サーベイ	143
survival skills	生き延びる能力	44
survival strategy	生き残るための方策	72
survive	生存	24
suspension from school	出校停止	177
sweating	発汗	120, 122
syllabus	授業計画	66
sympathy	同情	118, 200
symptom	症状	122, 128
system of entrance examination to universities	大学入試制度	91, 94
systematic desensitization	系統的脱感作法	127

T

take a crowded train at rush hour	ラッシュアワーに混んでいる電車に乗る	195
take home exam	家に持って帰る形式	99
taking lessons, take lessons	習い事	10, 11
take overdoses of sleeping pills	睡眠薬を過分に服用する	120, 129
tar baby	タールのように真っ黒な人	150
task	活動	64
task-on-time	タスク・オン・タイム	62, 64
tea ceremony club	茶道部	65
teacher assistant	助教員	24, 30
teacher burnout syndrome	燃え尽き症候群	72
teacher certificate	教員免許	70, 71
teacher efficiency rating system	教師の勤務評定	28
teacher training, teacher education	教員養成	70
teacher-pupil relationship	教師と生徒の関係	73
teacher-student relation	先生－生徒の関係	107
teachers' association	教員協会	72
Teachers' Charter	世界教員憲法	28
teachers' room, stuff room	職員室	30
teachers' union	教職員組合	26
teaching aids	教具	210
teaching assistant, TA	指導助手	25, 26, 82
teach children, not subject	（子どもを教えるのであって）教科を教えるのではない	60
Teaching English of Foreign-Second Languages, TEFL-TESL	テッフル・テッソル	44
teaching license, teacher certificate	教員資格	70, 71, 74
Teaching of Chinese	中国語教授	45
Teaching of English	英語教授	40
Teaching of English to Speakers of Other Languages, TESOL	ティーゾル	44
Teaching of French	フランス語教授	45
Teaching of History	歴史教授	40
Teaching of Mathematics	数学教授	40
Teaching of Spanish	スペイン語教授	45
teaching specialized subjects	教職専門科目	70, 71
teaching style	教授形態	34
team teaching	協同授業	67
team work	チーム・ワーク	84
technical school	実業学校	13
technician	技術を操る者	195
technocrat	テクノクラート	196
technostress	コンピュータ利用者に生じるストレス	311
teenage pregnancy	十代で妊娠	145, 149

英和索引		T
telemedicare	遠隔地の患者に対する医療的ケア	207, 209
telephone counseling	電話相談	144
telephone dating club	テレクラ	161
telepresence	あたかもそこに存在するかのような臨場感	209
teleshopping	テレショッピング	208, 209
telesurgery	リモコンによる手術	207, 209
teletext broadcasting	テレビ文字多重放送	210
televised education	テレビ教育	207, 208
teleworking	在宅で仕事をする	208, 209
telop	テロップ	210
temper tantrum	駄々こね	135
tension between black and white people	黒人と白人の間の緊張状態	150
tenure	終身在職権	27
terminally ill	末期症状	206
test anxiety	テスト不安	143
Test of English for International Communication, TOEIC	外国人の英語による国際交流能力判定テスト	97, 98
Testing of English as a Foreign Language, TOEFL	外国語としての英語能力判定テスト	97, 98
text-book screening system	教科書検定制度	52
text-book trial	教科書裁判	52
the Bubble burst	バブルがはじける	189
the birds and the bees	子ども向けの性教育	206
the chaotic classroom, classroom distraction	学級崩壊	134, 136, 137
the first class	1級・大学卒業者	70, 74
the first world war, the world war I, 1914—18	第一次世界大戦	47
The Second Amendment to the Constitution	第2次憲法修正案	146
the second class	短大卒業者, 2級	70, 74
the second world war, the world war II, 1939—45	第二次世界大戦	47
The structure-of-intellect model	知的構造のモデル	100
The U.S. Education Mission	アメリカ教育使節団	46, 47
Theater	演劇(学)	39
theory of education	教育理論	44
theory of evolution, evolutionism, Darwinism	進化論	178, 197
theory of personality, theory of structure of personality	人格構造理論	107
theory of psychosocial development	人格発達理論	102, 104
theory of teaching, theory of instruction	教授学	44
there are many parents who cannot be independent from their children	子離れできない親が多い	151
there are no subjective symptoms	自覚症状がない	206

thesis	修論	16
Thorndike, E. L.	ソーンダイク（心理学者）	76, 111
three components	三種の体系	108
three dimensions	三次元	207, 209
thumb-sucking	指しゃぶり	135
time-on-task	タイム・オン・タスク	62, 64
to repeat again and again	何度も繰り返し行う	123
to split	分裂する	122
tolerance deficiency	耐性虚弱	119
too thin is not healthy nor beautiful	やせすぎは健康的でもないし美しくもない	139
total institution	全盛的施設	81, 82
tracking	トラッキング，軌道を敷く	79
trade school	職業学校	11, 12
trainable mentally retarded	訓練可能な精神遅滞	119
tramp, vagrant	浮浪者	150
tranquilizers	鎮静剤・安定剤	125, 126
transcript of grades	内申書	91, 94
transfer	編入・転入	213
transfer credit	単位の移動	29
transnational	超国境	199, 200
transplantation of internal organs, organ transplants	臓器移植	219
transvestitism	服装倒錯	121, 129
traumatic events	トラウマ的出来事	126
traumatic experience	外傷経験	122
treadmill worker	トレッドミル・ワーカー	195
tremors	震え	125, 126
trigonometry	三角法学	35, 36
trip	トリップ	165
Trow, M.	トロウ，M.	221
truck suit, warm-up suit	運動着	170
true or false test, T-F test	マルバツ形式	98
tuition	授業料	53, 60
tuition-free, tuition waiver	授業料免除	59
tutor	相談者・助言者	80
tutorial class	学習者の主体性を重視するクラス	80
twelfth grade	12年生	13
twice a week	週2回	65
twin method	双生児法	109, 110
two-hour-a-week	週2時間	65
two-pay check married couples, double-income family	共稼ぎの夫婦	131, 132

U

unconditional love, affection	無条件の愛・愛情	162, 172

English	日本語	ページ
unconditional positive regard	無条件に肯定的な関心	141, 152
unconditional surrender	無条件降伏	47
unconditioned response	無条件反射	75, 76
unconditioned stimulus	無条件刺激	75, 76
unconscious, instinctive, impulsive	無意識・本能・衝動的	108
under achiever, slow learner	学業不振児	77, 78
undergraduate	大学(学部)	29
underhanded	陰湿な	137
understanding what you read	読解力	101
uneducated	無学の・教養のない	178
unemployment rate	失業率	188, 189
unexcused absence, truancy absence without permission, unlawful absence	無断欠席・非認可欠席	177
uniform education	粒ぞろい・画一的教育	79
uniform everywhere in Japan	全国で統一されている	51
unit	単位	84
United Nations Association's Test of English, UNATE	国連英検	97, 98
United Nations Children's Fund, UNICEF	国際連合児童資金, ユニセフ	161
United Nations Educational, Scientific and Cultural Organization, UNESCO	国連教育科学文化機関, ユネスコ	161
universal	ユニバーサル	213
universal declaration of human rights	人権宣言	49
universal design	ユニバーサル・デザイン	117, 118
university	4年制大学	13, 14
university autonomy	大学の自治性	52
university based on a new concept	新構想大学	16
University Council	大学審議会	52
university entrance qualification test	大学入学資格検定	174, 175
university extension program	大学公開講座	14, 15, 22, 181, 186
unrealistic	現実味のない	34
unschool	アンスクール	178
un schooling	アンスクーリング	197
unstable	不安定	124
unsuccessful applicant, unsuccessful candidate	不合格者	95
unwed or unmarried mother	未婚の母	131, 132
upper secondary school, senior high school, high school	高校	10, 11
up-to-date textbooks	新版の教科書	153
U.S. Air Force Academy	航空士官学校	60
use a pony, crib	虎の巻きを使う	95
U.S. Naval Academy	海軍兵学校	60
U.S. Military Academy	陸軍士官学校	60

V

英語	日本語	ページ
valedictorian	卒業生総代	63, 64
valedictory	告別演説	64
validity	スコアの妥当性	97
value of life	命の持つ重み・大切さ	205, 206
venereal disease, Sexually Transmitted Diseases, STD	性病	207
verbal reasoning	論証力	101
vertical grouping	縦割り集団	80
vertical society, society with vertical organization	タテ社会	195
vice president	副学長	25, 26
vice president of self-government, vice president of student council	副会長	64
vice principal, assistant principal, deputy headmaster, deputy principal	教頭	24, 25
vicious circle, cycle	悪循環	79
victim of bulling, persecuted children, tormented youngsters	いじめられっ子	136, 151
victim of rape	レイプの犠牲	124
victory or defeat	勝つか敗けるか	44
video tape recorder	VTR	210
viewer-control chip, violence chip, viewer chip, V-chip	番組選択装置	162, 172
violence breads violence	暴力は暴力を生む	168, 169
violent games and TV programs	残虐なゲームやテレビ番組	162, 164
virility-womanliness	社会的男女差	199, 219
virtual classroom	仮想教室	208, 209
virtual learning environments	仮想学習環境	208, 209
virtual reality	仮想現実感覚	207, 208
virtual school	バーチャル・スクール	207, 209
virtual university	仮想大学	209
visiting professors	客員教授	25, 27, 30
visiting teacher, itinerant teacher	訪問教師	208, 220
visual handicap, visual disturbance, visual impairment	視覚障害	116, 117
vocabulary	語彙, 語彙力	36, 101
vocational aptitude test	職業適性テスト	98
vocational association, professional organization	職能団体	26
vocational guidance	職業指導	25
vocational training, on the job training, OJT	現職教育	20
voluntarism	自発主義	186
voluntary activities	奉仕活動	95

English	Japanese	Page
voluntary organizations	民間団体	187
voucher	バウチャー	179

W

English	Japanese	Page
wage system based on seniority	年功賃金制	188, 189
wartime experiences	戦時中の経験	129
wash one's hands 50 times before meals	食事の前に手を50回も洗う	123
Watson, J.	ワトソン, J.	111
weight training, weight lifting	重量挙げ	113
well-being	よりよい存在	155
where there is a demand, there is a supply	需要と供給の関係が成立する	154, 156
white backrush	白人の巻き戻し	150
Whitehead, A.	ホワイトヘッド, A.	44
wild boy, feral child	野生児	109, 110
withdrawal	退学, 引きこもり	96, 174, 177
Women's Studies	女性学	45
words & phrases	語句	36
work in partnership with other teachers	(他の先生と)協働する	67
workplace	職場	213
workplace nursery	職業保育所	195
World Confederation of Organization of the Teaching Profession, WCOTP	世界教職員団体総連合	26
World Health Organization, WHO	世界保健機構	162
world history	世界史	35, 36
world of forms	フォームの世界	109, 110
world of phenomena	現象の世界	109, 110
write graffiti	落書きする	167
writing, composition	作文	36
writing school	寺子屋	46, 47

X

English	Japanese	Page
xenophilia	ゼノフィリア	204
xenophobia	ゼノフォビア	204

Y

English	Japanese	Page
year based contract	任期制	27
youthism	若さを重視する(主義)	90

Z

English	Japanese	Page
zest for living	生きる力(生きることへの強い欲求)	31, 32
zoning	ゾーニング	82

あ と が き

　20世紀という百年に，世界が社会・共産主義の崩壊を見守った一方で，英語は資本主義を象徴する主要な言語として，その政治的地位を確実にしてきました．経済界においても，国際間の商取引・技術の発展を担う一大言語として活用されています．また学術面やオーディオ系・ビジュアル系文化，そして通信分野においても，英語は情報獲得・発信のための手段として，他のどの言語より頻用されています[1]．したがってリンガフランカ (lingua franca，国際語)としての英語は，政治・経済・文化の各分野と密に接している言語であり，世界に6千あると言われる言語の中で一際，21世紀においても発展していくことが予測できます[2]．

　もちろん科学技術の更なる進歩にともない，例えばコンピュータに翻訳ソフトを備えることにより，外国の映画やスポーツの観戦などを利用者が望む言語へ同時進行的に吹き替えや字幕付けを行うことが日常的となり，英語修得の必要性が低くなるという見方もできます[3]．しかし言語とは，話者のアイデンティティの拠り所であり，単語や文章のレベルでは翻訳・変換しきれないような高次元の背景を含有していることも，また事実です[4]．

　私たちは英語の発する文化や情報に触れれば触れるほど，原語の英語を学んでみたいという願望をより強くするとも考えられます．そして，現代はヴァーチャル化が進行する時代であるからこそ，人と人との直接的交流が求められるという現実もあり，英語が私たち情報化社会の住人にとって世界と交流をはかるため，最も身近な媒介言語であることは否定できないようです[5]．

　本書は教育学に関連する英語に焦点を絞り，将来教職を目指す方，現職の教員，さらには教育学研究を志している人々を主たる対象にして，英語で受信・発信されている情報に円滑な対応ができ，同時に英語でのコミュニケーションの際に生じるバリアをフリーにすることを願って纏め上げたものです．教職を目指す教職課程在学中の学生の皆さん，そして教育学研究を目指す研究者の皆さん，これからペダゴジカル英語の必要性が高まる時代に，本書は読み捨てにされるのではなく，何度も読み返すことにより活用できる，貴方の強い味方になる1冊と確信しています．

　なお今後は，充分な教育学的知識をすでに有している人たちに向けて，国際メディア（新聞・出版・ジャーナル・報道・講演・インターネット）からの情

報を豊富に取り込み，本書の内容をより濃厚にすることにより，教育現場で発生している様々な問題の解決に繋がるような事項をトピックとして積極的に取り入れ，『続ペダゴジカル英語 (More Pedagogical English)』として刊行していくことも考えていますので，どうぞご期待下さい．

　最後となりましたが本書を出版するにあたりお世話になった多くの方々に謝意を表します．とりわけ，このような拙文が世に出る機会を与えて下さった，信山社の袖山貴氏のご厚意に感激し深謝いたします．ならびに，非才な著者の原稿を一字一句推敲し編集してくださった，編集工房INABAの稲葉文子氏のご尽力に，心よりお礼申し上げます．

2002年7月

小向敦子

---

1) David Graddol (デイビッド・グラッドル), "*The future of English*" (英語の将来), 山岸勝栄訳, 研究社, 1999年, 8頁.
2) 約6千ある言語のうち多くはパプアニューギニア (850), インドネシア (670) などに偏在している．話者が5千人未満の言語が半数に及び，それらは百年後には消滅の危機にさらされることになる．京都新聞 (夕刊), 1999年, 11月24日.
3) David Graddol, 前掲書, 30頁.
4) 京都新聞 (夕刊), 1999年, 11月24日.
5) Andy Kirkpatrick, English as an Asian Language, The Guardian Weekly, November 16-22, 2000, p.3.

著者紹介

小向敦子（こむかい　あつこ）

米国イリノイ大学心理学部（専攻），アジア研究学部（副専攻）卒業。同大学大学院教育学部研究科博士課程修了。教育学博士。現在，城西国際大学語学教育センター研究員。立正大学心理学部非常勤講師。海外・国内での学会発表，教育に関する論文多数。本書『ペダゴジカル英語』は処女作。趣味：スキューバ・ダイビング，ソシアル・ダンス，東洋医学研究，ふらり＆ぼんやり旅行。

（シカゴ市ミシガン湖岸にて）

ペダゴジカル英語

2002年10月25日　第1版第1刷発行

　　　　　Ⓒ著　者　小　向　敦　子
　　　　　　発行者　今井　貴・稲葉文子
　　　　　　発行所　（株）信　山　社
　　　　〒113-0033　東京都文京区本郷6-2-9-102
　　　　　TEL 03-3818-1019　FAX 03-3818-0344
　　　　　　　　　　　　　　制作：編集工房 INABA

2002, Printed in Japan　　　印刷・製本／東洋印刷（株）

ISBN4-7972-9067-6 C3082

飯野友幸 編著　**ブルースに囚われて**
　　　　アメリカのルーツ音楽を探る　　　Ａ５変型　本体：2,400円

小田桐光隆 編　**ラシーヌ劇の神話力**
　　　　フランス悲劇詩人の情念と劇的空間に肉薄する
　　　　　　　［クリスチアン・ビエ／渡邊守章／塩川 徹／西田 稔／渡邉義愛ほか］
　　　　　　　　　　　　　　　Ａ５上製　本体：3,600円

三輪公忠 著　**隠されたペリーの「白旗」**
　　　　日米関係史から抜け落ちた第四の書翰の謎に迫る
　　　　　　　　　　　　　　四六変上製　本体：2,800円

舟川一彦 著　**十九世紀オクスフォード**
　　　　The Fate of Humanism: Oxford in the 19th Century
　　　　　　　　　　　　　　Ａ５上製　本体：3,800円

余語ルリ 著　**根本的カント論**　有の思想と弁証法
　　　　営みの思想への熱きまなざし、いま人間的共存を問う
　　　　　　　　　　　　　　四六変上製　本体：3,800円

余語ルリ 著　**文明の始造者から**
　　　　カントとハイデガー　　四六変上製　本体：3,400円

奥山恭子 著　**これからの　家族の法**
　　　　１　親族法編　　２　相続法編　　（２分冊）
　　　　　　　　　　　　Ａ５変型　■各巻　本体：1,600円

変貌する大学院の徹底活用法
大学院完全攻略
●中央ゼミナール編【資料：全国大学院入試データ】
▽多様化する目的とニーズにあわせて▽国際貢献・MBA・資格試験・税理士・臨床心理士・研究者・司法試験・生涯学習・学歴アップ等々

Ａ５変型　本体２,４００円

■マンション管理士・管理業務主任者試験　最適テキスト
〈過去問〉で学ぶ実務区分所有法
山畑哲世 著　　Ａ５変型　本体２,４００円

マンション管理士必携
岡﨑泰造 編／新井泉太朗・天海義彦
澤田博一・山畑哲世　　Ａ５変型　本体：１,８００円

マンション管理法セミナー
山畑哲世 著　　Ａ５変型　本体：２,２２２円

マンション管理法入門
山畑哲世 著　　Ａ５変型　本体：３,６００円

日本マンション学会誌 **マンション学　第14号**
●日本マンション学会編　　Ｂ５判　本体：３,０００円

最新の法律学 入門書(アクセスツール) ブリッジブック 刊行開始

ブリッジブック 憲法
横田耕一（前九州大学教授）・高見勝利（前北海道大学教授）編
本体：2,000円

ブリッジブック 商法
永井和之（中央大学教授）編　　予価：2,000円

ブリッジブック 裁判法
小島武司（中央大学教授）編　　予価：2,000円

ブリッジブック 国際法
植木俊哉（東北大学教授）編　　予価：2,000円

ブリッジブック 先端法学入門
土田道夫（同志社大学教授）・高橋則夫（早稲田大学教授）・後藤巻則（早稲田大学教授）編
予価：2,000円

ブリッジブック 日本の政策構想
寺岡　寛（中央大学経営学部教授）編　　予価：2,000円

日常的に繰り返される暴力。なぜDVは起きるのか
現実の問題とこれからのDV法を考える

ドメスティック・バイオレンス

戒能民江 著（お茶の水女子大学教授）

①沈黙を破った女たち　②ジェンダーと女性に対する暴力
③DV防止法の成立　　　Ａ５変型　本体：3,200円

ドメスティック・バイオレンスの法

小島妙子 著（弁護士）　Ａ５変型　本体：6,000円

セクハラ救済ハンドブック20問20答

水谷英夫 著（弁護士）　Ａ５判　本体：950円

セクシュアル・ハラスメントの実体と法理

水谷英夫 著（弁護士）　Ａ５判　本体：5,700円

セクシュアル・ハラスメント

萩原玉味監修・明治学院大学立法研究会編

４６変型　本体：5,000円

文法に重点をおいたわかりやすい内容　◇全40課◇

詳解スペイン語 改訂・増補版

小林一宏／清水憲男／松下直弘／
María Yoldi ／岡村　一／吉川恵美子

■日本人とネイティブによる共同作業の集成
■日本人の苦手とする事項を特に詳しく説明
■英語との比較を交えて一層の理解を目指す
■言葉の周辺をコラムで解説し関心を高める

各課に興味のもてることわざ, 身近な対話：DIALOGO（8課〜）
わかりやすい文法・例文etc.　初級から上級まで
　　　　　　　　　　　　　Ａ５変型　本体：3,200 円

言葉の豊かさを実感する辞典：フランス語表現を再発見

フランス語和仏表現辞典

P. リーチ／澤　護／瀧川好庸／
西田俊明／福嶋瑞江／C. ロベルジュ
◆2,000の見出し語と12,000の例文◆
和仏総索引・仏和索引付　Ａ５変型　本体：5,800 円

わが国初のスペイン語語源辞典

ロマンス語諸語対照スペイン語語源小辞典素案

畑　隆昌　著　Ａ５変型　本体：5,000 円